Moje córki krowy

KINGA DĘBSKA

Moje córki krowy

Świat Książki
wydawnictwo

Wydawca
Grażyna Woźniak
Joanna Laprus-Mikulska

Redaktor prowadzący
Katarzyna Krawczyk

Konsultacja medyczna
Marta Klimek-Lewandowska

Redakcja
Anna Rydzewska

Korekta
Krystyna Śliwa
Ewa Grabowska

Świat Książki
Warszawa 2016

Świat Książki Sp. z o.o.
02-103 Warszawa, ul. Hankiewicza 2

Księgarnia internetowa: swiatksiazki.pl

Łamanie
Piotr Trzebiecki

Druk i oprawa
Opolgraf

Dystrybucja
Firma Księgarska Olesiejuk sp. z o.o., sp. j.
05-850 Ożarów Mazowiecki, ul. Poznańska 91
e-mail: hurt@olesiejuk.pl tel. 22 733 50 10
www.olesiejuk.pl

ISBN 978-83-8031-260-9
Nr 90096405

Magdzie

...

Jeśli wola Twa
Jeśli wybór masz
Rzekom wodę daj
Wzgórzom radość daj
Litościwy bądź
Dla płonących w piekle serc
Jeśli wola Twa
To ulecz je

...

If It Be Your Will, Leonard Cohen,
przeł. Maciej Zembaty

Mam powtarzający się sen. Śnisz mi się Ty. Masz gładką twarz i mnie rozumiesz. Jesteś blisko, a ja spadam. Mamo, ja spadam! Albo wędruję we mgle, nie znam drogi do celu, nie wiem nawet, czy jest jakiś cel. Boję się panicznie, czuję, że z każdej strony coś na mnie czyha. Jestem sama, naga i bezbronna, i wtedy się budzę.

Noctie

Zapowiadał się przyjemny dzień przedłużonego weekendu. Pogoda piękna, miasto puste, wszyscy wyjechali poza garstką nieszczęśników, którzy muszą pracować w taki skwar. W długi weekend pracują wyłącznie ci, którzy naprawdę muszą, w tym ja. Bo zdjęcia do serialu na dachu jednego z najwyższych biurowców w mieście możemy kręcić tylko w takie dni. Ten biurowiec, którego wnętrza kręcimy w hali, a plenery tutaj, jest miejscem pracy głównych bohaterów, a więc i moim. Od siedmiu lat gram w serialu Grażynę Morską, szefową agencji modowej Quasimodo, kobietę o nader burzliwym życiu uczuciowym; w roku średnio mam trzy, cztery miłości, najczęściej ciągnę dwa romanse jednocześnie. To stoi w jawnej sprzeczności z moim prawdziwym życiem osobistym, po którym hula pustynny wiatr i nie widać szans na żaden romans, nie mówiąc już o związku. Gram Grażynkę już tyle lat, a wciąż jest dla mnie zagadką, co też ona wyprawia. Scenarzyści piszą jej pokręcone wątki z nadzieją, że jakoś to uwiarygodnię. I tak w ostatnim roku miałam romans z dwudziestoparoletnim fotografem, a potem z jego ojcem. Widzowie mi kibicują, czekają, aż wreszcie znajdę sobie kogoś na stałe, lubią mnie mimo wszystko, a scenarzyści dbają o to, żebym zepsuła każdy związek, zanim wyniknie z niego coś na dłużej. Gdyby taką kobietę, z tak bogatym życiem erotycznym, spotkać w rzeczywistości, można by powiedzieć – dziwka. Ale w serialu to jest święta dziwka. Cała Polska B i C przeżywa z Grażynką jej ballady i romanse. I nienawidzi tych kłamliwych facetów, z których każdy ją w końcu porzuca. Bo porzuca ją każdy najdalej po trzech odcinkach. Grażynka jest Chrystusem Polski prowincjonalnej, która dzięki niej spełnia własne niespełnienia i zalicza niezaliczone romanse. Skoro ja nie mogę, niech chociaż Grażynka sobie poużywa – takie jest chyba myślenie ludności oglądającej serial.

Mnie Grażynka uwiera już od dawna, ale nauczyłam się z nią żyć. Jest moją hubą, naroślą, moim wstydliwym alter ego, moim rewersem. Związana z nią popularność nie daje ani nigdy nie dawała mi radości. Wiem, że Grażynka jest potrzebna ludziom, w których domach nic się nie dzieje, żeby rozjaśnić im nudne i nic nieznaczące dni, że jest potrzebna mnie, bo inaczej umarłabym z głodu, ale tak naprawdę to jest zupełnie niepotrzebna. Gdybym była scenarzystką tego serialu pod wziętym jakby wprost z Wenezueli tytułem *Zakręty losu*, to pozwoliłabym Grażynce na samotność, na poczucie odrzucenia, na jakąś prawdę. Ale, jak usłyszałam od producenta, prawda słabo się sprzedaje. Ludzie chcą oglądać marzenia. Ale takie marzenia? O puszczalskiej wyfiokowanej pindzie, która czeka na prawdziwą miłość? Może i jest to urzeczywistnienie bajki o Kopciuszku, która najwierniej oddaje marzenia kobiet, ale w wersji superlight. A Kopciuszek w moim wykonaniu to marny żart.

Nie ułożyłam sobie życia, jestem pojebana: znerwicowana, pełna traum, chodzę od dwóch lat na psychoterapię, dzięki której rozumiem coś niecoś. Jeżeli chodzi o związki, zawsze trafiam kulą w płot. Ostatnia próba wejścia w związek okazała się wielką porażką; chyba już wolę samotność niż takie poniżenie. Zakochałam się jak idiotka w prowincjonalnym aktorze. Byłam na spotkaniu z widzami w Zielonej Górze i miejscowi aktorzy zaprosili mnie na swój spektakl. Po spektaklu impreza, no i bach, zakochałam się. Był ciepły, taki prawdziwy duży facet, inny od tych warszawskich bon vivantów, jakiś wyluzowany bardziej, mądrzejszy, albo ja miałam tego dnia różowe okulary i tak go widziałam. Nawet do niczego nie doszło, odprowadził mnie tylko do hotelu, pocałowaliśmy się i umówiliśmy na randkę w połowie drogi pomiędzy Zieloną Górą a Warszawą. No i on na tę randkę nie dotarł. Czekałam, czekałam, miał wyłączoną komórkę, więc te trzysta kilometrów, które przejechałam, musiałam jak niepyszna pokonać z powrotem. W dodatku zrezygnowałam tego dnia ze zdjęć. Od kolegi, który grał w Zielonej Górze, dowiedziałam się, że facet ma żonę, która jest piekielnie zazdrosna. No to po chuj się ze mną umawiał? Chciał mnie upokorzyć? Udało mu się. Nie, dziękuję za związki, na razie nie. Brak mi tylko seksu, bo poza tym świetnie sobie radzę. Ale i na brak seksu współczesny świat ma swoje sposoby. Bardzo interesujące.

Tak naprawdę nie radzę sobie wcale, choć nawet gdyby mnie torturowali, nikomu tego nie powiem. Nie umiem być sama, nigdy się tego nie nauczyłam, pali mnie tęsknota za tym kimś wymarzonym, kto nie będzie widział we mnie aktorki, silnej, samodzielnej kobiety, kto zauważy mnie prawdziwą, wcale nie silną, wcale nie samodzielną, ale słabą, rozmemłaną, niedopieszczoną i niedowartościowaną. Każde kolejne rozstanie boli bardziej; wcale się nie uodparniam.

Chyba najbardziej mnie ubodło rozstanie z Marcinem; to był mój pierwszy i ostatni związek z aktorem. Leżeliśmy w łóżku po seksie i on mi powiedział, że nie może dłużej ze mną być, że chce być sam. Dlaczego? – pytałam, płakałam, żebrałam, bo naprawdę byłam zakochana, związana z nim jakoś tak atawistycznie. Bo jesteś zbyt intensywna – powiedział – i mnie osaczasz. Długo nie mogłam się uwolnić od stygmatu tego związku. Myślałam: Może Marcin miał rację, może dlatego te moje związki są tak kruche, że je za mocno trzymam w garści, może to we mnie jest problem. Dopiero po dwóch latach psychoterapii jakoś się uspokoiłam, przestałam walczyć, zabiegać, odpuściłam sobie facetów. I teraz jest jaki taki spokój. Będę sama, no i co z tego, wielkie mi rzeczy, mnóstwo osób tak ma, każdy jest sam. I jakoś mi lepiej. Przepracowałam też z panią psycholog moje sprawy zawodowe, moje wybory; ona uważa, że pod żadnym pozorem nie powinnam rzucać serialu, bo to jest stabilność i pewność.

Powiedziała, żebym nie negowała zalet Grażynki, bo to ukochana bohaterka kobiet leżących na onkologii, którymi się pani psycholog zajmuje. Grażynka jest materacem, na którym relaksują obolałe dusze, jest ich solarium i spa. Pani Marto, one się boją i strach nie daje im się skupić, nie pozwala pooglądać czegoś bardziej skomplikowanego. Sparaliżowane ze strachu, niepewne, co z nimi będzie, czy rak zareaguje na leczenie, czy pozwoli im żyć, czy też nie, leżą z wenflonem w żyle, leci w nie chemia, która ma zabić raka, i oglądają serial z panią w roli głównej, i boją się trochę mniej. Bo Grażynka też ma pod górkę, ale zawsze sobie radzi. I nigdy się nie poddaje.

Jestem słońcem oddziału chemioterapii. Bo oczywiście ludzie stawiają znak równości – ona to ja. Nie znają mnie, niestety, z teatru, z kina, przyczepiła się do mnie Grażynka jak rzep do psiego ogona. Raz na rok rezygnuję z serialu, proszę, żeby skończyli jej wątek: niech ją zabiją albo niech gdzieś wyjedzie na stałe, ale wtedy zawsze są kwiaty, prośby, podwyżka, i zostaję. Jestem na Grażynkę skazana.

A czas leci, mam czterdzieści trzy lata i szansa, że zagram coś sensownego, maleje z każdym rokiem. Aktorki w moim wieku to już tylko matki, ciotki, za chwilę babki głównych bohaterek, jeżeli w ogóle mają szczęście i grają. Na świecie pisze się role dla dojrzałych kobiet, ale u nas nie. U nas decydują o obsadzie zakompleksieni faceci; dla nich symbolem sukcesu jest młoda dupa i swoje prymitywne myślenie przenoszą na filmy i seriale, które produkują. Czyli teraz, kiedy już umiem grać, kiedy się rozwinęłam, kiedy rozumiem niuanse, coś wiem o życiu, jestem odstawiona na boczny tor.

Dlatego mimo niechęci trudno mi się rozstać z Grażynką. Chodzę jeszcze czasami na jakieś zdjęcia próbne, ale zawsze źle wypadam, bo tremuje mnie sytuacja bycia na próbę. Wiadomo że umiem grać, że robię to dobrze, wiadomo jak wyglądam, to po co szopka z próbowaniem? Jak mam rolę, to się jej cała oddaję; nie można się oddać roli na piętnaście minut i kolejna osoba, i bardzo dziękujemy, proszę nie dzwonić, my zadzwonimy. Pani Marto, pani jest wspaniała, naprawdę, ja bym bardzo chciał, żeby to pani zagrała, ale wie pani, producent musi zaakceptować. I w stu procentach przypadków producent mówi: Nie – bo albo jestem za stara, albo jestem z serialu. To, kurwa, nic, że umiem grać; to nikogo nie obchodzi.

Aktorką chciałam być od zawsze, od kiedy pamiętam. Wszystkie teatrzyki, konkursy recytatorskie, występy na stole w salonie przed gośćmi na imieninach, zaliczałam wszystko. Był tylko jeden problem – byłam brzydka. Krzywe zęby, pociągła twarz, siano zamiast włosów; długo wyglądałam naprawdę źle. Najgorzej oczywiście w okresie dojrzewania, kiedy wszystkie dziewczynki wyglądają tragicznie, jakby każda część ich ciała rosła w innym tempie, ale i później też. Byłam fajna, interesująca, ale, jak to się dziś mówi, charakterystyczna. Mama, sama zjawiskowo piękna, nie mogła zrozumieć, jak to możliwe, że ma takie niewydarzone córki. Ani ja, ani Kaśka nie odziedziczyłyśmy po niej urody i wdzięku.

Uwielbiałyśmy wkładać mamy kreacje i udawać damy, ale byłyśmy po prostu dziećmi komuny ubranymi w spodnie z krempliny i golfy z elastanu, które pstrykały naelektryzowane przy każdym wkładaniu i zdejmowaniu. Kasia była gruba, a ja chuda, więc babcia poszerzała moje ubrania, gdy z nich wyrastałam, żeby weszła w nie Kaśka.

Ja zawsze uwielbiałam być kimś innym. Kiedy w naszym domu kultury wystawialiśmy *Śpiącą królewnę* i grałam główną rolę, cieszyłam się, a jednocześnie zazdrościłam koledze, który grał księcia, bo chciałam i jego rolę, taka byłam zachłanna.

Pamiętam, kiedy pierwszy raz zdawałam na aktorstwo, na egzamin włożyłam mamy spódnico-spodnie, myśląc, że dodadzą mi klasy. Nie dostałam się, nie przeszłam nawet do drugiego etapu, doprowadziłam za to komisję do śmiechu, kiedy mówiłam balladę *Powrót taty* tak, jak u nas w Konstancinie, w domu kultury. Okazało się, że widz warszawski, a szczególnie ten w komisji, ma jednak inny gust. Poszłam więc na kurs przygotowawczy i za drugim podejściem dostałam się bez problemu. Mimo że nigdy nie byłam pięknością, pokonałam tysiąc kandydatek chyba tą właśnie energią, wewnętrzną potrzebą grania, która wszystkimi porami ze mnie wyłaziła.

Dopiero szkoła teatralna mnie trochę ociosała; przeprowadziłam się do akademika, waletowałam u koleżanek, które wiedziały, gdzie stoją konfitury, razem podrywałyśmy facetów, wymieniałyśmy się ciuchami, piłyśmy tanie wino i tańczyłyśmy do rana. Rozkwitłam; wypiękniałam, nabrałam pewności siebie, bo okazało się, że jestem ulubienicą profesor Kujawy, opiekunki naszego roku, która zobaczyła we mnie dawną siebie. No i zakochałam się w profesorze od szermierki, i na drugim roku zaszłam z nim w ciążę.

Odbiło się to szerokim echem w szkole i całym środowisku, a ja nie chciałam być ani ofiarą, ani naciągaczką. Profesor Wilk oczywiście był żonaty, miał dwójkę dorastających dzieci, naszego związku nie traktował poważnie, więc wspaniałomyślnie powiedziałam, że dam sobie radę. Uniosłam się dumą, kiedy na wiadomość o ciąży przestraszył się i zaproponował pieniądze na skrobankę. Mnie się to w głowie nie mieściło – ja, z katolickiej rodziny, bielanka, mam zabić nowe życie? Na pewno nie! No i na trzecim roku urodziła się Zuzia, którą wychowywała moja mama, bo ja nie miałam czasu; kończyłam studia, robiłam dyplom.

A potem poszło; dostałam etat w teatrze, więc miałam na życie, rodzice mi pomagali, faceci pojawiali się i znikali, większości nawet nie przedstawiałam rodzinie – bałam się, że ojciec ich wystraszy. Wynajęłam mieszkanie w bloku, wracałam tam po spektaklach, a Zuzia stacjonowała u rodziców. I w tym mieszkanku, w tej chatce jebatce, jak je pieszczotliwie nazywałam, toczyło się moje alternatywne życie – alkohol, seks, trawa, kokaina, inne wynalazki. Całe szczęście, że się od niczego nie uzależniłam; bywało naprawdę niebezpiecznie. Rano jechałam do rodziców, jak ta matka marnotrawna tuliłam Zuzię i starałam się jej wynagrodzić moje grzechy.

Zuzia nawet do przedszkola poszła w Konstancinie; tak było wygodniej – bo moja praca, kariera, która już, już miała nabrać rozpędu, ale za każdym razem wydarzało się coś, co stawało na przeszkodzie. Potem się okazało, że Zuzia ma słuch absolutny, zapisaliśmy ją do szkoły muzycznej i musiałam, na zmianę z moim ojcem, zawozić ją i odbierać o dziwnych porach. Te wszystkie godziny przesiedziane w holu szkoły muzycznej na drewnianym krześle, kiedy Zuzia miała lekcje fortepianu, były karą za bycie złą matką, a przynajmniej niewystarczająco dobrą; pokutą, jaką sobie zadałam. A Zuzia grała coraz lepiej, coraz chętniej, była śliczną, zdolną dziewczynką; taką udoskonaloną wersją mnie.

Po latach, kiedy poszła do gimnazjum, mogłam wreszcie kupić mieszkanie na kredyt i odseparować się od rodziców. Ale i tak ciągle im podrzucałam Zuzię, bo po co zatrudniać opiekunkę, kiedy jest babcia, która z otwartymi ramionami czeka na ukochaną wnuczkę? Dopiero rola w serialu ukorzeniła mnie na swoim, bez rodziców, przeważnie samą z córką, bo choć od czasu do czasu pojawiali się jacyś mężczyźni, to zawsze coś było z nimi nie tak. A to żona, a to nałóg, a to popieprzony charakter. Kiedy dostałam rolę Grażynki i zaczęłam regularnie zarabiać dobre pieniądze, urządziłam mieszkanie tak, jak chciałam, i poczułam się dorosła. A miałam już trzydzieści cztery lata.

Gram więc tę Grażynkę, która wychodzi jak zwykle na dach swojego biurowca i spotyka się z nowym absztyfikantem (śmieszne słowo, mama tak mówiła na moich chłopaków; Marta znowu jakiegoś absztyfikanta przyprowadziła. Nie mówiła „chłopaka", tylko „absztyfikanta"). Serial się kręci niechronologicznie, więc najpierw idę z facetem do łóżka, potem się rozstajemy, potem poznajemy, a na samym końcu zakochujemy się w sobie. Po: Dzień dobry, miło mi – aktorka i aktor zaczynają się całować. Szczęście, jeśli uda się wcześniej spotkać w barobusie i pogadać, poznać się trochę. W serialu nigdy nie ma czasu, stale pośpiech, szybko, szybko, trzynaście scen dziennie, trzy przerzuty: Dacie radę, jak to nie. A ja się tylko przebieram i staję jak kukła. Nie ma czasu na próby, na błądzenie, dochodzenie do prawdy. Jest słaby scenariusz, którego nowe wersje dostarczają w ostatniej chwili; sama sobie go zmieniam, żeby kwestie w ogóle mogły mi przejść przez gardło.

Na szczęście lubię ludzi, z którymi pracuję, szczególnie Daniela, drugiego reżysera. Daniel jest gejem, kocha wszystkie kobiety, zwłaszcza aktorki, i utrzymuje je w przekonaniu o ich niezwykłości. To jego sposób na nas, łatwiej i milej mu z nami pracować. Danielek jest lekiem na całe zło: na skurwysyna reżysera, który nie wie, czego chce, tylko pierdoli, żeby coś pierdolić i żeby poczuć się przez chwilę ważny; na zły scenariusz; złe planowanie; zły catering. Poczucie humoru i wdzięk Daniela są rozbrajające. Na planie się przyjaźnimy, choć poza planem nawet do siebie nie dzwonimy. Ale zawsze wiem, z kim akurat jest, kto go rzucił, kogo on zostawił – życie uczuciowe gejów jest co najmniej tak samo skomplikowane jak życie uczuciowe samotnych kobiet po trzydziestce. Tyle się dzieje, rzeczywistość ma tyle warstw, że naprawdę można się pogubić.

Plan zdjęciowy to jest swoisty mikrokosmos, w którym nikt nie jest tym, kim naprawdę jest. Spędzamy ze sobą bardzo dużo czasu, często więcej niż z rodziną, bo dzień zdjęciowy trwa dwanaście, trzynaście godzin. Znamy swoje fobie, przyzwyczajenia, wiemy, kto kiedy się wypróżnia, je, która kiedy ma napięcie przedmiesiączkowe; takie fizjologiczne sprawy. Nie wiemy jednak nic o naszym życiu osobistym, o mężach i żonach – to są zazwyczaj tematy tabu, chyba że dzieje się coś, co wpływa bezpośrednio na pracę. Wiem, oczywiście, że charakteryzatorka chce zajść w ciążę i ma z tym problem, że dźwiękowiec zostawił żonę i zamieszkał z laską od kostiumów, że operator przesadza z alko i zabrali mu prawo jazdy. Ale tak naprawdę nic o sobie nie wiemy; stworzyliśmy łatwe we współżyciu wersje samych siebie, żeby jakoś w miarę miło wspólnie spędzać czas, czyli głównie czekać, bo na planie czas przeważnie upływa na czekaniu na coś: na aktora, na rekwizyt, na make up. Pracuje się tylko chwilę, a potem znowu się czeka. Tego też się trzeba nauczyć.

Często się śmiejemy, żartujemy, błaznujemy – to pozwala odreagować.

Mam swoich ulubieńców – Magdę od kostiumów, Olę charakteryzatorkę, operatora Dingo – łączy nas podobne poczucie humoru; oni nie wchodzą mi w dupę, jadą z żartami po bandzie i jak w coś wkręcają, to na maksa. Potrafimy takie żarty ciągnąć tygodniami. Raz wmówiłam koledze aktorowi, że go wymienią na Szyca; uwierzył – zbladł, przeraził się, bo dopiero co wziął kredyt na mieszkanie. Pobiegł do biura do drugiego reżysera, który był we wszystko wtajemniczony i nie wyprowadził go z błędu. Wreszcie ktoś się zlitował i powiedział mu prawdę; obraził się na dwa tygodnie.

Pracujemy razem już siódmy rok, niewiele związków tyle trwa; rotacja jest mała – to i plus, i minus, bo powstają różne kwasy, zaszłości, ludzie robią różne świństwa, kopią pod sobą dołki, są nie fair, a potem muszą ze sobą przebywać całymi dniami.

A dzisiaj tuż przed ujęciem dzwoni do mnie Kaśka, moja rok młodsza siostra.

– Marta, miałam wczoraj imieniny, o których oczywiście zapomniałaś, i dziś rano drinka sobie wypiłam, żeby mnie głowa nie bolała. Nie dam rady zawieźć mamy. – Kaśka mówi to jak zwykle tonem nieszczęśnicy, przeciwko której wszystko się sprzysięga. – Przyjeżdżaj. Albo niech ojciec ją wiezie.

– Ojciec ze złamanym kręgosłupem ma prowadzić? Pojebało cię? – Przy niej nie potrafię być dyplomatyczna.

Kaśka jest jak dziecko, ma uproszczony obraz świata, dobre jest to, co jest dobre dla niej. Bo jej się chciało napić. A nie mogła wcześniej pomyśleć?

– Oj, bo raz się nie możesz zwolnić? – nalega.

Słyszę, jak jej się odbija. Jest pewnie bardziej pijana niż przyznaje.

– Jak ja mam się zwolnić, nienormalna jesteś? Jestem na planie, gram, zaraz mam ujęcie. – Rozmawiam z nią, patrząc z dachu wieżowca na panoramę Warszawy. Z góry nie widać całego syfu, który jest materią tego miasta słoików i karierowiczów, chamskich kierowców i lanserów z placu Zbawiciela.

Kaśka nie odpuszcza.

– Oczywiście, bo ty jesteś wielką aktorką. To możesz sobie robić co chcesz.

– Na bazar z takimi argumentami, na bazar! – Rozłączam się. Siostra jak zwykle doprowadza mnie do szewskiej pasji.

Podbiega Danielek.

– Co, już? – warczę. Jestem wściekła, roztrzęsiona.

– A tekst nasza gwiazda umie? – jak zwykle stara się mnie udobruchać.

– Gwiazda umiała, ale tak się zdenerwowała, że… Nikt cię tak nie wkurzy jak własna rodzona siostra, nikt, nigdy, nie wiem, czy pamiętam tekst.

W tym momencie nowa makijażystka napada na mnie z pędzlem, a ja tego nienawidzę. Malowanie to jest czynność intymna i nie lubię, kiedy ktoś obcy dotyka mojej twarzy. Kiedy już się zdążę przyzwyczaić do charakteryzatorki, po kilku miesiącach ona się zwalnia i zatrudniają nową, zazwyczaj gorszą niż poprzedniczka. Za te marne grosze żadna sensowna dziewczyna nie chce pracować w serialu, więc malują mnie kocmołuchy z brudnymi paznokciami, które wyglądają, jakby właśnie wyszły z wiejskiego salonu kosmetycznego o wdzięcznej nazwie Nicole. Ale ta dziś nie wygląda tak tragicznie, jest delikatna, widząc moją minę, sama oddaje mi pędzel. To rzadkość, bo pędzel jest symbolem jej władzy.

Kiedy charakteryzatorki mnie malują, zawsze mają używanie, bo moja cera jest beznadziejna. Narzekają, że tego się nie da zapudrować, że jak można było się doprowadzić do takiego stanu. Jak się nie da? Kiedy mnie maluje babka z Sisleya, to mam cerę jak noworodek, a po ich zabiegach w świetle lamp przypominam zasuszoną staruszkę, której nikt nie powiedział, że solarium szkodzi. Instruuję więc nową:

– Kochana, mentol mi daj, ale przed samą sceną, nie dam rady teraz się popłakać. Podejdź za chwilę. Tak?

Pytam Danielka, jak wyglądam, a on oczywiście odpowiada, że zjawiskowo; wiem, że kłamie, ale od razu mi lepiej. Biorę głęboki oddech i idę pobyć Grażynką. Dziś gram z kimś, kogo widzę po raz pierwszy. Paweł Skoczylas, tak bowiem nazywa się ów amant à rebours, jak dowcipnie powiedział reżyser, będzie moją nową miłością. No cóż.

Kasia

Dzisiejszego dnia mogłoby w ogóle nie być. Wstałam z takim kacem, że myślałam, że mi głowa pęknie. Wczoraj mieliśmy imprezę, przyszła Alka i Irenka z mężami, no i sporo wypiliśmy; końcówki wieczoru nie pamiętam, bo urwał mi się film. Grzesiek rano powiedział, że gadałam takie głupoty, że mu było za mnie wstyd. O Jezu, od razu wstyd, wszyscy byliśmy pijani. Podobno wyzywałam męża Alki od faszystów i antysemitów. Alka była pijana jak ja, te drinki na soku ananasowym tak nam wchodziły. Dobrze, że nie idę do pracy, bobym się musiała zwolnić.

O kurczę. Przypomniałam sobie, że dzisiaj ostatnia wizyta mamy w szpitalu. Musi się zgłosić na izbę przyjęć i jutro ma mieć brachyterapię, czyli takie punktowe naświetlanie, i to już koniec jej leczenia, które tak źle znosiła. Miałam ją zawieźć, tak się umówiłam, ale przecież pijana nie pojadę, mam pewnie z półtora promila, to by było nieodpowiedzialne.

Zadzwoniłam do Marty; przecież każdemu zdarzają się takie sytuacje losowe, ale ona od razu na mnie z mordą. Oczywiście się pokłóciłyśmy. Ona nie rozumie, jak ktoś może robić imprezę, kiedy następnego dnia ma jechać. Święta się znalazła. Przecież korona jej z głowy nie spadnie, jak po zdjęciach pojedzie z mamą do szpitala. Gdyby miała mamę i tatę na co dzień, inaczej by śpiewała, a tak to robi, co chce, dziecko im podrzuca, i tylko od czasu do czasu ma jakieś obowiązki, jak trzeba kogoś zawieźć; czy to tak dużo?

Martwię się o mamę. Od kilku dni zachowuje się dziwnie; wieczorem poszła z koszykiem do sklepu po bułki na śniadanie i się zdziwiła, że sklep zamknięty. Pomyliły jej się pory dnia. Tak dziwnie wykrzywia twarz i głowa ją boli, a potem znowu wszystko wraca do normy i chodzi po domu, i jęczy, że nie chce do szpitala, że się boi, że woli zostać. Do znudzenia jej powtarzamy z ojcem, że to konieczne, że ostatni raz.

Wczoraj przyszli do nas na imprezę, trochę posiedzieli, pośmiali się, ale szybko zeszli do siebie; mama jednak wciąż jest słaba po chemii. To kurewstwo ją kompletnie wykończyło, pod koniec miała tak złą morfologię, że lekarz zrezygnował z kolejnego wlewu, bo to byłoby niebezpieczne dla jej życia. Dobrze, że chociaż włosów nie straciła; podobno traci się od czerwonej chemii, a ona dostawała białą.

U mamy raka szyjki macicy wykryto dosyć późno, miała trzeci stopień zaawansowania – lepiej niż czwarty, to byłby już wyrok, ale gorzej niż drugi czy pierwszy. Dzięki protekcji Marty dostaliśmy się w Centrum Onkologii do jakiegoś słynnego profesora i mama weszła na chemię bez kolejki; normalnie jeszcze by musiała czekać. Miała też radioterapię, czyli naświetlania, leczenie było kombinowane. Na koniec profesor powiedział, że już jest dobrze, że guz jest w remisji, że nie ma zagrożenia, że się udało. To była ulga, bo wyglądało groźnie.

Pozytywnym skutkiem ubocznym chemii było to, że mama odstawiła zwykłe papierosy, a zaczęła palić elektroniczne. Po trzydziestu latach palenia rzuciła ot tak, z dnia na dzień. W ogóle jest silna, silniejsza od ojca, który udaje, że rządzi, ale wydaje rozkazy, które podpowiada mu mama.

Całe życie, od dziecka, mieszkam z rodzicami i nie wyobrażam sobie, że mogłoby być inaczej. Czasami chciałabym od nich uciec, ale w sumie już się przyzwyczaiłam. Nie wchodzimy sobie w paradę, każdy ma swoją przestrzeń; ojciec wydzielił nam część domu, oddzielił nas ścianą, i teraz jest trochę prywatności. Oczywiście przychodzimy do siebie, pomagamy sobie, pożyczamy kosmetyki, ale nie siedzimy sobie na głowach. Nauczyliśmy się funkcjonować jako jeden organizm.

Jak Grzesiek jeździł na winobrania, na budowy, a ja byłam ciągle w szkole, to rodzice bardzo pomogli nam z Filipem. Teraz już jest duży, zbuntowany i samodzielny, ale wcześniej bez babci i dziadka nie byłoby szans.

Ojciec zazwyczaj traktuje mnie tak, jakbym była głupia; ciągle strofuje, zawsze staje po stronie Grześka, kiedy się kłócimy i kiedy wystawiam mu walizki za drzwi. A mama nie, mama mnie nie ocenia, raczej jest po mojej stronie. Dużo rozmawiamy o życiu, o marzeniach, mama jest dla mnie ostoją. Do niej zawsze mogłam pójść, wypłakać się, powiedzieć, że jestem do bani. Robiła mi wtedy kogel-mogel, siadałyśmy w ogrodzie i zwierzałyśmy się sobie. Ojciec się złościł, ile można, co wy sobie macie do powiedzenia, przecież cały czas jesteście razem, ale to był nasz rytuał. Kogel-mogel i ploteczki.

Mama obrażała się na mnie, kiedy mówiłam, że powinna coś ze sobą zrobić, zacząć jakieś ćwiczenia, dietę, że jej kuchnia szkodzi, że przecież stwierdzili cukrzycę, a ta plus zła dieta to zabójstwo, a jeszcze nadciśnienie. Wtedy stawała się agresywna; na temat zdrowia nie było z nią dyskusji, z ojcem zresztą też. Próba rozmowy zawsze kończyła się tym, że wyzwał mnie od idiotek, krzyczał, że jestem głupsza od Marty, że jestem niewdzięczna, tyle od nich dostaję, a ośmielam się ich pouczać, ja – matoł, debil, rodzinna idiotka.

Martwiło mnie, że zarówno mama, jak i tata, przez ostatnie kilka lat jechali na xanaxie. Przepisywał go znajomy internista, a kiedy przestał, przepisywał gastrolog, urolog, pulmonolog, nawet diabetolog. Mama i tata byli bardzo przekonujący, jeśli potrzebowali recepty. Z pewnością byli uzależnieni, to jest przecież psychotrop. Kiedy powiedziałam o tym naszemu lekarzowi domowemu, popatrzył na mnie z wyrzutem. Co ja mówię, co ze mnie za wyrodna córka? Pan architekt i jego żona to tacy porządni, szanowani ludzie, a własna córka śmie im imputować, że mają problem z lekami. Pani Kasiu, mówił, niech mi pani pokaże kogoś, kto nie bierze żadnych leków. Tak się teraz porobiło, że wszyscy biorą i jak pani dożyje wieku rodziców, wtedy zobaczymy, czy sama nie będzie brała. Powiedziałam o tym Marcie, ale ona też to zbagatelizowała. Cała Ameryka jedzie na xanaxie – powiedziała – nie przesadzaj.

Ostatnio ojciec w nocy złamał kręgosłup. Nie pamięta, co się stało; najprawdopodobniej spadł z łóżka, wezwaliśmy pogotowie, zrobili mu rentgen i się okazało, że złamał sobie piąty i szósty kręg piersiowy. Teraz od dwóch miesięcy chodzi w gorsecie, to znaczy powinien chodzić, ale nie chodzi, chyba że mama go zmusza albo Marta. Mnie zupełnie nie słucha, tylko mama ma na niego jaki taki wpływ, no i ukochana pierworodna córeczka. Jego oczko w głowie, zdolniejsza, mądrzejsza starsza córka, skrojona na jego obraz i podobieństwo. Ojciec zawsze ją faworyzował; ja byłam dla niego zbyt normalna, zwykła, a Marta była kolorowym ptakiem, który od czasu do czasu lądował w rodzinnym domu i opowiadał niestworzone historie z wielkiego świata.

Ojciec zawsze wolał Martę, w nią pakował swoje ambicje, ją woził na treningi, podczas gdy mnie nikt nawet nie spytał, czy chciałabym coś trenować. Ja byłam we wszystkim gorsza, zawsze druga, mniejsza, słabsza, nawet chłopaków dziedziczyłam po Marcie. Kiedy ona przestawała się kimś interesować, wtedy on interesował się mną. Grześka też poznałam przez nią; był kolegą jej chłopaka z liceum, uczył ją tańczyć.

Marta była gwiazdą nawet na podwórku, biegała gdzieś jak wiatr, nie chciała mnie zabierać, ale ja się wkręcałam. Dzięki temu bawiłam się z jej towarzystwem starszym ode mnie w podchody w lesie, podkradałam z nimi owoce z ogródków działkowych, siedziałam na trzepaku czy na drzewie. Nie rozmawiałam z nimi, bo byłam wstydliwa, ale słuchałam, patrzyłam i to mi wystarczało. Marta mnie wtedy traktowała jak zło konieczne, do dziś za sobą nie przepadamy, ona chciała mieć swoje sekretne wyprawy, a ja wszędzie za nią lazłam.

Poza tym uczyłam się gorzej niż ona i rodzice kazali jej odrabiać ze mną lekcje, inaczej nie mogła wyjść na dwór. Sama szybko robiła moje zadania, pokazywała zeszyty rodzicom i fruuu na podwórko. A ja za nią. Bo jak nie – mówiłam – to im wygadam, że całowałaś się z chłopakiem; zawsze miałam na nią haki. Więc mimo zaledwie roku różnicy wieku dzieliła nas przepaść innego rodzaju. Byłyśmy z różnych światów, jak ogień i woda.

Mortie

Po zdjęciach oczywiście robię to, czego ode mnie żąda siostra, czyli jadę do rodziców. Nadal mieszkają pod Warszawą, w Konstancinie. Ojciec zbudował dom jeszcze za komuny, nie bez pomocy licznych wyjazdów turystyczno-handlowych, na których rodzice zarabiali po kolei na dach, okna, wyposażenie kuchni, łazienki. Ich dom jest pełen ciężkich mebli, bibelotów, zdjęć i kurzu. Zawsze kiedy tam przyjeżdżam, mam poczucie osaczenia; że coś powinnam, że jak ja wyglądam, co ja robię ze swoim życiem, kiedy im wreszcie przedstawię jakiegoś porządnego faceta, bo ci poprzedni to nie ma o czym mówić. Ale jest też we mnie coś z klauna i zawsze staram się zamienić te standardowe irytujące rozmówki w żarty. Oczywiście do czasu, bo kiedy mnie naprawdę dotkną, wtedy wybucham, a potem to nie ma już co zbierać.

W drodze dzwonię do Zuzi, że nie zrobię obiadu; jest jak zwykle nieprzyjemna, mam wrażenie, że od kiedy jest pełnoletnia, rozmowa ze mną sprawia jej przykrość. O Jezu, mamo, znowu masz coś do mnie. Najlepiej, żebym zostawiła ją w spokoju, tylko zasilała gotówką. Wiem, są gorsze dzieci, Zuzia zaczęła studia na Akademii Muzycznej, gra na fortepianie, jest piękna, mądra i wrażliwa. Ale nie umiem z nią rozmawiać. Jestem spięta, może podświadomie porównuję się do jakichś idealnych matek i widzę, jaka jestem beznadziejna. Wychowuję ją sama; Zuzia niedawno poznała swojego ojca, przedstawiłam ich sobie po jej osiemnastce. Utrzymują kontakt, ale bardziej kumpelski niż rodzinny, są siebie ciekawi. Jego żona nie wie o Zuzi, ale najważniejsze, że Zuzia wie, kim jest jej ojciec, który nawet stanął na wysokości zadania, wysyła córce kasę i czasami umawia się z nią na mieście na obiadki.

Ale codzienność to Zuzia i ja. I moje coraz bardziej sporadyczne związki, na które ona zawsze krzywo patrzy. Czasami jest dobrze i mam wrażenie, że zaczynamy się lubić. Myślę, że jeszcze rok, dwa i zaczniemy rozmawiać. Na razie Zuzia ma pierwszego chłopaka i w zaciszu swojego pokoju odkrywa uroki seksu. Na szczęście nie wybrała starszego faceta jak córka mojej koleżanki; bałam się, że w ten sposób będzie sobie rekompensować brak ojca w życiu, ale nie.

Dla Zuzi zawsze najważniejszy był dziadek, który ją traktował zupełnie inaczej niż mnie: był kochany, wszystko rozumiejący, chłonęła tyle jego miłości, ile się dało. Zuzia z dziadkiem może zrobić, co chce, zawsze jak przychodzę, to słyszę: Masz tu stówę dla mojej pierworodnej wnuczki. Dziadek jest jej *father figure*, to na bank. Babcię też bardzo kocha, lubi spędzać z nią czas, ale dziadek to autorytet. Myślę sobie, że takiego faceta jak on to ani ja, ani Zuzia sobie nie znajdziemy, bo takich już nie produkują, pewnie zawsze będziemy wszystkich do niego porównywać i w rezultacie zostaniemy same na starość.

Mimo że całe życie jesteśmy razem, mam wrażenie, że nie znam mojej córki, że ona jest zrobiona z jakichś obcych elementów. Już się nie obraża jak wcześniej, już wyszłyśmy z etapu focha na wszystko, trzaskania drzwiami i łez w poduszkę, bo nikt jej nie rozumie; minął ten jakże długi okres nadwrażliwości, kiedy musiałam chodzić na paluszkach, żeby jej nie urazić, bo obrażała się o nie takie podniesienie brwi. Dorosła już trochę, niestety, jako jedynaczka. Chociaż może na szczęście – lepiej, że tylko ona jest pechowa, i ma taką wariatkę i egoistkę jak ja za matkę.

Zuzia jest zupełnie inna niż ja, introwertyczna. Kiedyś miałam wrażenie, że ona tłumi emocje, oszczędza je, żeby potem wykorzystać podczas gry, że fortepian jest ujściem jej frustracji, napięć, emocji. Bo jak czasem gra w domu, wali w klawisze tak, że boję się spotykać sąsiadów. Myślałam, że zostanie pianistką, ale teraz widzę, że chyba jednak nie. Na koncertach, recitalach jest spięta i „nie donosi", jak mówi jej profesor, utworów, które tak fantastycznie gra na lekcjach i w domu. Scena ją paraliżuje, trema zżera, i widzę, że już nie ma w niej tej miłości do muzyki, że nie chce jej poświęcić całego życia, a przecież tylko tak można odnieść sukces.

Zuzia kończy właśnie pierwszy rok fortepianu i mimo nadziei, że w konserwatorium jej granie nabierze blasku, nic takiego się nie stało. Gra, ćwiczy czasem nawet po sześć godzin dziennie, jest ambitna i pilna, ale widzę, że też rozczarowana. Razi ją subiektywizm środowiska muzycznego, to że otrzymanie stypendium czy udział w jakimś prestiżowym koncercie zależy od tego, kto ją uczy i kto tego kogoś lubi. Konkursy pianistyczne to wojna profesorów; walczą ze sobą, używając uczniów jako amunicji. Chyba że trafi się drugi Blechacz, ale jego profesorka też przecież nim wygrała. To środowisko, jak każde inne, jest pełne zawiści, antypatii, tylko że tutaj na scenę wychodzą nieletnie gwiazdy i nikt się nie zastanawia, co się z nimi dzieje, kiedy po serii wygranych zaczynają przegrywać i w wieku piętnastu lat stają się muzycznymi emerytami. Zuzia jest jedną z lepszych, ale nie jest gwiazdą i to czuje. Jej profesor jest dziwakiem, robi karierę na świecie, co przeszkadza paru zgrzybiałym profesorkom, które nie grają już nic i nigdzie, mimo że mają o sobie wysokie mniemanie. Tak więc Zuzia, wybierając profesora światowej sławy, w Polsce trafiła na czarną listę. Widzę, jak się bije z myślami, jak szuka swojego miejsca w życiu, jak się miota. A to chce wziąć psychologię jako drugi kierunek, a to idzie na dziennikarstwo.

Obserwuję ją w milczeniu, bo przecież u nas w domu o takich sprawach się nie rozmawia. U nas rozmawia się tylko o tym, co wychodzi. Porażki każdy zachowuje dla siebie. Tak byłam wychowana i to weszło mi w krew, mimo że wiem, że tak nie powinno być. Ktoś mi kiedyś powiedział, że powinniśmy swoich bliskich traktować jak dalekich znajomych, wtedy byłoby o wiele mniej problemów w rodzinach.

Kiedy wchodzę do domu rodziców, czuję, że coś jest nie tak. Przed domem piętrzą się worki ze śmieciami; porozrzucane, porozdziobywane przez ptaki. W domu panuje zaduch i mrok, ten dom jest wciąż ponury i wilgotny jak zatęchła twierdza.

Moi rodzice: ojciec architekt i mama polonistka, od dawna na rencie. Całe życie razem. Ojciec by bez niej zginął, ona bez niego też. Zaczęli być ze sobą, kiedy mama miała piętnaście lat. Pięćdziesiąt lat razem to dla mnie jakiś kosmos; jak można tyle z kimś wytrzymać? Mój najdłuższy związek trwał siedem lat i miałam wrażenie, że to wieczność, że nudzimy się potwornie.

Rodzice pieczołowicie i pracowicie budowali swój świat. Dlatego dziś ten dom wygląda jak stary sklep z pamiątkami, w którym od dawna nikt nic nie kupił. Wszystko przykrywa warstwa kurzu. Mama była duszą tego domu, ale ostatnio podupadła na zdrowiu i nie jest już taka jak kiedyś, a dom to zauważył i zapadł się w sobie. Domy przecież odzwierciedlają dusze swoich mieszkańców.

Moja siostra, która mieszka w wydzielonej części domu, ma nowe mebelki, ściany w krzykliwych kolorach, puchate dywany. I to jest cała ona. A u rodziców ograniczona paleta barw – brązy, zielenie; patyna. Centralnym punktem domu, celem pielgrzymek mojej siostry i jej bezrobotnego od lat męża, jest barek, który kiedyś wydawał się studnią bez dna, jednak ostatnio pełnych butelek w nim coraz mniej.

Alkohol był u nas zawsze; kiedy mieszkaliśmy jeszcze w bloku, tata w piwnicy pędził bimber, potem z mamą urządzali imprezy i widziałam za szybą cienie wielu pijanych ludzi w dziwnych sytuacjach. To był mój pierwszy japoński teatr. Ostatnio alkoholu jest jakby więcej. Kilka miesięcy temu ojciec spadł z łóżka i złamał kręgosłup; nie wiem, podejrzewam, że był pijany. Od tego czasu musi chodzić w gorsecie ortopedycznym. Akurat wtedy u mamy wykryto nowotwór szyjki macicy. Rodzice zaczęli chorować razem.

Mama skończyła już chemię, która zadziałała, i ma przed sobą tylko zabieg brachyterapii, czyli punktowe naświetlanie miejsca po guzie, żeby się nie wznowił. Bardzo źle tę chemię zniosła, zmieniła się, ale, co dla niej najważniejsze, włosy nie wypadły. Takie szczęście w nieszczęściu. Teraz została jej ostatnia wizyta w szpitalu; jedna noc, następnego dnia już będzie w domu. Nie wrócą te godziny na leżance spędzone z wenflonem w żyle na wieloosobowej sali, gdzie nie wiadomo, kto jest kobietą, a kto mężczyzną, bo wszyscy bez włosów. Opowiadała mi, że raz zapytała łysego faceta leżącego obok, która godzina. Co pani, jaki pan, ja Jadzia jestem! – usłyszała w odpowiedzi.

Kiedy wchodzę do domu, widzę przy stole ojca bez gorsetu. A przecież ma złamany kręgosłup.

– Tato, dlaczego ty chodzisz bez gorsetu?

Patrzę na bałagan panujący w domu, na walające się koszule, stosy gazet, brudne naczynia, gnijące owoce na paterze.

– Bo chcę. Nie będziesz mi mówiła, co mam robić. Grasz w tych telewizyjnych pierdach, przecież tego się nie da oglądać. Zagrałabyś wreszcie w czymś ambitnym, a nie tylko to badziewie. To dla matołów.

– A kto ci każe oglądać? Ja tego nie oglądam, ja tam zarabiam.

Wchodzi mama z gołąbkami. Po rezygnacji z pracy w szkole spędza ponad pół życia w kuchni, gdzie robi niezwykle pracochłonne dania; mnie się to w głowie nie mieści, żeby coś takiego robić – nawet teraz, po chemii, kiedy sama prawie nic nie je, bo nie ma smaku, kleci te gołąbki, jakby od nich zależało jej być albo nie być. Źle wygląda, jest blada, nieuczesana, jak nie ona.

– On tak się tylko z tobą drażni, jak ciebie nie ma, to wszystkim mówi, jaki jest z ciebie dumny. Masz, jedz, podsmażyłam tak jak lubisz, mocno – mówi.

Mama uważa, że jedzenie jest dobre na wszystko, a przekroczenie przez kogoś progu ich domu oznacza, że trzeba tego kogoś nakarmić. To jest mentalność ludzi, którzy wyszli z biedy. Jem więc te gołąbki, tuczę się, choć jestem już po obiedzie na planie.

Mama nie chce jechać do szpitala. Tłumaczę, że trzeba, że to już ostatni raz, że będzie zdrowa i wolna. Ojciec jest zdenerwowany, widzę, że coś go gryzie, ale przecież nie powie normalnie, o co chodzi, tylko tak kąsa, szarpie nogawki jak ratlerek.

– Powinna przyjechać godzinę temu, a teraz połyka zamiast gryźć. Przecież to jest nienormalne – mówi.

– Tato, dlaczego mówisz tak, jakby mnie tu nie było? Przyjechałam, chociaż to Kaśka miała zawieźć mamę.

– Jesteś starsza i masz być mądrzejsza.

Ojciec w końcu zawsze wytacza to działo. Wiek. Od dziecka to ja byłam starsza, mądrzejsza, musiałam Kaśce ustępować, odrabiać za nią lekcje i zabierać ją na dwór. A między nami jest tylko rok różnicy. Rok i zawsze starsza – młodsza. Starsza jest zawsze duża, a młodsza może być malutka aż do śmierci. Nienawidziłam bycia tą starszą przez całe dzieciństwo, marzyłam, żeby być młodsza, chciałam móc być malutka, mieć prawo się popieścić, pokokosić z tatą, ale nawet jak byłam mała, to już byłam duża.

– Oj wiesz co, tato, ona ma czterdzieści lat! – Patrzę na schodzącą po schodach z ręcznikiem dla mamy Kaśkę w nieśmiertelnym różowym dresie, bluzce ze złotym napisem i w złotych klapkach. Co ona ma na głowie? Piorun strzelił w rabarbar, nieźle musiało być. Wali od niej alkoholem, jest mocno wczorajsza. Rzeczywiście świętowali, niestety, u nich zdarza się to notorycznie, co najmniej raz na tydzień, więc nie mam dla niej taryfy ulgowej.

– Ale od ciebie jedzie – mówię, kiedy się pochyla, żeby dać mi całusa.

Chucha na wpół strawionym alkoholem.

– Imieniny miałam, o których, siostrzyczko, zapomniałaś. – Na wszelki wypadek jest obrażona. Ma poczucie winy, ale woli zaatakować; w naszym domu to zawsze działa.

– Wszystkiego najlepszego – odwarkuję. Nie mam zamiaru przepraszać jej za to, że nawaliła, i to po raz kolejny.

– Twój ręcznik, mamo.

Mama zrezygnowana bierze ręcznik, już wie, że raczej jej się nie uda wymigać od szpitala.

– Spakowałam mamę w tę skórzaną torbę. – Kasia pokazuje wielką torbę podróżną, do której mama dopycha ręcznik.

– Ale po co taka duża torba na jedną noc? – pytam.

– No, nie wiem, ręcznik, kosmetyki, koszula nocna, szlafrok; zresztą nie znalazłam mniejszej. Przecież nie spakuję mamy w plecak Filipa. Sięga po resztkę mojego gołąbka i wraca na górę, skąd woła ją Grzesiek.

Grzesiek pracował w firmie komputerowej, którą rozwiązali, i już od trzech lat szuka pracy. To znaczy siedzi w domu, ogląda sport, pije piwo, chodzi na siłkę; no, żyć nie umierać. Nie wiem, na czym opiera się jego związek z moją siostrą, być może na seksie. Kłócą się potwornie i raz na jakiś czas rozwód wisi w powietrzu. Według mnie Kasia ma niezdiagnozowaną chorobę dwubiegunową, bo albo wpada w szał, albo w depresję; jej nastrój jest jak wahadło. A do tego alkohol, nie ma co, świetna mieszanka. Pociąg do substancji uzależniających to w naszej rodzinie tradycja. Syn Kasi, Filip, pryszczaty nastolatek, już jara trawę, chyba jest nawet dealerem, parę razy słyszałam jego rozmowy przez telefon. Ani Kaśka, ani Grzesiek nie widzą albo udają, że nie widzą, że chłopak jest non stop ujarany. Zamyka się na klucz w swoim pokoju i, tak mi się wydaje, skręca jointy.

Kasia i Grzesiek żyją jakby w przelocie, w przedpokoju, ciągle czekają na mityczną forsę, *deal* stulecia, wygraną w totka, która wyrwałaby ich z domu rodziców i umieściła gdzie indziej, na przykład na jakiejś karaibskiej wyspie. W bezruchu czekają na cud jak na Mesjasza, marząc, że wtedy ich nudna egzystencja zmieni się w ciąg pasjonujących przygód. Ale na razie nic nie robią, bo po co, przecież czekają. I doją rodziców, ile się da, i zamulają to czekanie alkoholem.

Do domu wpada, ujadając, ich kundel Reks, wyjątkowo głupie i złośliwe psisko. Staje przy mnie, podnosi nogę i w ostatniej chwili udaje mi się uniknąć obsikania; co za wstrętne bydlę. Nikt niczego go nie nauczył, je, co chce, sra, gdzie chce, szcza, gdzie popadnie, szczeka na każdego, a kiedy zwracam Kaśce uwagę, żeby coś z nim zrobiła, odpowiada:

– Jak ci się nie podoba jego wychowanie, to proszę, sama go czegoś naucz.

Ten pies jest taki jak oni: nieporządny, niewychowany, niezważający na nikogo. Taka psia huba.

Mama chodzi jakby nieprzytomna, w legginsach ma dziurę na tyłku. Idziemy do sypialni rodziców, otwieram jej szafę.

– Przebierz się. Przecież nie pojedziesz z dziurą na dupie.

– Wszystko mi jedno.

To dziwne, że mamie nie zależy na wyglądzie, strój zawsze stanowił główny przedmiot jej troski, ubierała się artystycznie, niebanalnie, oryginalnie. A teraz nic jej się nie chce. W końcu po długich namowach wkłada tył na przód swoją „operową" bluzkę z koronki.

– Nie, to bez sensu jechać do szpitala w bluzce jak do teatru. Mamo, co się z tobą dzieje?

– Nic się nie dzieje. Nie chcę jechać.

– Nie nudź.

Wkłada z powrotem tę bluzkę, którą miała na sobie.

– Jadę w tej. Trudno, że dziurę widać.

Żegna się z ojcem, całuje, przytula się do niego. Zawsze mnie rozczula ich miłość; tyle lat są razem i ciągle patrzą na siebie jak świeżo zakochani.

– Tylko nie zrób tam wstydu, Dusiek – mówi ojciec, zatroskany.

Przytuleni robią razem taneczny obrót. Ojciec nuci walca wiedeńskiego, widać, że chęci są, ale siły już nie te. On w gorsecie, ona ledwo się rusza, ale tańczą. Mamie kręci się w głowie, ojciec ją przytula. Patrzymy na nich z Kaśką i w sumie to im zazdrościmy. Nam się już taka miłość raczej nie przydarzy.

Wiozę mamę do szpitala. Bez sensu jest ta skórzana torba, sama jest cięższa od rzeczy, które w niej są. Rozmawiamy o sadzeniu kwiatów, opowiadam jej, że chcę zrezygnować z serialu. Mama jest nieobecna myślami, chyba zasypia, ale twarz jej się tak dziwnie wykrzywia. To nienaturalne, alarmujące. Muszę o tym powiedzieć lekarzowi. Przyspieszam, chcę jak najszybciej znaleźć się w szpitalu; tam już będą wiedzieli, co robić. Może to anemia po tej chemii tak się objawia?

Opowiadam mamie historie z planu; kiedyś lubiła słuchać moich zakulisowych opowieści, zawsze wypytywała, jaka jest ta aktorka albo ten aktor, co u tej albo u tamtej. A teraz przysypia. Za punkt honoru biorę sobie, żeby nie zasnęła, więc wrzeszczę jej do ucha jakieś bzdury.

– Mamo, a wiesz, że mam nową miłość w serialu? Łysol w brązowym garniturku, umrzesz ze śmiechu, jak go zobaczysz. I chyba półgłuchy, bo nachyla się tak dziwnie, jak z tobą rozmawia. A zestresowany; tak się stresuje, że muszą mu po każdym ujęciu zmieniać koszule, bo poci się jak świnia. Mamo, słyszysz mnie? Mamo!

Mama nie odpowiada, patrzy w bok.

– Mamo, tak się boisz tego szpitala? Co jest? Przecież cię znieczulą, nie ma się czego bać.

– Daj mi wreszcie spokój.

Daję jej spokój. Włączam Trójkę, leci akurat mamy ulubiona Cesaria Evora. Śpiewa o swojej magicznej krainie, Zielonym Przylądku, pewnie jakimś raju na ziemi. Korci mnie, żeby pociągnąć z mamą ten temat, ale nie robię tego.

W szpitalu mama ledwo idzie. Przyjmują nas w ruchu chorych, zapisują mamę na oddział; każą jej tylko napisać datę i się podpisać.

– A którego dziś jest, bo tak się boję? – pyta.

– Trzynastego – odpowiada recepcjonistka.

Widzę, że mnie rozpoznała, bo szczerzy sie jak głupia. Pod nosem ma wielki pypeć – czarny, z włosami – nie mogę na niego patrzeć, ale mój wzrok sam wędruje w jego kierunku. Wielka bulwa; ciekawe, dlaczego sobie tego nie usunęła, przecież straszy pacjentów. Uśmiecha się do mnie, popijając kawę, i wygląda, jakby była z tego pypcia wręcz dumna.

– O, pani Grażynka, jak mi się dzisiaj poszczęściło. To zostawi pani tego czarnego?

Chciałabym powiedzieć: Spieszę się, debilko z pypciem! I nie jestem żadną Grażynką, Grażynką jestem w serialu. Ale nic nie mówię.

– Bo ja pani powiem, że ten czarny to taki przystojny, że ja bym się nie zastanawiała – kontynuuje pypeć.

Boże, litości, zabiję ją! Mama ledwo pisze datę. Trzy-dzies-te-go.

– Mamo, trzynastego jest, no co ty się wygłupiasz?

Poprawia, ale nie jest pewna, który jest, macha ręką, że wszystko jedno. Chcę, żeby jak najszybciej zobaczył ją lekarz.

– Na czwóreczkę, proszę – mówi pypeć i daje nam skie-rowanie na oddział. – A mogłabym jeszcze prosić autografik dla córeczki?

Tylko nie wybuchnąć – oddycham głęboko – tylko spo-kojnie.

– Jak imię? – pytam.

– Agnieszka – odpowiada rozpromieniony pypeć.

Bazgrzę byle jak autograf i idziemy na oddział, a ra-czej wleczemy się, bo mama idzie, jakby nagle opadła z sił. Szpital jest ogromny, korytarze są długie nie do wytrzyma-nia i każdy krok kosztuje ją dużo siły. Mama trzyma w ręku małą torebkę, którą zabrała w ostatniej chwili z domu, a która bardziej niż do szpitala pasuje do opery.

Wreszcie wchodzimy na oddział. Pielęgniarki wskazują pokój mamy, może sobie wybrać łóżko. Mówię im o swoich obawach, ale nie wyglądają na przejęte. Pokazują, gdzie na korytarzu jest prysznic, toaleta. Mama wybiera łóżko przy drzwiach. Rozpakowuję torbę i czekam na lekarza; nie zo-stawię mamy samej. Chce jej się siusiu. Patrzę z niepoko-jem, że nie wie, gdzie iść, ale nie pomagam; w końcu ma tu zostać sama na noc. Wreszcie przychodzi lekarka, młoda siksa. Mówię jej o dziwnych objawach mamy, ona słucha ze stoickim spokojem, nie udziela się jej moje zdenerwo-wanie.

– No, wie pani, tu wszyscy są chorzy, niech pani nie pani-kuje.

Stoję na korytarzu, czekam, aż mama wyjdzie z toalety. Trwa to zbyt długo, jestem zaniepokojona. Wreszcie nie wytrzymuję; wchodzę i widzę mamę leżącą obok sedesu, nieprzytomną, ze spuszczonymi majtkami.

Alarm. Wózek. Reanimacja. Kroplówka.

Wszystko dzieje się jakby poza moją świadomością, która nie dopuszcza tego, co za trudne. Wreszcie pozwalają mi wejść do mamy; jest przytomna, uśmiecha się do mnie, jakby nie pamiętała, co się przed chwilą działo. Lekarka teraz już nie bagatelizuje sytuacji; niespokojnie krąży przy mamie, która zasypia zmęczona. Jest prawie szósta. Po chwili mama się budzi i prosi, żeby jej nie zostawiać samej. Chwyta telefon i próbuje dzwonić do ojca. Patrzę, że bezmyślnie wciska klawisze, więc jej wybieram numer.

– Cześć, Myszka, dobrze się czuję, ale chcę do domu. Zjadłeś kolację? Co zjadłeś? No dobrze. Słuchaj, ja stąd ucieknę. Marta gada jakieś głupoty, że zemdlałam, wcale nie zemdlałam. Tylko głowa mnie strasznie boli. – Jej głos drży, udaje silną, dobrze udaje. Ma w tym dużą wprawę, robi to całe życie. Oddaje mi telefon.

– Tato? Nie, nie przyjeżdżaj. Ja tu jestem i wszystkiego dopilnuję. Tak. – Rozłączam się.

– Jestem głodna – mówi nagle mama.

– A co byś zjadła? Ja nie wiem, czy ty możesz, zapytam lekarkę.

– Bułkę. Bułkę bym chciała.

Wychodzę, pytam lekarkę, zgadza się, żeby mama zjadła suchą bułkę. Idę przez pół szpitala do sklepiku, gdzie kupuję bułkę i wodę i wracam przez puste korytarze. Długi weekend w szpitalu to najgorszy czas na to, żeby się człowiekowi coś stało. Niby ktoś tam pracuje, ale przecież tylko nieliczni, którzy i tak siedzą w swoich kanciapach nad talerzykami z ciastem.

Mama zjada bułkę z takim apetytem, jakby nigdy nie jadła nic lepszego, po czym wymiotuje. Wołam salową, która niechętnie sprząta. Wreszcie mama zasypia. Nagle wygina się w łuk; ma silny atak padaczki, oczy wywrócone na drugą stronę, drgawki, sinieje. Przerażona wybiegam na korytarz.

– Pomocy! Coś się dzieje z moją mamą! – krzyczę. Nikt nie odpowiada. Wrzeszczę: – Pomocy!

Po chwili z pokoju pielęgniarek wyłaniają się jedna po drugiej. Wbiegają do sali, po czym wybiegają.

– Niech pani poczeka na korytarzu.

– Ale ja muszę…

– Niech pani poczeka, puściły jej zwieracze, lepiej, żeby pani tego nie oglądała.

Siedzę więc pod salą na podłodze, bo nie ma żadnego krzesła. Do mamy wpada salowa z czystą pościelą, słyszę, jak wzywają pomoc z oddziału intensywnej terapii. Czekam skulona w pozycji embrionalnej. Mijają mnie ratownicy ze sprzętem reanimacyjnym. Nie zwracają na mnie uwagi, znikają w sali mamy. Czas płynie bardzo wolno, niemal stoi w miejscu. Kiedy oni wreszcie wyjdą? Co się tam dzieje?

Wreszcie wychodzą spoceni.

– Uratowaliście ją? – pytam.

– No, krążenie jest, ale musi ją obejrzeć neurochirurg. Właśnie jedzie z domu, wezwaliśmy go, bo już skończył dyżur.

– Ale odzyskała świadomość? – dopytuję.

Patrzą na siebie, nie wiedzą, co mi powiedzieć.

– Proszę poczekać na lekarza – mówi wreszcie jeden i szybko odchodzą, zostawiając mnie z wątpliwościami i lękiem.

Mijają godziny. Przyjeżdżają ojciec i Kasia z Grześkiem i Filipem. Kasia chodzi w tę i z powrotem, denerwująco stukając czerwonymi szpilkami; trochę się ogarnęła, czuć od niej płyn do płukania ust i dusząco słodkie perfumy. Grzesiek przynosi ojcu krzesło. Czekamy.

– Ona coś przeczuwała. Mówiła mi. Ona coś przeczuwała – powtarza Kasia jak mantrę.

Dojeżdża Zuzia.

– Sorry, miałam wyłączony. – Przytula się do dziadka.

Czekamy. To trwa godzinę, dwie, nie wiem, ale za długo. Filip się nudzi. Żeby jakoś zabić czas, idę z nim przez cały szpital po czekoladę i kawę z automatu. Widzę te same miejsca, gdzie chodziłam, kiedy przyjeżdżałam z mamą na radio- i chemioterapię. Basen z żywymi żółwiami na środku poczekalni. Kto wymyślił, żeby to były akurat żółwie? Może chodzi o oswojenie raka. Naprawdę ktoś miał wisielczy humor. Bierzemy napoje dla całej rodziny. Filip wypytuje, ile zarabiam.

– Ciocia, kasa to podstawa, reszta to pikuś. A jak się ma kasę, to i dziewczyny, i wszystko i jest git. Pytam, co w szkole, ale ten temat go nie kręci. Za to opowiada, do którego etapu przeszedł w grze o tron i że wymiata.

Wracamy do czekających na lekarza. Niby razem, ale każde z nas jest tu osobno. Nie rozmawiamy ze sobą, nie wiadomo, co w takiej sytuacji mówić. Oni mnie irytują, ja ich pewnie też, mam do nich pretensję, że nie zawieźli jej do szpitala wcześniej, przecież są z nią na co dzień, było widać, że coś jest nie tak. Nie mówię tego, bo widzę, że są posrani ze strachu i nie chcę im dokładać. Czas stanął albo dramatycznie zwolnił, znowu. Czas zwalnia i przyspiesza, kiedy chce. Kiedy Zuzia była mała, bawiłyśmy się tak, że ja jej opowiadałam bajkę do jakiegoś momentu, a ona kończyła.

– Kiedy już, już rozbójnicy mieli złapać uciekające krasnoludki… – brzmiał mój początek.

– Czas się dla rozbójników zatrzymał, a krasnoludki uciekły i wszystko się dobrze skończyło – dopowiedziała.

Dzieci mają bardzo kreatywne podejście do czasu; coś w tym jest. Ale czemu ja teraz myślę o jakichś bajkach?

Wreszcie przychodzi do nas przystojny – co zauważam ze wstydem, bo taki moment, a ja, że przystojny – neurochirurg. Ogorzały blondyn ze wściekle niebieskimi oczami i dwudniowym zarostem.

– Piotr Wolski, witam.

Przedstawiamy się. Jest jakby zawstydzony.

– Proszę państwa, tomografia pokazała wielki krwiak w prawej półkuli. – Patrzy na nas badawczo, jakby oceniał, czy rozumiemy powagę sytuacji. Zauważa gorset ojca, a ten od razu melduje:

– Złamany piąty i szósty piersiowy.

– Tato, nie teraz – proszę. – Panie doktorze, co teraz będzie?

– Jej stan jest krytyczny, musimy operować. Tam się zbiera krew, a mózg jest jak puszka.

– Jak puszka – powtarza Kasia jak jakieś pieprzone echo.

– Panie doktorze, a kiedy żona wróci do domu, bo ja bez niej...

Pytanie ojca jest tak irracjonalne, że lekarz patrzy na niego, na nas, na mnie. Coś dziwnego jest z tą rodziną, myśli pewnie, nie zachowujemy się normalnie. Tylko kto w takich okolicznościach zachowuje się normalnie?

– Trzeba podpisać zgodę na operację. Kto z państwa jest upoważniony? – pyta.

– Ja – odpowiada ojciec, ale już po chwili czuje ciężar jednoosobowej odpowiedzialności. – I Marta. Córka – pokazuje na mnie.

Lekarz daje mi dokumenty do podpisania. Biorę go na stronę, żeby ojciec nie słyszał, za nami tupta Kasia, która chce być na bieżąco.

– Panie doktorze, mama jest w złym stanie, właśnie przeszła ciężką chemię, ma nadciśnienie, cukrzycę – mówię. –

Proszę za wszelką cenę ratować jej życie. Nie musi być zupełnie zdrowa, ale niech żyje. Błagam pana.

Patrzę mu w oczy. Ma oczy jak niebo w piękny dzień. Świetnie wyglądają przy opaleniźnie. Głupio się uśmiecham, kątem oka zauważam, że jest zmieszany. Patrzę na jego zarost i się zastanawiam, jak to by było się z nim całować, czy taki zarost drapie. Szybko wymazuję tę idiotyczną myśl. Co ze mnie za człowiek? Matka jest w stanie krytycznym, a ja...

Trwają przygotowania do operacji. Idziemy z siostrą obok łóżka, na którym wiozą mamę na blok operacyjny. Pozwalają nam odprowadzić ją aż pod same drzwi. Mama ma otwarte oczy, patrzy na nas przejęta, szepczę jej, że wszystko będzie dobrze i inne takie idiotyzmy. Nie wiem, czy mnie słyszy. Kasia tupie tymi cholernymi obcasami, jakby miała wybić dziury w podłodze. Drzwi bloku operacyjnego zamykają się tuż przed naszymi nosami. Zostajemy same i patrzymy, jak za szybą, tam gdzie nie wolno nam być, wwożą mamę szybko na jedną z sal operacyjnych. Instrumentariuszki i pielęgniarki operacyjne ubrane w intensywnie zielone kostiumy wręcz biegają. Trzeba szybko operować, bo jest źle, inaczej by tak nie biegały.

Czekamy przed blokiem operacyjnym. Mijają godziny. Ojca z Grześkiem i Filipem, i Zuzię odesłałyśmy do domu; nie ma sensu, żeby wszyscy tu tkwili. Jest środek nocy. Kiedy drzwi bloku się otwierają i wychodzi pielęgniarka, zasypujemy ją pytaniami.

– Jeszcze trwa operacja – odpowiada lakonicznie, ale ja dopatruję się w tonie jej głosu niepokoju i próbuję zgadnąć, czy idzie dobrze, czy źle. Kasia nie może usiedzieć na miejscu, chodzi tam i z powrotem i stuka tymi swoimi czerwonymi bazarowymi szpilkami. Do szpitala w szpilkach – brawo, Kasia! Wolałabym być sama, wcale jej nie potrzebuję. Wkurwia mnie.

Kasia

Nie mogę ogarnąć tego, co się stało. Siedzimy z Martą i czekamy, aż skończy się operacja. Jak to możliwe, przecież
mama jeszcze rano dobrze się czuła? Ostatnio była słabiut-
ka, dużo spała, jak to po chemii, ale przecież już ten rak
był wyleczony. Dlaczego nas to spotyka, taka niesprawiedliwość? Modlę się, bezmyślnie powtarzam słowa modlitwy,
cała sparaliżowana strachem. Co my bez niej zrobimy? Jak
ojciec to zniesie?

Pokłóciłam się dzisiaj z Grześkiem; mam męża gamonia,
niestety. Zapomniał zapłacić za telefon i nam odłączyli. Siedzi w domu całymi dniami, czyta gazety, ogląda telewizję,
to choć rachunki by popłacił. Albo by powiedział, że nie ma
kasy, tobym mu dała. Jak wychodził do pracy, dopóki go nie
zredukowali, było okej, ale teraz jest między nami tragicznie. Doprowadza mnie do takich stanów, jakich u siebie nie
znałam. Raz w czasie kłótni go normalnie pobiłam, zatrzy-
małam się dopiero, kiedy zobaczyłam krew. Nie powinnam
była za niego wychodzić, należało wybrać Marka, ale Grzesiek cierpliwością i uporem mnie do siebie przekonał. To nigdy nie była wielka miłość, raczej koleżeńskie przywiązanie.
Chociaż w łóżku jest okej, nawet więcej niż okej. Czasami
trudno mi sprostać jego potrzebom, bo chciałby codziennie,
a ja jednak mam jakiś cykl, jakieś sytuacje. U niego dzień
i noc to są jakby dwa oddzielne życia, jedno nie wpływa na
drugie; to, że się pokłóciliśmy, nie przeszkadza mu się kochać, a ja jednak jestem wtedy zablokowana. Grzesiek kiedyś był przystojniakiem, koleżanki mi zazdrościły: wysoki,
szeroka szczęka, prawdziwy *man*. Okazało się jednak po
latach, że to tylko fasada, pod którą kryje się nieudacznik
i leń. Jest potwornie leniwy. I powolny. Zanim coś zrobi,

gdzieś zadzwoni w sprawie pracy, mijają tygodnie. Zastanawia się, odkłada, przekłada, nie może się dodzwonić, potem go zbywają. No tragedia.

Grześka mama zmarła na raka dawno temu, nie poznałam jej, z ojcem nie utrzymuje kontaktu, ma tylko babcię, która jest dla niego najważniejsza i wiecznie umiera. Jest w świetnej formie, ale cały czas narzeka. A teraz proszę, moja mama, która nigdy nie narzekała, leży na OIOM-ie. Grzesiek często jeździ do babci, siedzą i rozmawiają o dupie Maryni. Ja nie mogę tego znieść. Tego gadania o niczym. Ona narzeka, on słucha, telewizor włączony i dla nich jest super. Grzesiek uwielbia mojego ojca, który zrobił sobie z niego giermka. Grzesiu to, Grzesiu tamto i Grzesiu biegnie z kieliszeczkiem dla tatusia albo leci po gazetkę. Grzesiu jest ojca słuchaczem, czyta te same gazety co ojciec i razem wierzą w antypolski spisek. Całymi dniami gadają o zamachu stanu, o prześladowaniach prawicy, o agentach i służbach specjalnych. Ja w to nie wchodzę, mnie polityka nie obchodzi, u nich to zakrawa na obsesję. Wciągają już nawet do tej swojej spiskowej teorii dziejów Filipa.

Filip ma szesnaście lat i właśnie zaczął się golić. Nie mam czasu się nim dobrze zająć. Zamyka się w swoim pokoju i godzinami słucha muzyki. Obraża się o wszystko – zapytam, co w szkole, a ten już trzask drzwiami i zamknięty. Ode mnie chce tylko forsy na ciuchy i na siłownię – teraz obsesyjnie pakuje. Ale lepsze to, niż miałby się narkotyzować.

Siedzimy z Martą na pustym korytarzu przed blokiem operacyjnym. Chce mi się siku, ale sama się boję jechać windą, przeraża mnie szpital nocą. Marta idzie ze mną do łazienki, ale daje mi do zrozumienia, że jestem beznadziejna. A ja już nie mogę… Rozwalam się na kawałki… Ona nie pozwala mi płakać; zamykam się w kiblu i trochę sobie płaczę, po czym wychodzę zapuchnięta. A ta jak esesmanka, żebym ręce umyła. Co mi teraz ręce, kiedy może się zdarzyć najgorsze? Odsuwam od siebie tę myśl i staram się skupić na tym, że wszystko będzie dobrze; ten lekarz wyglądał na dobrego, był przejęty – będzie dobrze, będzie dobrze.

Nocie

Użala się nad sobą; tak mnie to wkurza. Irytuje mnie: te cekinki, szpileczki, złote łańcuszki. Taka odpustowa moda, ale jej przecież nie można tego powiedzieć, bo się obrazi.

Nie mogę już znieść tego czekania przed salą operacyjną. Wychodzę przed szpital zapalić. Wreszcie spokój, patrzę na niespieszny ruch na izbie przyjęć, na miasto nocą. W taką noc czuję się bardziej samotna niż kiedykolwiek. Nie chce mi się do nikogo dzwonić, właściwie nawet nie mam do kogo. Wracam i chodzę pustymi korytarzami w poszukiwaniu Kasi. Drzwi do szpitalnej kaplicy są uchylone, widocznie ktoś zapomniał ją zamknąć. Zaglądam – Kasia głośno się modli na kolanach. Zdrowaś Mario, łaskiś pełna… – powtarza bezmyślnie. Ja nawet nie umiem się modlić. Nie pamiętam już słów żadnej modlitwy, a kiedyś byłam bielanką. Ale to zanim zaczęło się moje życie grzesznicy.

Cały czas myślę o tym lekarzu, wyobrażam sobie, jak operuje mamę skupiony, jak pielęgniarka ociera mu pot z czoła. Ale jej dobrze. Ciekawa jestem, jak on pachnie. Co ja pierdolę, napalam się na lekarza, który operuje moją matkę? Popierdoliło mnie do reszty. – Besztam sama siebie – ale głupie myśli wracają nieproszone. Ciekawe, czy ma obrączkę.

Jest wpół do drugiej w nocy, już przysypiamy z Kaśką na leżance na korytarzu, kiedy wreszcie on wychodzi. Na twarzy ma siny ślad od maski, jest spocony, wykończony. Idzie szybko, spieszy się. Biegniemy za nim.

– Ta operacja uratowała mamie pań życie – mówi. – Ale jej stan jest ciężki. Nie zamknęliśmy pokrywy czaszki, bo nie znaleźliśmy źródła krwawienia. Teraz będziemy utrzymywać pacjentkę w stanie śpiączki farmakologicznej.

– Ile czasu?

– Na pewno dwadzieścia cztery godziny, ale może dłużej. Proszę przyjść jutro – rzuca i odchodzi.

Kasia postanawia się z tego cieszyć. A przecież on nie powiedział, że operacja dobrze się skończyła, tylko że jej nie skończyli. Nie mącę jej naiwnego szczęścia, odwożę ją do domu. Kiedy wracam do siebie, jest już po czwartej i zaczyna świtać. Niebo robi się jaskraworóżowo-pomarańczowe. Przejeżdżam przez most Siekierkowski i patrzę na piękny wschód słońca, które wygładza kontury tego miasta, mojego miasta nie z wyboru, ale z konieczności. W tym świetle wygląda najlepiej.

Zjeżdżam na parking pod swoim budynkiem. Długo siedzę w ciszy, nie chcę od razu iść do domu, tu jest mój azyl. Dopiero teraz dochodzą do głosu emocje, dopiero teraz czuję strach. Muszę trochę się wyciszyć, Zuzia na pewno się obudzi i zacznie wypytywać, muszę być spokojna. Na szczęście kiedy wchodzę na palcach, śpi, więc rozbieram się i kładę do łóżka. Nie mogę zasnąć.

Postanawiam sprzątnąć łazienkę, to mi zawsze pomaga. Wkładam żółte rękawice i trę kafelki z całych sił. Jest tam jakaś plamka, czy jednak może jej nie ma. Zuzia zaspana wchodzi do łazienki zrobić siku.

– Co z babcią?

– Nie skończyli, nie wiadomo jeszcze.

– Mamo, weź się, jest czwarta rano, co ty, wannę szorujesz? Idź spać, musisz mieć siłę.

46

– Zaraz. – Siadam w wannie złamana, zdenerwowana, zmęczona.

– Mamo, chciałam ci coś powiedzieć...

– Jesteś w ciąży? – pytam przerażona. Już widzę siebie wychowującą dziecko mojej nieletniej córki.

– Nieee! Weź, idź spać – odpowiada typowym dla jej pokolenia pytająco-obrażonym tonem i wychodzi.

Spłoszyłam ją, minęła chwila na szczerość; zresztą teraz nie jestem w stanie się tym przejmować. Siedzę skulona w pustej wannie, w tych żałosnych żółtych rękawicach. Przez moment widzę siebie z zewnątrz i jest to nieprzyjemny obrazek.

Kasia

Nie mogłam spać, odmówiłam wszystkie modlitwy, jakie znalazłam w domu. Litanie, ofiarowania, koronki, różaniec i nic. Nad ranem przysnęłam na chwilę, obudził mnie budzik, musiałam się zwlec i zrobić Filipowi śniadanie – jedzie dziś na wycieczkę. Grzesiek od rana siedzi nad gazetą z ogłoszeniami o pracy. Ja szykuję śniadanie, a ten nierób siedzi sobie z kawką i gazetką. Nie wpadnie na to, by raz w życiu zrobić śniadanie, kiedy żona spędziła całą noc w szpitalu i chciałaby się wyspać. Swoją wściekłość wyładowuję na Filipie. Robię mu aferę, że pije na śniadanie colę zamiast mleka. A ten mi na to, że laktoza jest niezdrowa, że on jej nie toleruje. Akurat, jakoś wszyscy zawsze pili mleko i było zdrowe, i wszyscy tolerowali, a teraz nagle mleko szkodzi. Przecież to ogłupianie ludzi.

Grzesiek siedzi i jopi się w te ogłoszenia o pracy, z których żadne według niego nie jest dla niego. Szukają menedżerów, księgowych, ale nikt nie szuka specjalisty od komputera. Coś mi się w to wierzyć nie chce. Siedzi jak ten muł: ani me, ani be, ani kukuryku. Ta jego inercja wkurwia mnie dziś na maksa.

– Wiadomo, nic cię nie obchodzi moja matka. To wypierdalaj do swojej! – krzyczę.

– Kasia, nie przy dziecku – odpowiada ze stoickim spokojem.

Ten jego pieprzony spokój mnie nakręca jeszcze bardziej, mam ochotę go sprowokować, zobaczyć, na co go stać, kiedy go rozwścieczę do białości.

– To już nie jest dziecko – mówię. – Kurwa, mam dosyć, rozwiedźmy się, błagam.

– Kto inny by z tobą wytrzymał – mruczy znad gazety.

– Dobra, może by mi ktoś dał kasę na wycieczkę? – Filip jest obojętny na nasze warczenie na siebie.

Grzesiek podaje mi moją czerwoną portmonetkę.

– Oczywiście ja, prawda? Bo twój ojciec nieudacznik nie ma pracy.

– Szukam – odpowiada Grzesiek.

– Ile? – pytam syna.

– Sto pięćdziesiąt. No i może jakieś kieszonkowe byś dała.

Chowa kasę i już chce uciekać, ale łapię go i całuję. Kiedyś tak lubił się do mnie przytulać, a teraz sztywnieje, jakby kij połknął.

– Kocham cię, syneczku.

Niezręcznie robi unik i wychodzi. Wściekła wyrywam Grześkowi gazetę i gniotę.

– A ty zrób coś ze sobą, wyjdź mi wreszcie z tego domu! – wrzeszczę.

Wychodzi, nie patrząc na mnie. Kolejny cichy dzień się zapowiada. Siadam na stołku w pustej kuchni i nie wiem, co mam ze sobą zrobić; cała jestem roztrzęsiona.

– Oczywiście teraz się obraża – mówię do siebie. – Najłatwiej to się obrazić.

Jestem beznadziejna, sama ze sobą nie mogę wytrzymać. Boże, co teraz będzie? Muszę pojechać do szpitala, a się boję. Chciałabym zaszyć się w liściach i przespać to wszystko.

Nocte

Spałam może ze dwie godziny, a teraz próbuję doprowadzić się do porządku. Dzwonią ze szpitala. Źródłem krwawienia, którego nie mogli nocą namierzyć, okazał się pęknięty tętniak. Kurwa.

Ubieram się szybko, byle jak. Mam nieogolone pachy, ale olewam to. Wychodzę, z kuchni woła do mnie Zuzia:

– Co się stało, coś z babcią?

– Tętniak. Jadę do szpitala.

– Może pojadę z tobą? Zjedz coś, chociaż sok wypij.

– Daj mi spokój, nic nie przełknę. A ty nie masz egzaminu dzisiaj?

– No mam, ale…

– To błagam cię, zdaj tę sesję! – wrzeszczę, aż odskakuje przestraszona.

Wychodzę, trzaskając drzwiami i zostawiając jak zwykle za sobą jakiś kwas. Dlaczego nie umiem z nią rozmawiać, przecież jesteśmy tak blisko?

Przyjeżdżamy do szpitala obie z Kasią niemal równocześnie. Ona też nie spała, co widać. Znowu się gubimy w labiryncie źle oznakowanych korytarzy. Przystojnego neurochirurga dziś nie ma, ale porozmawia z nami szefowa OIOM-u, oschła anestezjolog Izabela Kwiecień. Czekamy pół godziny, wreszcie wychodzi, ale mówi, że się spieszy, nie ma dla nas czasu. No cóż, idziemy za nią.

– Nie wygląda to dobrze – zaczyna jak Kasandra.

Nas już mrozi, ale wtedy zauważa ją salowa i wychodzi z termosem ze swojej kanciapy.

– Pani doktor, obiadek dla Michałka, mielony z buraczkami – mówi, podając jej termos.

– Dziękuję, kochana. – Pani doktor płynnie wraca do rozmowy z nami. – Nie wygląda to dobrze.

– To znaczy? – próbuję wymusić jakieś konkretne informacje. – Zadzwoniono do mnie rano, że to tętniak. Co to znaczy?

– Tętniak, proszę pań, to bomba zegarowa, gdyby to się zdarzyło poza szpitalem, mama pań umarłaby na miejscu. – Lekarka czeka na windę.

Czekamy z nią, nie wiemy, co powiedzieć, zatkało nas. Resztę rozmowy przeprowadzamy w metalowej klatce windy.

– Przecież pierwsza operacja się udała – mówi Kasia, która wciąż chce wierzyć, że będzie dobrze.

– Czyli jest gorzej? – dopytuję.

Lekarka patrzy na nas obojętnie.

– Mama pań ma niewielką szansę na odzyskanie zdrowia. A przy jej schorzeniach jeszcze mniejszą.

– Jak pani tak może, przecież pani uśmierca mamę za życia… – Kasia prawie płacze.

– Kaśka, nie zachowuj się jak dziecko – proszę.

– A ty mnie nie pouczaj, najmądrzejsza na świecie, kurwa – odpyskowuje mi Kaśka.

Lekarka znacząco milczy.

– Pani doktor, jest źle? – przerywam milczenie.

– Przykro mi – mówi. – Jest u nas pomoc psychologiczna, gdybyście panie chciały skorzystać.

Kasia prycha.

– Dziękuję bardzo, nie potrzebuję.

– A ja bardzo chętnie – odpowiadam.

Lekarka wychodzi bez pożegnania, zostawiając nas same w windzie. Tak beznamiętne przekazanie złej wiadomości sprawia, że mam wrażenie totalnego opuszczenia. Personel tu jest tak przyzwyczajony do informowania o złych rokowaniach, że robi to, jakby chodziło o pietruszkę; mają tego na pęczki.

– Skurwysyny – wydusza z siebie Kasia.

– Dobra, jedź już do tej szkoły, ja tu zostanę. No jedź – mówię.

Wiem przecież, że nie będę miała z niej pożytku, będzie płakać albo krzyczeć, a tu trzeba działać, trzeba stawić czoło faktom, lepiej jak będę sama.

Idę na OIOM. Przechodzę przez śluzę dzielącą świat mniej chorych od świata walczących o życie, gdzie trzeba ubrać się w zielony fartuch, założyć ochraniacze na buty i czepek na głowę. Podchodzi pielęgniarka.

– Pani mama leży na końcu. Tam – pokazuje.

Idę wzdłuż szpaleru łóżek, na których leżą podłączeni do aparatury medycznej pacjenci; wszyscy wyglądają tak samo – mają obandażowane głowy i zamknięte oczy. Nagle do mnie dociera, że mogę nie rozpoznać swojej matki. Docieram do końca szpaleru; chyba jej nie ma albo aż tak się zmieniła. Zastanawiam się, czy wrócić i czytać nazwiska na monitorach. Podchodzę do szyby, za którą jest jeszcze jedno łóżko, a na nim leży naga nieprzytomna kobieta z obandażowaną głową. Już chcę zawrócić, myśląc, że to pomyłka, ale przypatruję się uważniej. Jezu, to mama. Akurat weszła do niej pielęgniarka i poprawia jej jakąś rurę w ustach, majstruje przy urządzeniach, nie zauważa mnie patrzącej zza szyby. Wchodzę do izolatki, pielęgniarka uśmiecha się smutno.

Patrzę na mamę. Ma zamknięte oczy, całą głowę grubo obandażowaną, oddycha za nią respirator, a spod kołdry wystają jakieś kable, przewody, pod łóżkiem wisi worek na mocz. Mama nie reaguje na mój dotyk; to pewnie ta farmakologiczna śpiączka, o której mówili lekarze.

Kakofonia dźwięków wydawanych przez te wszystkie urządzenia powoduje, że żadna myśl nie chce mi się utrzymać w głowie, nic nie czuję. Tkwię w tej izolatce, do której bez wątpienia trafiają najcięższe przypadki, a za szybą widzę trochę lżej chorych. Nikt nie jęczy, nikt nie krzyczy, panuje cisza. Pielęgniarki rozmawiają, jakby nic takiego się nie działo, o tym, za ile skończy się operacja i która ma jutro dyżur. OIOM jest połączony z salą pooperacyjną, to jakby jeden organizm podzielony na stronę septyczną i aseptyczną. Ciekawe, czy mama przypadkiem nie leży na brudnej.

Wypraszają mnie, kiedy chcą odessać jej wydzielinę z dróg oddechowych. Patrzę zza szyby, wygląda to okropnie; wkładają do gardła ponadpółmetrową rurkę, a mama nawet się nie krztusi, w ogóle nie reaguje. Kończą i pozwalają mi wrócić. Siedzę. Nie mam pojęcia, co mówić. Oglądam urządzenia podtrzymujące funkcje życiowe, nic z ich wskazań nie rozumiem, widzę tylko wynik pomiaru tętna i ciśnienia na monitorze; chyba w normie. Zastanawiam się, dlaczego nic nie czuję, dlaczego nie płaczę, dlaczego mam w sobie emocjonalną dziurę; może coś jest ze mną nie tak.

Kasia

Po szpitalu pojechałam do szkoły. Ta zimna suka lekarka doprowadziła mnie do palpitacji serca. Nie widzi szans, nie ma nadziei; przecież tak się nie robi, wszystko się jeszcze może zdarzyć – a mało to jest cudownych wybudzeń ze śpiączki, a mało to ludzi wychodzi na prostą po wylewach? Ale ona ma w dupie, odhaczyła, że poinformowała rodzinę o stanie pacjentki, wzięła obiadek dla synka i zapierdala, żeby go zawieźć, a uczucia pacjentów i ich rodzin obchodzą ją mniej więcej tak jak uczucia karaluchów. To skandal, żeby tacy ludzie pracowali na OIOM-ie, najcięższym oddziale. Ona powinna wziąć nas na rozmowę, pocieszyć, powiedzieć spokojnie co i jak, a nie w windzie, na wariata, bo się spieszy. Ja wiem, że oni mało zarabiają, ale są chyba wyjątkowe sytuacje; rozumiem, że nie miałaby czasu rozmawiać z rodziną pacjenta po wycięciu wyrostka, ale tutaj, po tak ciężkiej operacji mózgu?

Skąd my mamy się dowiedzieć, czy mamę coś boli, jak to jest w takiej farmakologicznej śpiączce, czy coś się myśli, czuje. O nic nie zdążyłam się zapytać, bo od razu sobie poszła. Marta została w szpitalu, może jeszcze od kogoś się czegoś dowie. Człowiek jest taki bezradny wobec machiny służby zdrowia, łaknie jakiejkolwiek ludzkiej reakcji, współczucia, zrozumienia, ale niczego takiego nie ma.

W pracy muszę się jakoś trzymać, nie mogę się przecież rozpłakać na lekcji z drugą klasą podstawówki. Nie mogę się też zwolnić, zaraz koniec roku i muszę wystawić oceny. Mam wyjątkowo aktywną i liczną klasę, z wyżu demograficznego; trudno ich opanować. Jak ja zapełnię te czterdzieści pięć minut, żeby się nie nudziły ani nie zdemolowały sali? Nie chcę zaczynać nowego tematu, bo nie jestem w stanie. Pomyślałam, że przeczytam im wiersz, którego będą musieli nauczyć się na pamięć, a na następnej lekcji mi wyrecytują i postawię im jakieś stopnie. Otworzyłam podręcznik na chybił trafił i zrozumiałam, że nie bez kozery akurat w tym miejscu, bo był tam wiersz, który odzwierciedlał stan mojego ducha.

Snuję się po domu. Choć się dobrze czuję,
jednak jestem pewna – czegoś mi brakuje!
Stos zabawek w szafce: gry, komputer, książki.
W szufladach spineczki, korale i wstążki.
Koleżanki ciągle z zazdrością wzdychają,
bo ubranek modnych tak jak ja nie mają.
Chodzę na angielski, basen oraz tenis,
jednak mego smutku to wszystko nie zmieni.
Chętnie bym oddała wszyściuteńko za to,
żeby się pobawić z mamą albo z tatą.
Tata za granicą, rzadko mnie widuje,
mamusia zmęczona, bo ciągle pracuje.
Z echem więc rozmawiam w pustym, zimnym domu,
może o mym smutku opowie dziś komuś?*

Wzruszył mnie ten wierszyk do łez: mama, tata, pusty, zimny dom… Och Boże, jakie to życie kruche… Na chwilę zapomniałam o dzieciach.

– Proszę pani, a co jest zadane? Bo pani nie powiedziała – sepleni Marlenka, wyrywając mnie z zamyślenia.

– Wierszyk. Macie się go na jutro nauczyć na pamięć. Jutro wystawiam oceny.

– Na jutro, dżizus… – słyszę narzekania.

Oni najchętniej pograliby w jakieś strzelanki albo świat simsów, prawdziwy świat ich nudzi.

Myślałam, żeby pójść do dyrektorki, może jednak mnie zwolni, zrozumie moją sytuację, przecież ja się teraz do niczego nie nadaję, ale najpierw chcę się zebrać w sobie. Usiadłam w pokoju nauczycielskim, zrobiłam sobie kawę, odłożyłam dziennik, nie chce mi się z nikim rozmawiać,

---

* *Rozmowa z echem*, wiersz Doroty Rozwens, superkid.pl, 23.11.2015 (przyp.red.).

pewnie zaraz zaczęliby wypytywać, komentować, a co się stało, kiedy, jak. Nie chcę.

Po dzwonku, kiedy pokój nauczycielski jest pusty, dzwonię do Marty. Lepiej, że ona, a nie ja, została w szpitalu, jest znana, na pewno więcej załatwi. Poza tym ona nie dałaby mi samej czegoś załatwić, zawsze ona musi wszystkim sterować, ma tak od dziecka, taki to już typ. Ale potem narzeka, że wszystko musi sama, że wszystko na jej głowie. Nie mogę się dodzwonić. Boże, żeby tylko mama się obudziła. Pójdę dać na mszę, odmówię Koronkę do Najświętszego Serca Jezusa, to pomaga chorym i cierpiącym, w Bogu jedyna nadzieja, bo na lekarzy powoli przestaję liczyć.

Mortie

Pierwszego dnia mama wygląda całkiem nieźle, mam wrażenie, że zaraz się obudzi. Drugiego też, ale nie wybudzają jej ze śpiączki i nikt mi nie chce powiedzieć dlaczego. Trzeciego dnia zastaję ją napuchniętą do granic możliwości; nie widać oczu, ledwie poznaję, że to ona. Wygląda monstrualnie, rysy twarzy zupełnie się zmieniły. Pytam anestezjolożki, dlaczego mama tak spuchła. Od sterydów może albo od krwiaka – nie wiadomo. Widzę na korytarzu neurochirurga, który operował, tego przystojniaka. Ucieka przede mną, więc go gonię.

– Niech pan nie ucieka. Proszę zaczekać! – wołam.

Zatrzymuje się, ale rozmawiając ze mną, patrzy w bok, rozgląda się, robi wszystko, żeby nie spotkać mojego wzroku. Jest niespokojny, zdenerwowany jakiś.

– Co z mamą? Czy jest źle? – pytam.

– Od początku było bardzo źle. Przepraszam, ale bardzo się spieszę.

Ucieka, zostaję sama na korytarzu; znikąd pomocy, wyjaśnienia. Dlaczego lekarzy nikt nie uczy rozmowy z rodziną pacjenta, oni tylko się wykręcają, chowają. Dlaczego nikt nie spojrzy mi w oczy i nie powie, co się naprawdę dzieje? Takie rzeczy to chyba tylko w *Na dobre i na złe*.

Od dyżurnej pielęgniarki dowiaduję się, że zaraz mają robić mamie angiotomografię, czyli badanie naczyniowe mózgu. Wychodzę ze szpitala, żeby zobaczyć, że normalny świat poza nim istnieje. Muszę się czymś zająć, żeby nie zwariować. Dzwonię do agenta, okazuje się, że akurat są zdjęcia próbne na główną rolę w filmie, właściwie to jest rozmowa z reżyserem, może bym poszła. Więc jadę, wpadam spóźniona. Po co ja to robię teraz, kiedy moja głowa jest zajęta czym innym i nie ma w niej miejsca na nic więcej?

Już wchodząc, widzę, że przede mną jest kilka o piętnaście lat ode mnie młodszych aktorek i ogarnia mnie zwątpienie. Po co mi to? Ale skoro już tu jestem, co mi szkodzi – tłumaczę sobie. Mój autokrytyk się ze mnie nabija: co ja wyprawiam, jestem za stara na takie zdjęcia próbne z ulicy, to głupota, przecież jestem cała rozedrgana, to nieprofesjonalne. Reżyserem okazuje się miły, młody człowiek, przedstawia mi się, od razu przechodzimy na ty. Fajny gość, ujął mnie tym, że powiedział, że nie lubi zdjęć próbnych, męczy go sytuacja jakichś takich spotkań na próbę, jakichś podchodów. To tak jak mnie. Bohaterką filmu ma być współczesna skomplikowana kobieta uzależniona od seksu i alkoholu, pochodząca z rodziny, w której wszyscy pili. Reżyser mówi, że też jest alkoholikiem, już niepijącym, i ten problem jest dla niego ważny. Słucham i czuję, że możemy się dogadać, zaczynam gościa lubić. Jest prawdziwy, szczery, jeszcze niezepsuty serialami, reklamami. I dopiero co skończył szkołę. A najbardziej mi się podoba, że patrzy prosto w oczy, nie boi się. Topnieję, ciekawi mnie on, ciekawi mnie jego historia. Taka praca mogłaby być odświeżająca.

– Ale pewnie w końcu do tej roli weźmiesz jakąś trzydziestkę, wszyscy tak robią – mówię.

– Właśnie to ma być kobieta po czterdziestce, po której widać wiek i to, co zrobił z nią alkohol. Sorry.

– Nie, no dziękuję. Zajebisty komplement. – Śmieję się. – Chętnie bym się zmierzyła z taką rolą, chętnie bym weszła w ten twój alkoholowy kombinezon…

– Jaki kombinezon? – Nie rozumie.

– Bo każda rola to skrojony przez reżysera kombinezon i chodzi o to, żeby się w niego zmieścić, żeby wyglądało, że jest szyty na miarę.

– Niezła definicja aktorstwa.

Fajny gość, ale nie będę się napalać, pewnie jak zwykle nie dostanę roli. Wyszłam, spojrzałam na zegarek – okazało się, że gadaliśmy ponad godzinę. Wychodząc, zauważyłam umieszczoną w rogu na statywie kamerkę bez obsługi. Nawet nie zwróciłam uwagi, że byłam nagrywana. Niezły spryciarz. Niech ten chłopak robi filmy ze mną czy beze mnie; po dzisiejszej rozmowie jestem ich ciekawa.

Do szpitala wracam jakby silniejsza. Przyjmuję na klatę wynik angiotomografii – druga operacja zatrzymała wprawdzie krwawienie z półtoracentymetrowego tętniaka, ale skala zniszczeń, które ten tętniak poczynił przed operacją, jest ogromna. Zalana, czyli nieczynna, jest ponad połowa mózgu. Mówi mi o tym zimna jak stal doktor Kwiecień. Idę do mamy, siadam obok, nie ma z nią kontaktu. Szczypię ją, głaszczę, dotykam; sprawdzam, czy zareaguje. Obrzęk już ustąpił, włączyli leki na odwodnienie. Mama znowu jest podobna do siebie, ale teraz już nie wiem, czy kiedykolwiek się obudzi. Nie mam pewności.

Kasia

Przyjechała do nas Marta, przywiozła ojcu pączki. Akurat wtedy, kiedy właśnie udało mi się go zmusić, żeby usiadł do obiadu. Wcześniej kilka godzin patrzył na zdjęcie z balu architektów, na którym są z mamą młodzi, piękni, wystrojeni, a mama ma przyczepiony wielki kok. Siedział i nalewał sobie lufy, i pił do zdjęcia, i gadał do siebie. Smutny widok. Myłam akurat u niego mopem podłogę.

– Wszyscy faceci chcieli cię poderwać, a ty byłaś moja. Elunia, no co ty, napij się ze mną. – I chlust.

– Tato, chodź na obiad, zrobiłam bitki wołowe, ziemniaczki, marchewkę. Pyszne wszystko – mówię.

– Na pewno. Świniom by smakowało.

– Tato, dlaczego jesteś taki? Nie możesz przez cały dzień nic nie jeść.

Wlewam sobie trochę rumu do szklanki z lodem. Ojciec się zwleka ze stołka i z łaską schodzi na obiad. Nie smakuje mu, ja na siłę próbuję coś w niego wcisnąć, chociaż sama nie mogę patrzeć na jedzenie. Marta wchodzi radosna, ze śpiewem na ustach, jakby nic się nie stało.

– I przyszedł Józio, i przyniósł pączki, całuję rączki, całuję rączki, wiadomo damy bywają głodne, chcesz zdobyć serce, z pączkiem wal – śpiewa.

To była stała śpiewka taty na temat pączków, zawsze to śpiewał. Marta pewnie chce go rozbawić, dlatego jest nienaturalnie wesoła, zaczyna nawet z nim tańczyć. Nienormalna. Tata myśli, że Marta świętuje, bo mama się obudziła, a pączki to dobry znak.

– Obudziła się?

– Nie – odpowiada i zmienia temat, widząc, że piję drinka. – Już doisz?

– Bo co? – odwarkuję. – Święta się znalazła.

Ojciec zawiesza się na chwilę, kiedy nadzieja okazuje się złudna, ale zaraz zaczyna rozwijać pączki.

– Z czym są? – pyta.

– Z ajerkoniakiem, z malinami, z czekoladą – wylicza Marta.

– A z marmoladą? – pyta. – Nie kupiła z marmoladą, no idiotka.

Patrzę, jak ojciec łapczywie je pączek. Brudzi koszulę nadzieniem. W ogóle stał się niechlujny, chodzi nieogolony, niedomyty. I zachowuje się jakoś inaczej. Ale czemu tu się dziwić, po pięćdziesięciu latach z mamą nagle jest sam.

Zabieramy go do mamy. Jedziemy wielkim autem Marty, mnie nigdy nie będzie na takie stać. Miasto jest zakorkowane, ludzie trąbią, zajeżdżają sobie drogę, nie przestrzegają przepisów, ale Marta też jeździ jak szalona. Co chwilę zamykam oczy, bo wydaje mi się, że w coś walnie. Ale ojciec jest zadowolony, lubi to jej ryzykanctwo, czuje się jak na karuzeli.

Przy niej w ogóle jest inny. Kocha ją bardziej, to jasne. Jak jest ze mną, to nic nie mówi albo warczy, a z nią – król dowcipu.

Wchodzimy do szpitala, ojciec żartuje z panią w szatni, z pielęgniarkami, salowymi, prawi im komplementy, one się uśmiechają, lubią takich żartownisiów, zawsze to weselej. Wkładam mu na koszulę flizelinowy fartuch, ochraniacze na buty i wprowadzam do mamy. Stajemy z Martą za szybą izolatki i obserwujemy.

Najpierw stoi nad nią, mówi coś, licząc, że otworzy oczy i odpowie. Potem zaczyna ją tarmosić.

– Dusiek, jesteś taka piękna. Wracaj już do domu, natychmiast, słyszysz? – Spogląda na nas, zażenowany naszą obecnością za szybą; to przecież scena intymna. Ojciec nigdy nie pozwalał sobie na publiczne wyrażanie uczuć.

Odwracamy się; nie mogę patrzeć, jak ten silny zwykle facet się rozkleja. Jest między nim a mamą taka czułość, nawet teraz, że źle mi z tym, że ich podglądam. Wychodzimy na korytarz. Marta mówi, że rozmawiała z lekarzami i że jest niedobrze; nie chcę tego słuchać, a ona, jakby jej to sprawiało przyjemność, opowiada medycznym językiem o funkcjach mózgu, które mama bezpowrotnie utraciła. Po co mi to wiedzieć, ja chcę wierzyć, że będzie dobrze.

Wracamy do samochodu, nie odzywając się do siebie. Ojciec po wizycie u mamy traci ochotę nawet na rozmowę z Martą i też jedzie w milczeniu.

Wieczorem z ojcem jak co wieczór oglądamy *Milionerów*. Tak naprawdę to nie oglądamy, tylko bezmyślnie się gapimy w telewizor. Ojciec siedzi między mną a Grześkiem, ja piję drinka za drinkiem, żeby znieczulić się na rzeczywistość, która na trzeźwo jest nie do wytrzymania.

– Co jeszcze powiedziała ta lekarka?

Ojciec chce się dowiedzieć czegoś więcej, a ja nie mam ochoty rozmawiać. Nie chcę mówić, że jest źle, nie chcę być posłańcem, który przynosi złe wiadomości.

– Nie teraz, tato. – Pogłaśniam telewizor.

Prowadzący zadaje głupie pytanie, czy uczestnik chce wygrać milion. Każdy by chciał, idioto.

– Milion złotych. Czy tak jest w porządku? – pyta.

– Pasuje. Może być – odpowiada stremowany uczestnik.

– Pasuje ci, tak? A co zrobisz z pieniędzmi, jak wygrasz? – zadaje kolejne głupie pytanie prowadzący.

A skąd on ma niby wiedzieć, debilu?

– Przede wszystkim wybuduję sobie dom. Jak wygram milion – odpowiada speszony uczestnik.

– U siebie? – dopytuje debilny prowadzący.

Nie, u sąsiada, głąbie.

– U siebie.

– Duży?

Co za baran z tego gościa, za co oni mu płacą w tej telewizji?

– Nie, nie za duży.

Przełączam na wiadomości. Nie mogę oglądać, zastanawiam się, jak jej tam jest w tej pustej izolatce w obcym szpitalu. Jakby się tak obudziła w środku nocy i nie wiedziała, gdzie jest, mogłaby się przerazić.

Grzesiek mnie irytuje. Siedzi i mlaska; ma coś z zębami, ze zgryzem, ortodonta kazał mu nosić aparat, ale na razie nie ma na to kasy. Zrobiłby coś, wziął za coś odpowiedzialność, a ten nic, tylko siedzi. Nie mam w nim oparcia, nie wspiera mnie ani finansowo, ani emocjonalnie. A ojciec znowu, widzę, zapada się w sobie; żeby nie dostał depresji, jak kiedyś – przez pół roku chodził w jednym swetrze, nie golił się, wyglądał strasznie. Mam ich obu dość. Nie mogę, duszę się.

Wychodzę do ogrodu odetchnąć świeżym powietrzem. Dobrze, że chociaż jest ten ogród. Wdycham zapach trawy, zapach lata, ale wyczuwam coś jeszcze, jakąś dziwną, słodkawą woń. Patrzę, a na ławce nad oczkiem wodnym siedzi Filip. Wołam go, ale nie słyszy; ma słuchawki na uszach. Podchodzę, patrzę, a on pali marihuanę. Mój syn narkomanem, jeszcze tego mi brakowało.

– Jak ty możesz mi coś takiego robić? W takiej chwili? Jak możesz? – krzyczę.

– Mamo, to nie tak… – mówi i ucieka do domu, żeby uniknąć mojego gniewu.

Ciekawe, jak długo już pali trawę, ostatnio mu poluzowałam, robił co chciał, zamykał się w swoim pokoju i kto wie, może i coś tam sobie hodował. Przyjdzie policja i nas wszystkich pozamyka przez tego gnojka. Widzę, że joint się jeszcze pali, więc go podnoszę i się zaciągam. Dziwnie smakuje, trochę drapie w gardło, połykam dym i czekam na jakieś cudowne działanie. Czekam, czekam i nic. Zupełnie nic. Może to na mnie nie działa.

Nocte

Rzeczywistość zastygła w miejscu, kolejne dni są takie same, czas nie płynie. Mijają tygodnie i nic się nie zmienia. Lekarze odstawiają mamie leki usypiające, ale ona wciąż się nie wybudza. Trzeba czekać – z coraz gorzej ukrywanym współczuciem mówią lekarze. Tego, że mama rusza językiem i gałkami ocznymi, nie uznają za żaden dowód na powrót do zdrowia, na budzenie się. W dwunastostopniowej skali Glasgow dają jej trzy punkty, czyli żadnych oznak życia. Ale wygląda ślicznie, ma taką gładką buzię jak lalka i prawie nie ma zmarszczek, a na pewno mniej niż ja. Nie wiem, czy mnie słyszy. Obawiam się, że lekarze się zastanawiają, czy żyje pień mózgu i czy mogą ją odłączyć od aparatury. Co zrobić, żeby ją obudzić?

Teraz ważne, żeby nie miała odleżyn, bo przecież leży dwadzieścia cztery godziny na dobę; podobno co cztery godziny zmieniają jej pozycję, ale nie bardzo w to wierzę. Mam wrażenie, że tu jest trochę jak w filmie *Truman Show* – kiedy jestem i patrzę, pielęgniarki i salowe uwijają się jak w ukropie, grają zaangażowane, ale kiedy mnie nie ma, kiedy nie patrzę, nie robią nic. Co druga mnie rozpoznaje, widzę to, ale nie mają śmiałości w tych okolicznościach. Pytają o serial, kiedy dłużej siedzę u mamy, a one akurat zmieniają jej pompę czy robią toaletę. Są na bieżąco, bardziej się przejmują tym, co się dzieje w *Zakrętach losu* niż u nich na oddziale; takie odnoszę wrażenie.

Szukam Piotra, on jedyny ze mną normalnie rozmawia. Mam fantazje na jego temat. Ciągle o nim myślę, wyobrażam sobie, jaki jest w łóżku, jak smakuje. Jestem beznadziejna. Znam plan jego dyżurów, wiem, kiedy operuje, i staram się przychodzić, gdy jest na oddziale. Trudno mi się przyznać samej przed sobą, że stan mamy jest pretekstem, żeby go spotkać. On nigdy nie ma dla mnie dobrych wiadomości, a mimo to potrzebuję, żeby powtarzał, że bez zmian, że płuca są czyste, ale wylew się nie cofa; chyba jestem masochistką.

Odnoszę wrażenie, że Piotr traktuje mnie inaczej niż rodziny pozostałych pacjentów, że ma dla mnie więcej cierpliwości, wyrozumiałości, czasu, może też coś do mnie czuje. A może mi się wydaje, może to myślenie życzeniowe? Przecież fakt, że na mnie działa jako facet, nie musi oznaczać, że ja też na niego działam. Usycham z tęsknoty, marzę, żeby go zobaczyć, a kiedy go widzę, zapominam języka w gębie. Boję się zakochać, to bez sensu, nie chcę kolejnego rozczarowania.

Moje życie toczy się między szpitalem, domem rodziców a moim domem, w serialu poprosiłam o wolne z powodów rodzinnych; zrozumieli. Czuję się bardzo samotna, tęsknię do bycia z kimś, do tego, żeby mieć się komu wyżalić, podzielić problemami. Zastanawiam się, czy będę umiała z kimś mieszkać, dzielić łóżko, łazienkę, szafę, kuchnię. Czy może już jestem zatwardziałą singielką, może przekroczyłam Rubikon samotności?

Kombinuję, jak to zrobić, żeby się spotkać z Piotrem poza szpitalem; głupio mi tak zaprosić go na lunch, to by było wyjście poza konwencję, poza relację pacjent – rodzina pacjenta – lekarz. Na spacer albo do kina – to samo. Mama leży w śpiączce, a ja jestem jakimś potworem bez uczuć. Nie mam ochoty spotykać się z innymi ludźmi, odsunęłam się, za dużo piję. Codziennie butelka wina to przesada, ale bez niej nie mogę zasnąć.

Kasia

Serce mi się kraje, kiedy patrzę, jaki ojciec jest dzielny, jak pracowicie rysuje, jak stara się normalnie działać. Widzę, że nie chce mu się żyć. Teraz tylko praca go trzyma. Kończy trzy duże projekty, ma z nimi jeszcze sporo roboty. Nigdy nie nauczył się rysować na komputerze, robi to za niego asystent, student architektury, który w ten sposób sobie dorabia. Dzisiaj tata przyjął dwóch klientów, rozmawiał z nimi wesoło, potrafi oddzielić sferę prywatną i zawodową, uczucia trzyma pod kluczem. Klienci nie wiedzą, co się u nas dzieje, czasem ktoś zapyta ojca, gdzie żona, a on wtedy rzeczowo odpowiada, że w szpitalu, ale zaraz wraca. Zauważyłam, że kiedy myśli, że jest sam, czasami drży mu dłoń podczas rysowania, rozlewa tusz, musi to potem ścierać, wywabiać albo rysować od nowa.

Jestem na zwolnieniu, dyrektorka zgodziła się mnie zastąpić. Niedawno umarł jej ojciec i umie postawić się w mojej sytuacji, rozumie. Siedzę w domu i się zamartwiam, sama nie wiem, czy nie wolałabym już być w pracy.

Postanowiłam pojechać do mojego ukochanego księdza Marka od lat zaprzyjaźnionego z naszą rodziną. Poproszę go, żeby odprawił mszę, pomodlił się o wyzdrowienie mamy. Ksiądz Marek jest wyjątkowy, wspaniały, niestety, przenieśli go z naszej parafii gdzieś na prowincję, był za dobry. Zadzwoniłam i powiedziałam, że przyjeżdżam, ucieszył się. To jest taki ksiądz, który jest w stanie największego niedowiarka przekonać do Boga, A takie klechy, co odkle-pują nudne jak flaki z olejem kazania i mają wszystkie wady wymowy, potrafią skutecznie zniechęcić do Kościoła nawet człowieka wierzącego.

Postanowiłam wziąć Filipa, po drodze z nim trochę po-rozmawiam, naprostuję, poza tym może ksiądz mu prze-tłumaczy, jak wielkie niebezpieczeństwo na niego czyha. Przecież marihuana to pierwszy krok do narkomanii, byłam na szkoleniu antynarkotykowym i dobrze wiem. I domieszki różne tam wsypują: amfetaminę, heroinę, jakieś inne świń-stwa, więc dzieci się też od razu uzależniają od ciężkich nar-kotyków.

Pięknie, mam teraz księdzu, który przygotowywał Filipa do komunii, powiedzieć, że mój syn zaczął palić trawę. Niech sam to powie, gnojek jeden. Niech powie księdzu prosto w oczy, że na własne życzenie wpada w narkomanię. Trze-ba działać od razu, taka terapia szokowa jest najlepsza, bo jak będę przymykać oko, to się rozkręci i wpadnie. Wiem, co mówię, było o tym na szkoleniu. Już raz Filip ściągnął nam policję na głowę. Był prowodyrem idiotycznej akcji – dzwonili z pogróżkami do domu kolegi, tak dla jaj. Wreszcie rodzice tego chłopca poszli na policję, która od razu ziden-tyfikowała numery dzwoniących i ich znalazła. Jakoś udało się to zamieść pod dywan, przeprosiliśmy tego chłopca i jego rodziców, zanieśliśmy kwiaty i rozeszło się po kościach, ale niewiele brakowało, a Filip byłby normalnie notowany.

Niechętnie, ale zgodził się pojechać, łaskawca. Nie od-zywa się do mnie, jest obrażony na cały świat, nie umiem się z nim porozumieć. Ksiądz Marek jest teraz w Porzeczu, dwie godziny jazdy od nas. Filip całą drogę pisze esemesy; ciekawe z kim tak koresponduje.

– Tam zrozumiesz, jaki wielki robisz błąd, paląc marihu-anę. I przeprosisz Najświętszą Panienkę. Prawda?

– Prawda – odpowiada, pisząc esemesa. – Aha, jedziesz na oparach, mamo – dodaje.

– Jezus Maria, to co nic nie mówisz?

– Przecież mówię.

Zdenerwowana jadę pięćdziesiątką, żeby spalać jak najmniej, wręcz się toczę do najbliższej stacji. Udało się, jakoś dojechałam na tych oparach.

– Filipku, nie chcesz wejść na siusiu? Jest czyściutka toaleta.

– Nie.

Naprawdę, wolę wychowywać cudze dzieci niż własne, przynajmniej tamte się starają i nie pozwalają sobie na tyle. Kiedy wreszcie skończy się ten głupi wiek buntu i Filip zacznie mówić ludzkim głosem, a nie warczeć; kiedy dostrzeże, że ja też jestem człowiekiem, mimo że matką?

Myślałam, żeby pojechać do Częstochowy, ale to jednak za daleko. Byłam tam raz i nie zapomnę do końca życia tego poczucia wspólnoty, kiedy szłam na kolanach wokół jasnogórskiego ołtarza, po kamieniach wyślizganych przez kolana wiernych, którzy przyjechali z całej Polski. Ale w Porzeczu jeszcze nie byłam, a ksiądz Marek zawsze zapraszał.

Kościółek w Porzeczu jest drewniany, malutki, śliczny; ludzi na mszy niewielu, szkoda księdza Marka na takie zadupie. Na koniec mszy zaintonował *Matkę*:

Matka, która wszystko rozumie,
sercem ogarnia każdego z nas,
Matka zobaczyć dobro w nas umie,
ona jest z nami w każdy czas.

Wzruszyłam się znowu. Nie mogłam nie myśleć o mojej mamie, o tym, że ona widziała mnie lepszą, niż byłam w rzeczywistości, że chciała mnie taką widzieć. A Filip się odsuwa; matki się wstydzi.

Po mszy podszedł do nas ksiądz Marek; opowiedziałam mu o śpiączce, o tym, że lekarze nie dają nadziei. Obiecał, że się będzie za mamę modlił, dał mi obrazek poświęcony przez samego Ojca Świętego, obiecał, że odprawi mszę w jej intencji. Nie chciał pieniędzy. Wyspowiadał Filipa, może coś mu tam w głowie rozjaśnił. Kiedy wyszłam, miałam wrażenie, że powietrze się oczyściło, że spadła ze mnie brudna, gruba zasłona.

Zadzwoniłam do Marty. Zawsze się boję, kiedy do niej dzwonię, że coś się stało mamie, boję się też jej opryskliwości, chłodu. Marta nie jest czuła i źle reaguje na moje łzy.

Nocte

Dzisiaj był u mamy uzdrowiciel. Mały człowieczek z piterkiem, w tanim garniturku, na który narzucił fartuch; wyglądał bardziej na akwizytora niż na uzdrowiciela, ale to pierwszy uzdrowiciel, jakiego widziałam, może oni tacy są. Musiałam zapytać lekarkę, czy nie mają nic przeciwko temu, żeby przyszedł, powiedziała, że jeżeli będzie się stosował do zasad higieny i nie odłączy mamy od aparatury, to nie ma problemu. Poleciła mi go charakteryzatorka z planu, podobno wybudził już ze śpiączki kilkadziesiąt osób, pomyślałam, że spróbuję, chociaż nie bardzo wierzę w takie cuda. Przyjechał wypasionym audi, nieźle, nieźle; zauważyłam, że lekarze i pielęgniarki go znają. A mądrzył się strasznie, jaki to on nie jest wielki i wspaniały, że w Stanach zakłada klinikę, że jeździ leczyć do Szwajcarii, do Niemiec, że wyszła właśnie o nim książka. Już się zaczęłam zastanawiać, ile on może kosztować, skoro taka niby sława, ale powiedział, że do szpitala to jeździ za darmo. Kiedy zobaczył mamę, mina trochę mu zrzedła, ale działał. Trzymał nad nią ręce i przekonywał, że mama bardzo silnie ciągnie jego energię. Pocił się przy tym jak wieprz.

– Ciągnie. Ciągnie – powtarzał, co miało mi dodać wiary w sensowność tej wizyty.

– Energię? – upewniłam się.

– Tak, wie pani, jak tak ciągnie, będzie żyć – odpowiedział, ocierając pot z czoła. – Pani Elżbieto, budzimy się! – krzyknął znienacka do mamy przejęty.

Bez reakcji, oczywiście.

– Jak tak ciągnie, to na pewno będzie żyć. Pani do mnie musi jeszcze zadzwonić w przyszłym tygodniu, to ja wpadnę. – Skończył seans, czując chyba, że nie do końca mu się udało.

Zza szyby obserwowały nas dwie pielęgniarki, pokazując go palcem i komentując.

– Wolałabym zapłacić panu, bo tak mi głupio. – Nie chcę mieć u niego długu wdzięczności.

– Pani Marto, mówiłem, jak przychodzę do szpitala, nie biorę pieniędzy

– A czekoladki? – zaproponowałam. Zawsze mam w torebce parę pudełek ekskluzywnych czekoladek, to moja szpitalna waluta.

– Czekoladki to zawsze. – Zagarnął je sprawnie.

– Dziękuję.

– Musi pani z nią dużo siedzieć, dużo rozmawiać. Jak tak ciągnie, to będzie żyć. Będzie żyć.

Cieszę się, że już skończył, ma taką lepką energię i intensywny zapach potu; taki, że zatyka.

Kiedy wyszedł, przeprosiłam mamę, że robię takie absurdy, o które bym siebie nie podejrzewała, że sprowadzam do niej jakichś spoconych nawiedzeńców. Chciałam dobrze. Dzwoni Kasia, która pojechała do znajomego księdza i jest teraz cała uduchowiona; daję jej mamę na głośnomówiącym. Przemawia do niej jak do dwulatka, nie mogę tego słuchać, zdrabnia i słodzi aż do wyrzygania.

– Mama, mamunia, moja maleńka. Moja kochana, obudzisz się, wiesz?

– Ale nie mów do niej jak do dziecka – proszę.

Ile można się tak pieścić. Ale Kaśka ciągnie:

– Budź się, kochana, maleńka nasza, nasza jagódka... Mamo, kocham cię, mówię ci, jaki ten ksiądz Marek wspaniały... – pierdoli jak potłuczona.

Zabrałam w końcu telefon, nie jestem w stanie słuchać tego dzidziopierdzenia. Jeżeli mama to słyszy, to jej współczuję, ona nigdy nie lubiła taniego sentymentalizmu, w którym specjalizuje się moja siostra. Patrzę na mamę, może rzeczywiście ona to wszystko słyszy, z relacji ludzi wybudzonych ze śpiączki wynika, że słyszeli, co się do nich mówiło.

– Któraś z nas jest adoptowana? – pytam. – To niemożliwe, że jesteśmy siostrami.

Kiedyś miałam obsesję na punkcie tego, że rodzice nie są moimi prawdziwymi rodzicami, tak bardzo nie czułam się częścią swojej rodziny. Wydumałam sobie, że coś w tym jest, bo urodziłam się osiem miesięcy po ślubie. Pamiętam, że chciałam się wyprowadzić, mając chyba trzynaście lat, rodzice patrzyli na mnie jak na dziwoląga, bo kazałam sobie pokazywać akt urodzenia. Chciałam uciec i znaleźć prawdziwego ojca, który, jak sobie wymyśliłam, był wielkim aktorem, i jeśli by mnie zobaczył, od razu by pokochał. Później jakoś mi to przeszło; takie wymysły dojrzewającej dziewczyny.

Mama leży jak lalka, jest piękna. Pielęgniarki, sanitariusze, kiedy mnie widzą, uciekają, spuszczają wzrok albo patrzą w bok; rozmawiają ze mną, kiedy ich w końcu zmuszę. Koma. Ładnie to się nazywa, ale czym tak naprawdę jest? Mam tylko nadzieję, że mama nie cierpi.

Moja mama była takim trochę nierealnym bytem, nie zdążyłam się z nią zaprzyjaźnić. Choć wożenie jej na chemioterapię, na wizyty do różnych lekarzy zbliżyło nas do siebie. Stałyśmy razem w korkach, słuchałyśmy radia, komentowałyśmy różne wydarzenia, przekonałam się, że ma bardzo liberalne poglądy, że jest nowoczesna, tolerancyjna, dowcipna, że jest po prostu fajną babką. To wożenie mamy, które wtedy było dla mnie karą za grzechy, wspominam z rozrzewnieniem, z tęsknotą; przynajmniej trochę z nią pobyłam, zanim zasnęła. Za krótko.

Teraz też mogę z nią być kilka godzin dziennie. Tak długo nie przebywałyśmy razem od kilkudziesięciu lat. Jak wykorzystać ten czas, co mówić? Czy się obudzi, czy też, jak prognozują lekarze, nie ma na to szans? Ile będzie trwał ten stan przejściowy między życiem a śmiercią? Czy mam prawo cieszyć się życiem, kiedy mama jest w śpiączce? A może właśnie powinnam żyć na przekór? Ona przeczuwała, że coś się stanie. Pamiętam ten jej irracjonalny strach przed pójściem do szpitala. Różne myśli przelatują mi przez głowę i nie pozostawiają żadnej wskazówki. Nie wiem, co robić.

Mama zawsze lubiła życie. Kiedyś pojechałam z nią na wycieczkę na Węgry. Okazało się, że mama miała kochanka w Budapeszcie. Starała się to przede mną ukrywać, mówiła, że to znajomy, ale ja widziałam, że jak się z nim spotykała, była inna, świeciła. Patrzyłam, jak śmiała się do tego pana inaczej niż do wszystkich innych i bardzo mi się to nie podobało. On mi się nie podobał. Raz siedział z mamą na schodach w hotelu i dał mi forinty, żebym poszła kupić sobie lody, żeby się mnie pozbyć. Kiedy odchodziłam, odwróciłam się i zobaczyłam, że się całują i on miętosi mamie pierś. Przyrzekłam sobie, że powiem wszystko ojcu. Ale kiedy wróciłyśmy do domu, wystraszyłam się, że jeszcze coś jej zrobi. I nic mu nie powiedziałam, a mama wkrótce zapomniała o kochanku. Ciekawe, czy było ich więcej. Ten wyjazd na Węgry pamiętam doskonale. Musiałam mieć same piątki, żeby z mamą pojechać, taki był warunek. Był to typowy w latach osiemdziesiątych wyjazd turystyczno-handlowy; Polacy poznawali miasta swoich socjalistycznych przyjaciół, a przy okazji prowadzili handel wymienny. Pamiętam, że mama woziła na Węgry ciuchy, kolczyki, a przywoziła do Polski salami i puszki z kiszkami do kiełbas. Autokar był pełen znajomych, już w Warszawie zaczynała się impreza. Wódka, kiełbasa, jajka na twardo. Mama chciała, żebym zaprzyjaźniła się ze starszymi ode mnie dziewczynami, żeby mieć mnie z głowy. Tylko że ja miałam czternaście lat, a one szesnaście. Przepaść. Traktowały mnie jak zło konieczne. Musiałam z nimi spać. Pamiętam moje oburzenie, kiedy wyszły z łazienki nagie i nagie położyły się do łóżka. Jak można spać nago? Nie mogłam zasnąć, a one chichotały do późnej nocy i opowiadały sobie zboczone historie. Chciałam do mamy, ale wstydziłam się wyjść. Poza tym bałam się, że zobaczę tego pana, który pewnie z nią spał. Pamiętam, że to był wspaniały hotel, Astoria się nazywał; dla mnie wtedy był jak z bajki.

Czytam jej. Nie wiem, czy mnie słyszy, ale może tak. Uzależniłam się; robię to bardziej dla siebie niż dla niej, bo wtedy nie myślę. Nie wiem, co czytała. Wiem, że kupowała kolorową prasę, no ale nie będę jej przecież czytać „Tele Tygodnia". Czytam jej więc scenariusz *Punktu zwrotnego*, a przy okazji uczę się roli. Bo dostałam rolę w filmie, główną, naprawdę. Normalnie bym piła szampana z radości, a teraz nawet nie umiem się cieszyć. Po tym niecodziennym castingu, na który przyszłam kompletnie nieprzygotowana, zadzwonili i powiedzieli, że reżyser chce tylko mnie i mimo że mówiłam, że teraz mam zły czas, agentka walczyła, żebym tę rolę wzięła, bo taka szansa może się nie powtórzyć.

Scenariusz jest naprawdę dobry, mocne kobiece kino robione przez faceta, ja mam grać nimfomankę, alkoholiczkę, wariatkę; trochę za dużo jak na jedną rolę, trzeba będzie to sobie jakoś poukładać, przemyśleć. Zaczynamy już za dwa tygodnie, na razie mam jeden dzień uciekających zdjęć, czyli takich, których nie można zrobić w innym terminie. Trochę nie ten czas, ale wchodzę w to.

Kasia

Wróciłam do domu, wszystko się sypie, z mamą coraz gorzej, piję coraz więcej, ojciec jest załamany. Najchętniej bym uciekła gdzieś, gdzie nikt by ode mnie nic nie chciał, zakopałabym się w liściach i siedziała jak niedźwiedź. To już trwa ponad miesiąc, jestem wykończona tym ciągłym stresem, niepewnością, co się wydarzy. Codziennie rano tuż po wstaniu dzwonię do szpitala i pytam o stan mamy, i ten moment, ta chwila ciszy między moim pytaniem a ich odpowiedzią jest najgorsza. Ten strach. Kiedy już powiedzą, że bez zmian, że morfologia w normie, że nic złego się nie dzieje, strach powoli odpuszcza.

Grzesiek pomaga koledze w przeprowadzkach, najczęściej nie ma go w domu, wraca brudny, zmęczony, ale przynajmniej nie siedzi i nie pierdzi w stołek. Filip się uczy, czyta, może ksiądz do niego trafił, nawet czasem się do mnie normalnie odezwie. Nie mam ochoty z nikim się spotykać, siedzę sama i piję. Dopiero kiedy trochę mi szumi w głowie, mogę jakoś znieść rzeczywistość, dopiero wtedy odpuszcza ten paraliżujący lęk. Ojciec zamyka się u siebie i udaje, że rysuje, ale wiem, że nic nie robi, tylko siedzi i patrzy w jeden punkt. I on, i ja przeczekujemy jakoś teraźniejszość, czekając na cud. Ewelina zadzwoniła, że zna szamankę, która łączy się z duchami ludzi leżących w śpiączce bez kontaktu, i powiedziała, że z nią pogada, może tamta się zgodzi przyjechać i zrobić seans. To normalnie kosztuje straszne pieniądze, bo trzeba jeszcze zapłacić za transport gongów i mis, one się nie zmieszczą do normalnego samochodu, ale mąż Eweliny by to przywiózł.

Noctie

Od dzisiaj mama ma rurkę w krtani, zrobili jej tracheostomię. Nie wygląda to dobrze, ale musieli, jak mi tłumaczyła lekarka, bo mama krztusiła się wydzieliną, nie nadążali jej odsysać, a przecież sama nie przełyka; ta rurka uchroni ją przed zapaleniem oskrzeli i poprawi wentylację płuc. Wygląda to jak dziura w krtani, ale zaklejona. Spytałam, czy gdyby mama się wybudziła, zaszyliby ją, ale powiedzieli, że to jest najmniejszy problem. Dla mnie taki widok dziury w szyi to był jednak szok.

W ogóle człowiek po operacji mózgu nie wygląda dobrze. Złożona czaszka jest niedoskonała, nigdy już nie będzie taka sama jak przed kraniotomią. Kraniotomia – tak fachowo nazywa się płatowe szerokie otwarcie czaszki i usunięcie kości, którą później można wstawić, ale u mamy jej jeszcze nie wstawili. Skóra zarasta jak ciemiączko u dzieci, ten fragment jest więc bardzo delikatny, podatny na urazy.

Siedzę całymi nocami na forach internetowych, czytam o śpiączce, analizuję mnóstwo sprzecznych informacji, generalnie ludzie nie wierzą lekarzom, nie mają zaufania do medycyny konwencjonalnej. Czytam historie wybudzeń po kilkudziesięciu latach i wyobrażam sobie, jak wyglądałoby nasze życie, gdyby mama w takim stanie jak teraz była jeszcze przez wiele lat. To chyba najgorszy scenariusz. Ludzie wymieniają się adresami uzdrowicieli, specjalistów terapii czaszkowo-krzyżowych, bioterapeutów; podobno w Bydgoszczy jest lekarz, którego wyrzucili ze szpitala, bo używał niekonwencjonalnych metod, a teraz praktykuje prywatnie i ma sukcesy. Nagrywa się chorego i to nagranie przekazuje się byłemu lekarzowi, a on za tysiąc pięćset złotych na odległość pacjenta wybudza. No nie, są granice absurdu, okej, wezwałam uzdrowiciela czy bioenergoterapeutę, jak sam siebie nazywa, ale w leczenie na odległość nie wierzę.

Rodziny ludzi leżących w śpiączce są świetnym łupem dla wszelkiej maści hochsztaplerów i amatorów szybkiego zarobku, jesteśmy gotowi na wszystko, uwierzymy we wszystko, bo lekarze nie dają nadziei, a nadzieja przecież umiera ostatnia. Więc będą nas doić bez litości; ludzie sprzedają mieszkania, samochody, wożą chorych w śpiączce po Polsce od ośrodka do ośrodka aż do przewidywalnego smutnego końca, kiedy pacjent umiera, a rodzina w żałobie nie ma siły ścigać oszusta. Ludzie się zapożyczają, wydają fortunę na wątpliwe terapie, bo przecież nikt nie daje gwarancji na wybudzenie, nikt nie sprawdzi skuteczności, bo uzdrowiciele się nie chwalą, że nie wyszło, budują mity na swój temat, a udręczeni ludzie chcą w nie wierzyć.

Dopiero teraz, po operacji, zauważyłam, jaka mamy głowa jest ładna, jaki szlachetny ma kształt. Mama była piękną kobietą. Królową balu. Na zdjęciach z balu architektów, które stoi na półce u rodziców, ma kok i złotą opaskę na głowie, a oczy mocno pociągnięte eye linerem. Jest świadoma wrażenia, jakie robi, i ze spokojem zwycięzcy patrzy w obiektyw rozmarzonym wzrokiem. Piękna, szczupła brunetka z dużym biustem. Zawsze lubiła tańczyć, była rozrywana na wszystkich imprezach, na które chodziła z ojcem, a on zawsze był zazdrosny. Ostatnio także tańczyła, na wyjazdach na Litwę i do Egiptu, już inna, starsza, ufarbowana, w ciemnych okularach zakrywających opuchnięte powieki. Ale świadomość wrażenia, jakie robi, pozostała.

Kim ona była lub jest, ta moja mama? Pamiętam, że zawsze kiedy coś rysowałam i mi nie wychodziło, podchodziła do mnie i kilkoma kreskami zmieniała moje bazgroły w piękny obrazek, za który dostawałam piątkę. Miała talent plastyczny, którego kompletnie nie wykorzystywała. Kilka lat temu kupiłam jej pod choinkę sztalugi i pastele, ale nie chciała malować i wyniosła je na strych. Wykręcała się, że nie ma czasu, że już zapomniała, że straciła ochotę. Nie mogłam tego zrozumieć, złościłam się, że nawet nie próbuje rozwinąć swoich talentów, pasji. Ale ona chyba za bardzo żyła życiem innych i jej potrzeby usnęły. A może tylko mi się tak wydaje, może wcale ich nie miała? Może wymyśliłam sobie artystyczne talenty mamy? Ludzi, których kochamy, zawsze trochę idealizujemy.

Mam dziwne, męczące sny. Dzisiaj mi się śniło, że spieszę się na pociąg z jakąś grupą ludzi, wszyscy biegną, ja na przodzie, wskakuję do pociągu, a inni zostają na peronie. Pociąg odjeżdża i okazuje się, że jedzie w innym kierunku, jestem sama, bez bagaży, bez pieniędzy. Obudziłam się spocona, przestraszona. Inne sny też są związane ze strachem. Znam ten mechanizm, wiem, że moja podświadomość próbuje przetrawić to, co się dzieje na jawie. Sytuacja mnie przerasta. Mam ochotę zadzwonić do mamy, tej dawnej mamy, i opowiedzieć ten mój sen albo chociaż nagrać się na sekretarkę. Mama była kolekcjonerką i tłumaczką snów. Dobry pomysł, zadzwonię, przecież nic się nie stanie, i tak nie odbierze.

Mama była poddaną ojca, jego muzą, służącą i jedyną powiernicą. Ich związek mnie zadziwiał. Ojciec odbierał komórkę mamy, kiedy dzwoniłam, i ją przede mną reprezentował. Informował, że mama czuje się tak i tak, cukier taki i taki, że na obiad będzie to i to, że wyniki są w normie, tylko trochę białka w moczu. Mama się za nim schowała. Z innymi ludźmi była zupełnie inna: żywiołowa, wesoła, ciekawa wszystkiego. A z nim jej nie było. Dlaczego tak mu się dała, czy stało się coś, co spowodowało taką uległość? Może miał na nią jakiegoś haka, może wiedział coś, czym ją szantażował, może wiedział o tym kochanku, a może było jej tak dobrze?

Czasem myślę, że to jest test. Mamo, może ty w ten sposób sprawdzasz, czy ojciec da sobie radę bez ciebie? Sprawdzasz, czy możesz odejść? Badasz nas?

Ojciec zamknął się w sobie. Wysłałam do niego Zuzię, żeby go trochę rozkręciła, bo siedzi tylko, gapi się w telewizor, nie chce rozmawiać z domownikami: z Kaśką, z Grześkiem, z Filipem. Oni mu już spowszednieli, a Zuzia jest od czasu do czasu. Dziadkowie to chyba jedyna znana Zuzi, naprawdę kochająca się para, która przetrwała ze sobą całe życie. Ojciec jest łagodniejszym, bardziej tolerancyjnym dziadkiem dla Zuzi niż był ojcem dla mnie i Kasi. Dla nas był wymagającym tyranem, a wnuczce wolno wszystko, niczego od niej nie wymaga. To tak duży kontrast, że trudno mi było to zaakceptować.

Dziewczynka wychowywana bez ojca, jedynaczka, a dziadek ją psuje, pozwalając na wszystko. Nie chciałam, żeby wyrosła na egoistkę, samoluba, który myśli, że jest pępkiem świata, który nie umie się dzielić. Ale nie miałam wyjścia, musiałam zaakceptować metody dziadka, żeby móc pracować. Zuzia spędziła w domu dziadków znaczną część dzieciństwa, więc się wycwaniła i kiedy jej czegoś zabraniałam, szła do dziadka, a on jej na to pozwalał. To kompletnie niewychowawcze, ale urocze. Mój ojciec, który przez całe życie nie powiedział mi chyba ani jednego komplementu, niczego miłego, dla Zuzi był samą słodyczą. Jedli sobie z dzióbków. Oczywiście, babcia też się liczyła, ale babcia była od spraw cielesnych: od jedzenia, picia, mycia, ubierania, a dziadek był od wszystkiego poza tym: od zabawy, drapania po plecach, opowiadania bajek, robienia doświadczeń, od spacerów, wycieczek i psot.

Kasia

Przyszła do nas Zuzia posiedzieć trochę z dziadkiem. On ją zawsze hołubił, to jego ukochana pierworodna, jak mówił, wnuczka; do Filipa nigdy nie miał takiego stosunku jak do niej, nie żebym zazdrościła, ale taka jest prawda. Nie wszystkie wnuki kocha się tak samo. Pograła na pianinie, pośpiewali sobie. Zagrała jego ulubioną piosenkę, którą śpiewał Grzesiuk: *Komu dzwonią, temu dzwonią, / Mnie nie dzwoni żaden dzwon, / Bo takiemu pijakowi, / Jakie życie, taki zgon, zgon, zgon!* Wisielczy humor mojego ojca. Zajrzałam tam i zobaczyłam taki obrazek: przytuleni dziadek z wnuczką i skaczący pies, domagający się krówek, bo ojciec non stop go nimi karmi.

– Niuniek? Wiesz, że dziadziuś będzie ci musiał teraz zastąpić babcię? – powiedział do Zuzi. – I nie wiem, czy dam radę.

Wycofałam się, nie chciałam im przeszkadzać. Okazuje się, że jednak jest świadomy wszystkiego, co się dzieje i co może się stać. Wróciłam do robienia mielonych według przepisu mamy, z moczoną w mleku czerstwą bułką. To jest przepis przekazywany w naszej rodzinie z pokolenia na pokolenie. Wychodzą rumiane, pulchne, wspaniałe, zrobię ojcu z tłuczonymi ziemniakami i kiszoną kapustą, żeby było jak u mamy.

Nocte

Poszłam do neurochirurga Piotra, który operował mamę, i poprosiłam, żeby mi szczerze powiedział, co dalej. Posadził mnie blisko siebie, nieco za blisko, na komputerze otworzył wynik tomografii mamy i pokazał obrazy mózgu w plasterkach wyglądające jak cząstki zeschniętych jabłek. Nic z tego nie rozumiem, ale wpatruję się w te obrazeczki, jakby to było jakieś magiczne pismo dla wtajemniczonych.

– Pani sama zobaczy; prawa półkula jest zalana, nie funkcjonuje. Ten tętniak narobił nieodwracalnych szkód – mówi cicho, pokazując ołówkiem na jaśniejszą plamę w plasterku.

– I co teraz? Jaki jest optymistyczny wariant? – pytam, staram się być dzielna.

Patrzę mu prosto w oczy. Pierwsza spuszczam wzrok.

– Nie ma optymistycznego wariantu. Według mnie pani mama pozostanie w stanie wegetatywnym.

Na chwilę milknę i wyobrażam sobie, że się tu kochamy. On mi mówi, że moja mama będzie rośliną do końca życia, a ja mam ochotę, żeby mnie na tym biurku przeleciał. Jestem pierdolnięta. Całą siłą woli zmuszam się do powrotu do rzeczywistości, w której dostałam właśnie obuchem w łeb. Mama nie wyzdrowieje, nie ma szans, takie są fakty.

– Co pan chce mi przez to powiedzieć? – pytam. – Jak to w stanie wegetatywnym? Czyli będzie rośliną? Przecież może się wybudzić, mnóstwo jest przypadków wybudzeń ze śpiączki, wciąż się słyszy takie historie, na forach internetowych...

– Tak. – Przerywa mi, pokazując na ekran komputera. – Ale nawet jak się wybudzi, to nic tutaj się nie zmieni, widać jak na dłoni: prawa półkula jest nieodwracalnie zniszczona, mózg się nie regeneruje, nie odbuduje się po takim wylewie;

gdyby skala zniszczeń była mniejsza, wtedy inne partie mózgu mogłyby przejąć funkcje tej zniszczonej, ale to nie jest ten przypadek. Przykro mi, naprawdę, ale nie mogę opowiadać bajek, od tego są właśnie fora internetowe, ja jestem od mówienia prawdy i tylko prawdy. Tu nie ma optymistycznego wariantu. – Milknie na chwilę. – To problem dla wszystkich: dla pani, dla nas lekarzy, dla szpitala, bo musi trzymać chorego miesiącami, czasem latami bez żadnych szans na wyzdrowienie. W przypadku pani mamy cień nadziei w tym, że uszkodzeniu uległa prawa półkula, a nie lewa. Gdyby to była lewa, nie byłoby absolutnie żadnych szans, w niej jest większość podstawowych ośrodków odpowiadających za myślenie, mowę, widzenie.

Zapada cisza, powiedział, co miał powiedzieć. Ja nie pytam już więcej. Właśnie pozbawił mnie wszelkiej nadziei. Nie wiem, co mam ze sobą zrobić, chciałabym, żeby mnie przytulił, pocieszył, ale skoro nie, to się zrywam, nie będę sentymentalna, taniego sentymentalizmu nienawidzę. Może zapytać go, czy mama cierpi i nie może nam tego przekazać, czy wolałaby odejść? Czy coś czuje, czy też nic? To okropne, że nie można tego stwierdzić, jest zamknięta w kokonie jak motyl. Piękny był ten film *Motyl i skafander*, ale tamten facet mógł mrugać i to było podstawą jego kontaktu ze światem, a jeśli nie ma nawet tego mrugania, co wtedy? Kiedy nie ma klucza i nie ma kodu, nie ma szans, żeby odczytać jej myśli. Kiedyś słyszałam, że rezonans komputerowy wychwytuje ludzkie myśli, ale tu, w polskim szpitalu, nawet o tym nie wspominam. Przecież mamie zrobili rezonans, dopiero kiedy pękł jej tętniak, a mieliby robić, żeby zobaczyć, o czym ona myśli? Oszczędzają na rezonansie, prawie go nie zlecają, a przecież to najbardziej precyzyjne urządzenie do diagnostyki mózgu. Podobno kilka procent populacji żyje z tętniakami mózgu, z bombą zegarową w głowie; mógłby je wykryć rezonans, ale się go nie robi, bo jest za drogi. Bada się, dopiero kiedy tętniak pęknie, ale wtedy jest już za późno i koło się zamyka.

Pojechałam do ojca; siedział i patrzył w wyłączony telewizor. Podobno tak całymi dniami siedzi. Nie powiem mu, co usłyszałam od lekarza, nie dobiję go tymi hiobowymi wieściami, po co? Próbuję z nim porozmawiać.

– Włączyć ci telewizor, tato?

– Nie.

– To może dam ci coś na depresję?

– Co mi dasz? Myślisz, że na wszystko jest tabletka?

Patrzę na niego i się zastanawiam: może teraz jest ten moment, żeby coś mu o sobie powiedzieć, tyle razy podchodziłam do szczerej rozmowy, nigdy się nie udało, on zawsze mnie zbywał, zawsze było coś ważniejszego, a teraz nic się nie dzieje.

– Wiesz tato, że chodziłam dwa lata na psychoterapię?

– A po co?

– Bo nie mogłam sobie poradzić sama ze sobą.

– A teraz możesz?

– No też nie, ale przynajmniej wiem dlaczego.

– A niby dlaczego?

– Bo mam problem z tobą.

– Z kim? Ze mną? – Śmieje się.

– Tak, bo każdego mojego faceta mi obrzydzałeś, tak jakbyś był o mnie zazdrosny, jakbyś nie chciał, żebym z kimś była...

– Co ty pieprzysz? Ja zawsze chciałem dla ciebie dobrze. Woziłem cię na treningi na Legię.

– Wiem, ale ja mówię o podświadomości, tato. Miałam na przykład taką terapię, że pani psycholog kazała mi stanąć na krześle i wyobrazić sobie ciebie, jak stoisz przede mną w łachmanach, i miałam do ciebie mówić.

– Nie! I ty jej za to płaciłaś? – Śmieje się ze mnie.

– I to niemało.

– No idiotka. Trzeba było lepiej kupić sobie coś ładnego, a nie chodzisz w dresach jak chłop.

– To ja dla ciebie wyglądam jak chłop? Tak?

– Żaden facet cię nie chce, bo w portkach ciągle latasz.

– Tato, przestań.

Wstaję, odchodzę, nie chcę, żeby widział moje łzy.

– Problem ze mną, kurwa – mamrocze do siebie.

Tak długo nie rozmawiałam z ojcem nigdy, a już o sobie to chyba w ogóle. W naszym domu mówienie o uczuciach, jak i ich okazywanie było niedopuszczalne. Mama i tata mogli sobie pozwolić na jakieś pieszczoty w stosunku do wnuków, ale nie do córek. Z dzieciństwa nie pamiętam, żeby tata mnie kiedykolwiek przytulił; można się było ewentualnie w niego wtulić, ale na to ja byłam za dumna. Kasia nie miała z tym problemu; po prostu przychodziła, siadała ojcu na kolanach, zakładała mu ręce na szyję albo wchodziła na niego i siedziała mu na ramionach. Ja nie. U mnie proces zamrażania uczuć nastąpił już jakoś wcześniej. Nigdy nie mówiłam rodzicom o sobie, jeśli już, to zmyślałam. Nie mówiłam o złych ocenach w szkole, tylko o dobrych, nie przyznawałam się do porażek, tylko do sukcesów, bo taką woleli mnie widzieć. Miałam być tą superdziewczynką z czerwonym paskiem, no to byłam. Tylko gdzieś się odkładał ten nieutulony żal, poczucie braku zrozumienia. Nie wiedziałam wtedy, że to skrywanie uczuć, tłumienie ich w sobie, w przyszłości spowoduje, że nie będę umiała kochać. Wtedy tego nie wiedziałam, a teraz już za późno.

Kiedy wróciłam do domu, długo nie mogłam zasnąć; myślałam o rozmowie z ojcem. W sumie to ma rację, po omacku szukam jakichś skomplikowanych, piętrowych rozwiązań, a może one są bardzo proste i leżą na ulicy, a ja grzebię gdzieś, gdzie nie powinno się grzebać. Usnęłam dopiero po czwartej, a rano serial, transport o wpół do szóstej.

Jestem nieprzytomna z niewyspania. Malują mnie na śpiocha, budzą tylko na rzęsy. Najdłużej trwa doczepianie włosów, w serialu mam włosy jak Pocahontas. Czytam scenę na dziś.

Grażynka: Kocham cię, ale nie powinniśmy.

Mirek: Ja uważam, że jesteśmy dla siebie stworzeni.

Grażynka: Ja się nie rozwiodę.

Mirek: A nie możemy tak?

Odkładam to. Nie wiem, co trzeba brać, żeby pisać takie kocopały. Suche to maksymalnie.

Po pierwszym wymęczonym dublu podbiega do mnie Danielek z telefonem; dzwoni siostra. Odbieram, bo się niepokoję, może coś się stało. Kaśka żąda, żebym przyjechała; sprowadziła szamankę, która z całym samochodem gongów i mis już jedzie i prosi, żeby była cała rodzina. Śmieję jej się w słuchawkę.

– Nie śmiej się, to jest słynna szamanka, Ewelina mi ją poleciła, obudziła wielu ludzi, to nie jest śmieszne.

– Zwariowałaś chyba. Nie wkręcisz mnie w żadne szamaństwo. Nie, nie, nie! Nie mam czasu, nie mogę teraz! Pa. – Rozłączam się i wołam Daniela, żeby mi zabrał ten telefon, bo zaraz nim w coś trzasnę.

Podchodzi do mnie reżyser. Kompleksy i frustrację, że robi takie gówno zamiast filmu, przykrywa swoistym poczuciem humoru. Bierze mnie na stronę, dyskretnie obmacując, zawsze to robi, skurwiel.

– Marta, to strasznie widać, że go nie lubisz. Kochanie, to nie może tak być, bo cię wypieprzą z serialu.

– Dobra, to niech skreślają ten wątek, niech mnie zabiją, może zacznę coś grać. Poza tym jedzie mu z paszczy.

– Jak to mówią, nie każdy pierdzi kolorowym pudrem – błyska dowcipem reżyser. – Aha, jeszcze jedno, nie mruż swoich pięknych oczu, niech widzowie je zobaczą. Kochani, jedziemy! Proszę. Mentoska dla Pawełka, Małpa! – woła do Danielka.

Małpa to pseudonim Danielka, nie wiem dlaczego akurat Małpa. Na planie większość ludzi ma pseudonimy, tak jest wygodnie i zabawnie. Nie wiem, jak naprawdę nazywa się większość ludzi, z którymi pracuję, znam tylko ich mniej lub bardziej trafione ksywy. Jest więc Parówa – gruby dźwiękowiec, są szwenkierzy Diabeł i Spiderman, też nie wiem dlaczego tak, jest rekwizytorka Żaba – może rzeczywiście trochę podobna do żaby, jak się tak przyjrzeć, dziewczyna od kostiumów to Łania – szczupła i wiotka jak łania, i jest pacykara Makolągwa. Pseudonimy są jak druga skóra, celne, łatwo je zapamiętać; może wszyscy powinni mieć jakieś ksywy zamiast imienia nadanego na chrzcie, kiedy nic jeszcze o nas nie wiadomo, i nazwiska, z którym zazwyczaj nie czujemy żadnego związku.

Kasia

Przyjechała szamanka ubrana w długą szatę; ma długie włosy, jest nieumalowana – taki typ ekologiczny, nawet stanika nie miała. Zgodziła się nie brać pieniędzy, kiedy opowiedziałam jej, jaka jest sytuacja. Gongi przywiózł mąż Eweliny, do naszego samochodu by się nie zmieściły. Marta, wielka gwiazda, oczywiście nie przyjedzie. Ale ściągnęłam Zuzię, jest ojciec, Grzesiek i Filip. Szamanka powiedziała, że powinni być wszyscy, bo wtedy jest pełen krąg i większa siła ducha działa na aurę mamy.

Najpierw ze zdjęcia mamy, świec i małych gongów ustawiła coś na kształt ołtarza. Zaciągnęła zasłony, zrobiła nastrój. Nam kazała położyć się promieniście na podłodze, głowa przy głowie. Ojciec jak zwykle narobił mi wstydu i puścił bąka; ostatnio zupełnie przestał się kontrolować.

No i się zaczęło. Kiedy szamanka uderzyła w gong przy mojej głowie, przez ułamek sekundy zobaczyłam światło rozszczepiające się na różne kolory – to było niesamowite.

– Elżbieto. Elżbieto, czy jesteś tutaj? – wzywała mamę, uderzając w gong przy głowie każdego leżącego w kręgu.

Długo nic się nie działo, ale nagle poczułam to. Zobaczyłam mamę czy też jej aurę, zobaczyłam, że jest szczęśliwa, wolna, że wcale nie chce tu wracać. To brzmi nieprawdopodobnie, wiem, ale naprawdę tak było; teraz, jak to piszę, mam dreszcze. Potem szamanka odmawiała jeszcze jakieś modlitwy i zadawała mamie pytania. Duch mamy jakby na chwilę nas odwiedził i wrócił tam, gdzie był. Zrozumiałam, że jest jej dobrze, i naprawdę mi ulżyło.

Noctie

Moja siostra i ojciec uczestniczyli w ceremonii gongów; niby się łączyli z duszą mamy. Uważam, że to już przesada, są jakieś granice działań paranormalnych. Można spróbować bioterapii, choć w nią też do końca nie wierzę, ale żeby wzywać duchy jak amerykańskie nastolatki? Moja siostra jest zachwycona szamanką. Widziałam światło, mamę, ona jest wolna – powtarza jak mantrę. Na szczęście mamie to na pewno nie zaszkodzi.

Zaczęłam jeździć na rowerze, to mi dobrze robi na głowę. Jeżdżę na trasie dom – szpital, piętnaście kilometrów w jedną stronę, niezła przejażdżka. Zrobiłam sobie playlistę z najsmutniejszych piosenek, jakie mam w iPhonie: Leonarda Cohena, Nicka Cave'a, Roberta Rodrigueza, Diany Krall. Potrzebuję ich smutku, on jakoś współgra z moim. Jadąc na rowerze, nie mogę wyjść ze zdumienia, że nic się nie zmieniło, że życie toczy się dalej, samochody nadal stoją w korkach, ludzie obładowani siatami wychodzą z centrów handlowych, psy srają na chodnikach, jak gdyby nigdy nic. Jak gdyby nikt nie wiedział, że moja mama leży w śpiączce.

Dziś nie wzięłam roweru, bo wiozłam ojca do szpitala. Niechętnie jeździ do mamy, mówi, że woli czekać na nią w domu. Nie ma cierpliwości, żeby na OIOM-ie przy niej siedzieć, od razu chce wracać. Ale dziś udało się go namówić, więc wiozę go i kątem oka widzę, że ma uświnioną koszulę, jest nieogolony, nieumyty, czuję, że capi jak bezdomny. Pewnie w ten sposób demonstruje, że mu źle, że brak mu mamy. Po drodze opowiadał mi jakieś głodne kawałki z przeszłości o kucu, co go na nim ktoś prowadzał, kiedy był mały, miesza wątki, nic nie ma sensu, ale składam to na karb stresu. W szpitalnym kiosku obok standardowych czekoladek kupuję ojcu perfumy i go psikam, a on ucieka jak diabeł od święconej wody.

Jak tylko weszliśmy i zobaczył, że mama leży z zamkniętymi oczami podpięta pod maszyny i nie ma z nią kontaktu, od razu chce wyjść.

– Tato, posiedźmy jeszcze chwilę – proszę.

Wchodzi pani anestezjolog, sprawdza parametry, coś pisze. Ojciec się wita, całuje ją w rękę.

– Dzień dobry, Tadeusz Makowski, mąż.

– Izabela Kwiecień, miło mi.

– Pani jest Żydówką? – pyta ojciec.

Lekarka nie wie, co odpowiedzieć, zatkało ją. Mnie zresztą też. Patrzę na niego; to zupełnie nie w jego stylu.

– Tata, no co ty? – strofuję go.

– Bo ja jestem z Wasilkowa – kontynuuje. – Chyba tam już panią widziałem.

Próbuję uratować sytuację, wręczając doktor Kwiecień czekoladki.

– Proszę, dla pani czekoladki. Ode mnie – mówi ojciec.

Lekarka lekko zażenowana chce odejść, ale ją zatrzymuję.

– Jeszcze mam do pani taką prośbę, Czy mogłaby pani wytłumaczyć tacie, co dzieje się z mamą, ale takim technicznym językiem; tata jest architektem i wie pani…

– Tak, oczywiście. Proszę przyjść potem do mnie do pokoju – mówi.

– Tato, co się z tobą dzieje? – napadam na niego po wyjściu lekarki. – Jak ty się zachowujesz? Co ona sobie pomyśli?

Ojciec ma to gdzieś.

Idziemy do gabinetu lekarki; narysowała ojcu odręcznie kształt mózgu i zamalowuje jego część. Tłumaczy:

– I w tej półkuli mózgu nie mamy przepływu, rozumie pan? Nie działa.

Ojciec jest rozkojarzony, nieobecny, bawi się spinaczami, łączy je w łańcuch, precyzyjnie zaczepiając spinacz o spinacz grubymi, ale zręcznymi paluszkami.

– A myśli pani, pani doktor, że mama coś słyszy, coś czuje? – pytam.

– Szczerze? Nie wiem – odpowiada.

Wstaje i bierze mnie na stronę, żeby ojciec nie słyszał.

– Pani Marto, pani mama gaśnie. Wysoki poziom sodu we krwi świadczy o ciężkim uszkodzeniu mózgu. Niech się pani trzyma. A z tatą wszystko w porządku?

– Chyba tak, on nie umie okazywać emocji, a jest z mamą bardzo związany, całe życie razem.

Wychodzę z ojcem, schodzimy bocznymi schodami, jest niemal pusto, po czternastej w szpitalu trudno spotkać żywą duszę, teraz lekarze w prywatnych przychodniach zarabiają prawdziwe pieniądze, nie ma żadnych planowych zabiegów, operacji, pacjenci siedzą w salach, pielęgniarki u siebie, cisza i spokój. Ojciec idzie bardzo wolno, schodek po schodku.

– Tato, chodź szybciej, no co ty – poganiam.

Idę przodem, nie mam cierpliwości, żeby na niego czekać. Nagle ojciec upada i traci przytomność. Potrząsam nim, próbuję podnieść, ale jest za ciężki.

– Co się stało? – pyta po chwili zdziwiony, że leży na schodach.

– Nie wiem, tato. Zemdlałeś – mówię przestraszona. Coś się z nim dzieje, coś jest nie tak. – Tato, jak się czujesz?

Ojciec się uśmiecha.

– Jak mysz w połogu – odpowiada i gramoli się z trudem.

Idzie ze mną pod rękę do wyjścia. Zastanawiam się, co się z nim dzieje, może powinnam wezwać lekarza, żeby zobaczył, co mu jest? Trzeba go będzie przebadać.

Przez całą drogę zachowuje się normalnie, opieprza mnie, że za szybko jadę, że nie tą drogą, że nie mam takiego refleksu jak on, bo on ze świateł zawsze ruszał pierwszy, jakby uczestniczył w wyścigach. Może więc to stres.

Opowiadam Kaśce, że ojciec zemdlał.

– Widzisz, jak się przejmuje. – Nalewa sobie drinka i od razu upija duży łyk.

– A jak szamanka? – pytam.

– Cudownie. Bardzo żałowała, że ciebie nie było. Zaburzyłaś nam pełen krąg.

Śmiać mi się chce; ta idiotka jest w stanie uwierzyć we wszystko, nie ma za grosz zdrowego rozsądku, teraz nagle uwierzyła w szamankę.

– I co, śpiewaliście mantry? Ojciec też śpiewał? Nie wierzę w to, że śpiewał, nie on. – Nieźle to musiało wyglądać.

– Nie, szamanka śpiewała – obrusza się Kasia. – Ale ty jesteś niedowiarek.

– Nie niedowiarek, tylko najpierw zapierdzielasz na kolanach do Częstochowy, a później się łączysz z jakimiś duchami. Trzeba się na coś zdecydować.

– Nie, trzeba wszystkiego próbować – powtarza w kółko. – Wszystkiego.

– Ale trzeba też myśleć! Myśleć trzeba! – krzyczę.

Kasia już ma oczy pełne łez. Dotknęłam czułej struny, ależ ona ma kompleksy.

– Dlaczego ty mnie zawsze obrażasz? – mówi, prawie płacząc.

– O Jezu, Kaśka.

– Myślisz, że jesteś lepsza. Sama uzdrowiciela wezwałaś.

Wypija drinka do dna, jakby to była woda. Przesadza z tym piciem.

– Wydaje mi się, że grozi ci alkoholizm.

– Niepijąca się znalazła. – Kasia wychodzi obrażona.

Każda rozmowa z nią kończy się w ten sposób, ona nie umie przyjąć żadnej krytyki, nie ma do siebie dystansu, wszystko bierze serio, wszystko traktuje jak atak.

Nigdy nie umiałam z nią rozmawiać, po dwóch, trzech zdaniach już byłyśmy pokłócone. Od dziecka miała poczucie niższości wobec mnie, zazdrościła mi wszystkiego: że mam nową bluzkę, a ona musi po mnie donaszać starą, że szybciej biegam, lepiej się uczę, że mam fajniejszych chłopaków niż ona. I atakowała, jak jeż wystawiała kolce. Tylko w jednym była ode mnie lepsza, w kłótni; od dziecka była mistrzynią w tej kategorii, potrafiła wbić szpilę jak nikt. Przynajmniej mnie. Nie ma szans, żebyśmy się zbliżyły do siebie w tym nieszczęściu, zawsze będzie to samo boksowanie, walka o to, czyje na wierzchu, kto jest lepszy, kto biedniejszy. Pierdolę ją i jej kompleksy.

Po sprzeczce z Kaśką pojechałam odreagować na siłowni, wypocić złość i frustrację. Daję sobie wycisk, aż trener mnie hamuje, że przesadzam. Ćwiczę na TRX-ach, to takie gumy, pracuje się z ciężarem własnego ciała, niedawno to odkryłam, bardzo daje w kość. Potem biegam i chodzę na zmianę na bieżni przez godzinę, aż pojawiają mi się mroczki przed oczami. Dopiero kiedy się tak zmęczę, czuję, że mam kontrolę nad własnym ciałem, czuję, że żyję. Jutro będzie mnie wszystko bolało, ale taki ból lubię.

W szatni zauważam, ile pojawiło mi się nowych zmarszczek, jak zszarzałam na twarzy. Używam takich drogich kosmetyków i nic; może to ściema. Przecież nawet mama ma mniej zmarszczek niż ja. Może winne są te tony podkładu, który mi nakładają na planie.

W szatni jakaś pani podeszła do mnie i ni stąd, ni zowąd powiedziała, że jestem wspaniała. Popularność rzadko bywa przyjemna, to jest właśnie jedna z tych rzadkich chwil, kiedy ktoś dodaje ci otuchy, mówiąc, gdy czujesz się jak gówno, że jesteś okej. Przyzwyczaiłam się, że ludzie mi się przyglądają, jakbym była jakimś ciekawym okazem, bo występuję w telewizji. Do znanych osób albo się uśmiechają, pokazując je sobie palcami, albo udają, że nie poznają, ale kiedy ta osoba nie patrzy, gapią się do woli, a nawet robią zdjęcia. Jedno i drugie nie jest miłe. Kiedyś jakaś babka gapiła się tak na mnie w pociągu, to i ja też wlepiłam w nią oczy, niech poczuje, jak to jest. Od razu zmiękła, spuściła wzrok.

Jestem jeszcze goła, kiedy ktoś dzwoni, słyszę buczenie telefonu; nie mogę go znaleźć.

– Halo, tato? – pytam i już stoję na baczność.

– Obudziła się! Przyjeżdżaj do szpitala, Kaśka zadzwoniła i powiedzieli, żeby przyjeżdżać, że otworzyła oczy. Marta, gdzie ty jesteś, zanikasz. My już jedziemy. I zadzwoń do Zuzi. – Ojciec rozłącza się bez pożegnania.

O Jezu, obudziła się, a jednak!

– Już jadę! – mówię, choć on mnie nie słyszy.

Rozdaję uśmiechy kobietom ubierającym się w szatni; choć nie mają pojęcia, co za pożar u mnie w życiu, także uśmiechają się do mnie nieśmiało, myśląc, że jestem taka sympatyczna.

Obudziła się, a więc jednak; nie dawali szans, a tu proszę, mamy cud. Z radości o mało nie powoduję wypadku, zajeżdżając facetowi drogę. Gość krzyczy, że jeżdżę jak idiotka, więc robię przepraszającą minę słodkiej idiotki, w końcu jestem aktorką. Jadę, łamiąc wszystkie przepisy ruchu drogowego. Dzwonię do Zuzi, nagrywam się jej, niech przyjedzie, musi to zobaczyć, po ponad miesiącu złych wiadomości wreszcie jakaś dobra. Mijane samochody, ludzie – wszystko nagle wydaje mi się ładniejsze, fajniejsze, nawet Warszawa wygląda jakoś młodziej, bardziej obiecująco.

Obudziłaś się! Na obchodzie wyszeptałaś: Dzień dobry! Mamo, wracasz! Lekarze mówią, że to cud. Na razie dużo śpisz, masz bardzo spuchnięte ręce i za ciężkie, żeby nimi ruszać. W uszkodzeniach mózgu organizm zjada własne białko, masz go teraz za mało i to powoduje opuchliznę, ale lekarze starają się ją zmniejszyć, podając ci leki odwadniające. Zdecydowałaś, że chcesz żyć. I bardzo dobrze!

Martwię się tylko, jakie będzie twoje życie teraz, czy to, do którego wracasz, jest tym, które będziesz chciała mieć. Tomografia pokazała zmniejszenie obrzęku, wycofanie się krwi z naczyń w mózgu, czyli poprawę. Ciekawe, co by na to powiedział Piotr, dzisiaj go nie ma w szpitalu. Zastanawiam się, jaką będzie miał minę, kiedy zobaczy, że jego prognozy się nie sprawdziły, że się grubo mylił.

Niebo się śmieje. Wrócisz do ojca, on bez ciebie ginie, a my z Kaśką nie umiemy cię zastąpić. Ruszasz ustami, chcesz mi coś powiedzieć, coś szepczesz bezgłośnie. Nie rozumiem. Przez tę rurkę tracheostomijną nie słychać słów, przecięli ci przecież tchawicę, można się tylko domyślać, czytając z ruchu warg. Nie wiem, czy mamy ci mówić, jak do tego doszło, że tu leżysz. Chyba lepiej nie od razu, żeby cię nie wystraszyć, żebyś odzyskała poczucie bezpieczeństwa, przecież wróciłaś z bardzo daleka. Zadzwoniłam do uzdrowiciela, a ten: A nie mówiłem, to moja trzydziesta czwarta wybudzona osoba. Zasługę przypisuje wyłącznie sobie. Kasia natomiast uważa, że to dzięki szamance.

Staliśmy wszyscy razem, pochylając się nad twoim łóżkiem. Ojciec, Kasia, Zuzia i ja, a ty patrzyłaś na nas szeroko otwartymi oczami. Musiało to komicznie wyglądać, tłum ludzi w zielonych fartuchach, nachylających się nad tobą jak nad jakimś rzadkim okazem, przepychających się, gadających, cieszących się jak dzieci.

– Mamuniu, słyszysz mnie? A stąd? A stąd? Obudziłaś się, wiesz? – pieści się Kaśka, jakby mówiła do dziecka. To jest jej znak rozpoznawczy.

– Niuniek, obudziłaś się, Niuniek, słyszysz mnie? – w kółko pyta ojciec.

Jest bardzo podniecony, całuje mamę po twarzy, w usta, po rękach. No, wreszcie, wróciła do niego. Mama wodzi za nami wystraszonym, ale wszystko rozumiejącym wzrokiem. Łaskoczę ją w palce u stóp i czekam na reakcję, ale jej nie ma. Mama leży z oczami jak talerze. Pewnie się zastanawia, dlaczego tak nad nią stoimy, gdzie jest.

Straciłaś półtora miesiąca życia. Czy coś pamiętasz? Będziemy teraz rozmawiać, rehabilitować cię i rozmawiać, dbać o ciebie i cię kochać. A potem pójdziemy na spacer. Kocham cię, mamo, teraz zrozumiałam, jak bardzo. Lekarze nie dowierzają temu, co się stało, bo to przeczy ich diagnozom. Nie zapomnę ich min i min pielęgniarek, kiedy się obudziłaś; stali jak sroki za szybą. Nie rozmawiali z nami, my jesteśmy przecież po drugiej stronie barykady, jesteśmy tylko rodziną, a oni są wyposażeni w wyniki badań, urządzenia, oni wiedzą więcej, mają swoje tajemnice, a teraz nie rozumieją, co się dzieje.

Boję się, nie mogę spać. Bo kiedy wszyscy już poszli świętować mamy wybudzenie, doktor Iza pozbawiła mnie wszelkiej radości, spuściła ze mnie powietrze.

– Tak, obudziła się, ale musi pani wiedzieć, że pani mama ma paraliż czterokończynowy; ona jest całkowicie sparaliżowana. My taki stan nazywamy olśnieniem, czyli chwilowym powrotem do świadomości; to się zazwyczaj dzieje tuż przed finalnym pogorszeniem się stanu zdrowia. Przykro mi. Trzeba ją będzie jakoś z rzeczywistością zapoznać, wezwiemy psychologa. Niech się państwo tak nie cieszą – powiedziała i cała moja radość poszła się walić.

Odzyskała świadomość, ale nie może niczym ruszyć. Ciało jest jej więzieniem, trumną, kokonem. Dziś przyjdzie psycholog, żeby jakoś łagodnie jej powiedzieć, co się zdarzyło. Tak sobie myślę, że ten stan, w którym się teraz znajduje mama, to dopiero jest prawdziwe piekło. Jaki to musi być strach, kiedy się budzisz i nic nie możesz powiedzieć ani niczym poruszyć i nie wiesz dlaczego. Przecież mama pewnie nie pamięta ani ataku w szpitalu, ani niczego potem, ostatnie, co może pamiętać, to jak szła ze mną korytarzem. Świadomość jej wróciła, a może i pamięć. Walczyliśmy o życie i je mamy. Tylko co to za życie? Wczoraj przeczytałam, żeby uważać, o czym się marzy, bo może się spełnić. No właśnie.

Na razie postanowiłam nie mówić rodzinie, co usłyszałam od lekarki. Niech się jeszcze trochę pocieszą. Wystarczy, że ja wiem. Powinnam im powiedzieć, ale kiedy patrzę, jacy są szczęśliwi, jakoś nie mogę. Jeszcze zdążę, jeszcze jest czas. Wieczorem nie mogłam sobie znaleźć miejsca w domu, musiałam się znieczulić i wypiłam całą butelkę wina; dopiero kiedy poczułam w głowie lekki szum, trochę przestałam się bać.

Zaprosiłam ich na obiad, żeby świętować wybudzenie mamy. Kolejna moja maskarada – radość i świętowanie, a pod spodem rozpacz. Po co ja to robię, po co ten cyrk?

Poleciałam na bazarek kupić gotowe dania, mam tam taką budę z domowym jedzeniem bez konserwantów, zdrowo, ojcu powinno smakować; wzięłam wołowinę w sosie i buraczki. Chciałam cielęcinę, ale nie było. Nie umiem ani nie lubię gotować tych polskich pracochłonnych dań, które tak smakują ojcu. Makarony, chińszczyzna, sałatki, kuchnia fusion, bardzo proszę, ale polskie przysmaki – nie, to nie moja bajka. Te wszystkie tłuste sosy, panierowane mięsa smażone na smalcu, pyzy ze skwarkami, kluski i gołąbki. Każde z tych dań robi się prawie cały dzień, która normalna kobieta ma tyle czasu; no, chyba że nie pracuje, tylko jest kurą domową. Dla kur domowych kuchnia polska może być świetną wymówką, żeby nic więcej nie robić, żeby nie szukać pracy, bo przecież gotowanie zajmuje im cały dzień. Ale dla kobiet aktywnych zawodowo, które jeszcze w dodatku nie chcą wyglądać jak balerony, kuchnia polska to zło, trzeba od niej uciekać w najdalsze zakątki świata, do kuchni azjatyckiej, włoskiej czy nawet afrykańskiej, byle jak najdalej od kotleta, ziemniaków i kapuchy.

O Jezu, zapomniałam o ziemniakach. Ożeż kurwa, dla ojca ziemniaki to podstawa obiadu, obiad bez ziemniaków jest wręcz nieważny, tak jakby się go nie zjadło. I to muszą być ziemniaki albo w całości, z koperkiem, albo lepiej purée z sosem. Tata zawsze nakłada sobie na widelec po kawałku mięsa, surówki i ziemniaków w odpowiednich proporcjach. Dla niego jedzenie to kwestia proporcji, złotego podziału, jak czegoś było za dużo, zostawało, a mama obrywała, że źle wyważyła proporcje. Nie rozumiem, skąd ona mogła wiedzieć, ile ziemniaków powinno przypadać na ile kotleta i surówki, ale dla ojca to było święte. Obiad – ziemniak, mięso – a potem drzemka na kanapie.

Jak zwykle przy okazji wizyt u mnie Kasia wybrała moje najlepsze wino; nie wiem jak, ale ona zawsze trafi na najdroższe – podchodzi do stojaka z winami, patrzy, patrzy i bach, i bingo. No dobra, niech jej będzie, wypijemy najdroższe, dziś świętujemy przebudzenie mamy. Ojciec siedzi na tarasie, rozmawia z Grześkiem o sporcie, jakieś rozgrywki piłkarskie teraz są, to jest ich wspólny konik, rozprawiają, kto z kim wygrał i dlaczego polscy zawodnicy grają słabo w reprezentacji, a dobrze w zagranicznych klubach.

Wyjmuję z piekarnika mięso, które wcześniej przełożyłam z plastikowych opakowań, wygląda i pachnie pięknie, Grzesiek chce nałożyć ojcu, bierze półmisek, parzy się, po czym łapie za uszy, żeby ochłodzić palce. Mając mięso na talerzu, ojciec przypomina sobie o ziemniakach.

– A gdzie ziemniaki?

– Nie ma. Zapomniałam kupić. Raz zjesz bez ziemniaków, tato – mówię.

– Obiad bez ziemniaków? To jak ja mam to mięso jeść? Nienormalna jesteś? Zajzajer taki. – Wkłada mięso z buraczkami do ust i żuje z niesmakiem. – Chleba chociaż daj.

Kroję jakąś resztkę chleba. Ojciec macza chleb w sosie i zagryza. Reszta je w milczeniu. Zuzia patrzy na mnie z wyrzutem, jakby jadła oponę.

– Mamo, tego się nie da pogryźć.

– Ej tam, nie da, pyszna wołowinka, zdrowa, jak u mamy – zachęcam.

– Jak u mamy? Ty się lepiej nie porównuj. Eli najlepsze, Ela, najlepsza restauracja. Jak ona zrobi takie bitki, to palce lizać, a to nie ma smaku. Guma się ciągnie, nie da się jeść – mówi ojciec.

– To jest mięso zrobione według przepisu mamy. – Idę w zaparte.

Zuzia patrzy na mnie rozbawiona. Wypluwa w połowie przeżute mięso na talerz.

– Nie, naprawdę, zamówmy pizzę, mamo, dziadek ma rację, to jest niejadalne.

Wtórują jej Filip i Grzesiek. Kasia nic nie mówi, ale grzebie w buraczkach, jakby szukała w nich sensu.

– Może nie umiem gotować, ale się starałam. – Przykro mi, bo jak zwykle coś jest nie tak i jak zwykle to moja wina.

– Kupiłaś to na bazarze, nie kłam, mamo.

– Zdradziłaś mnie! – mówię. Ale przecież sama wiem, że to jest wstrętne; spróbowałam, już nie będę więcej kupować w tej budzie.

U nas w rodzinie podczas obiadu wszyscy mówią naraz, nikt nie czeka, aż inny skończy, przekrzykujemy się, kto głośniejszy, ten się przebije, kto powie coś bardziej dosadnie, ten górą. Tematy są zmieniane jak rękawiczki, często gadamy na dwa, trzy jednocześnie. W sumie to rodzinny zwyczaj, że nikt nikogo nie słucha, a cały wysiłek wkłada się w mówienie tego, co chce się powiedzieć.

– Grzesiu, co tam u ciebie? Co z pracą? – zagaduję szwagra.

– Chujnia z grzybnią – odpowiada. – Pierdolę, jadę do Anglii. Tu się nie da znaleźć normalnej pracy.

– Jak ty się wyrażasz przy dziecku? – Kasia oburza się na słownictwo męża.

– Jakie dziecko, znam takie słowa – mówi Filip.

Kasia znajduje muchę w buraczkach. Wyjmuje i podnosi, żeby wszyscy mogli ją sobie dokładnie obejrzeć.

– Mucha. Nie, przepraszam, nie będę tego jeść, Marta – odkłada widelec.

– Pokaż! – Rodzina gremialnie ogląda to coś, co Kasia wzięła za muchę.

– To nie żadna mucha, idiotko, to obierek od buraczka – mówię.

Kasia kręci głową i nalewa sobie kolejną lampkę wina za dwieście złotych, i na wszelki wypadek do końca obiadu już tylko pije, żeby się nie struć.

– Zdrowie taty! – wznosi toast.

Tata żuje mięso, po czym je wypluwa.

– To może rzeczywiście zamówmy tę pizzę. Zuzia, dzwoń, dziadek zapłaci.

– Tato, ale to wszystko jest zdrowe, tu nie ma cukru, mąki, konserwantów…

– I smaku też nie ma – mówi ojciec.

– No to żeśmy sobie, kurwa, pojedli – podsumowuje Grzesiek.

Poddaję się i zamawiam pizzę.

Kasia

Dzisiaj szczęśliwy dzień, mama się obudziła! Patrzyła na nas zdziwionymi brązowymi oczami jak u dziecka. Kiedy ją łaskotałam, wydawało mi się, że coś czuje. Zadzwoniłam do szamanki, ucieszyła się, powiedziała, że często tak jest po seansach, że dusze decydują się wrócić. I mama wróciła. Teraz już będzie dobrze, będziemy mamę rehabilitować i odzyska zdrowie. Upiłam się dzisiaj u Marty, ona ma zawsze takie dobre wino, ale gotować to nie potrafi. Coś obrzydliwego podała, guma w sosie. I jeszcze znalazłam muchę w buraczkach. Myślałam, że zwymiotuję. Ale najważniejsze, że ojciec się cieszył.

Nie wiem, czy w tej sytuacji możemy pojechać na wczasy. Wykupiliśmy pół roku temu wczasy w Egipcie, na raty, spłacałam po dwieście złotych z każdej wypłaty i teraz co, mamy nie jechać? Oczywiście ja muszę zdecydować, bo to ja jestem facetem w tej rodzinie. Dobrze, że to nie wpływa na nasz seks, kochaliśmy się dzisiaj z Grześkiem jak ogłupiali. Od czasu kiedy mama jest w szpitalu ani razu, a przecież normalnie to co drugi dzień, chyba że mam okres. Grzesiek ma ogromne potrzeby. Byliśmy głośni, darłam się, Grzesiek też, on jak zacznie krzyczeć, to jak jakiś tur; aż ojciec zaczął walić w sufit. Dawno nie było tak dobrze.

To jest w sumie porządny gość ten mój mąż, tylko nie umie się rozpychać łokciami, nie jest cwaniakiem, nie potrafi sobie załatwić tego czy tamtego. Ale najważniejsze, że mnie nie zdradza, nie pije, jest dobrym ojcem. I wytrzymuje ze mną, a ja bywam nie do wytrzymania, sama ze sobą czasem nie daję rady. Już siedemnaście lat po ślubie, kto by pomyślał, że tyle razem będziemy. Koleżanki mówią, że ich mężowie zdradzają, że one przeszukują im telefony, że znajdują jakieś baby na boku, a Grzesiek nie ma nikogo oprócz mnie.

Szkoda, że nie mamy drugiego dziecka, że chowamy takiego samoluba. Wcześniej jakoś się nie składało, raz poroniłam, a potem to już się bałam, no i teraz jest za późno, po czterdziestce rodzić to loteria.

W nocy zajrzałam do ojca, czy wszystko z nim okej. Śpi na wznak z torebką orzeszków w czekoladzie w dłoni, nawet przez sen jej nie wypuści. Dziwnie się tata teraz zaczął zachowywać. Nie chce się myć, nie czyta gazet, nie rozmawia z nami, tylko siedzi i patrzy w telewizor. Wrzucam do pralki jego zakrwawione majtki, pewnie znowu wyszły mu hemoroidy. Ale nie poprosi o maść, tylko wyzwie mnie od kretynek, że go pytam o takie intymne sprawy. Trzeba coś z tym zrobić, powiem Marcie, niech pojedzie z nim do lekarza, do proktologa. Ona jedna może na ojca wpłynąć, jej się posłucha, bo mnie ma za nic.

Rano ojciec był jeszcze gorszy. Wulgarny, brudny, zarośnięty. Nie chciał jeść, nie chciał się ubrać, siedział na fotelu i gapił się w ekran. A mnie przeganiał. Na dzisiaj Marta umówiła badanie dla niego, bo zemdlał w szpitalu; chyba tomografię mózgu czy tam rezonans, nie wiem. A on się zaparł, że się nie ubierze.

Gada od rzeczy, wszystko zapomina, ma obsesję na punkcie jakiegoś boksera ze *Złego*, ostatniej książki, którą przeczytał. Był nią zachwycony. Ojciec pamięta Warszawę Tyrmanda, powojenną stolicę żuli i sutenerów, obskurne knajpy, kelnerki z blond trwałą. W latach sześćdziesiątych studiował architekturę na Politechnice Warszawskiej, a potem pracował w centrum i pamięta Warszawę z bazarem Różyckiego, Honoratką, Horteksem i kręci go, jak Tyrmand ją idealizuje. A przecież to była głęboka komuna, syf i bieda. Zamęcza mnie, czytając mi fragmenty *Złego*, ja nigdy przez niego nie przebrnęłam, nudził mnie, to była jakaś abstrakcja. Ja nie pamiętam tamtej Warszawy, moje wspomnienia sięgają do lat siedemdziesiątych, kiedy mama zabierała mnie na lody do Horteksu przy okazji wizyty u lekarza.

Hortex to był dla mnie wtedy wielki świat, o Horteksie marzyłam jako dziewczynka spod Warszawy. Stojąc w kolejce do kasy, oglądało się w witrynie wielkie kolorowe puchary lodów o fantastycznych nazwach: Alaska, Hawaje, Melba, Banana Split, Królewski Rydwan. Które wybierasz? – pytała mama, a ja nie umiałam wybrać. To było jak podróż z komuny do lepszego, piękniejszego świata. Pamiętam, że w Horteksie był zawsze straszny tłok. Raz, kiedy nie mogłam skończyć deseru – porcje były imponujące – mama kazała mi zjeść wszystko. Siedziałam więc nad tym pucharem, mieszałam rozpuszczone lody ze łzami, mama cierpliwie czekała, paląc papierosa, i wtedy przysiadł się do nas pan z lodami i kawą. Nie wiem, jak to się stało, ale wytarłam usta serwetką i wrzuciłam ją temu panu prosto do jego nietkniętych jeszcze lodów. Mama spaliła się ze wstydu – potem wiele razy mi to wypominała. Pamiętam, jak wychodziłyśmy, wydawało mi się, że wszyscy wiedzą o moim blamażu, że śmieje się ze mnie cała Warszawa, że jestem nieudacznikiem i gapą. I nigdy nie będę taka jak Marta, jej by się to nie zdarzyło, ona trenowała bieg przez płotki i ciągle była na diecie, lodów prawie nie jadła. Tata czasem też nas z Martą zabierał do kawiarni obok swojej pracy na galaretkę pokrojoną w kostkę i wymieszaną z bitą śmietaną. Wtedy to było marzenie.

A teraz siedzimy z ojcem przy barku i pijemy sobie. On lufę, ja drinka, i oglądamy zdjęcia.

– Tato, pamiętasz, jak nas zabierałeś na galaretkę? Najbardziej lubiłam agrestową i pomarańczową. Jak się ta kawiarnia nazywała, pamiętasz?

– Jak to jak? Senatorska, debilu.

– Tato, dlaczego tak do mnie mówisz? Ja piorę, ja gotuję, ja wszystko, a tylko Marta się liczy. Proszę bardzo, niech przyjeżdża ukochana córeczka – uniosłam się.

– Zajmij się swoim nierobem.

– Dlaczego tata tak mówi? Przecież on się stara.

Niestety, ojciec ma nas za nic, Grześka i mnie, spowszednieliśmy mu, uważa, że się do niczego nie nadajemy; niby się przyzwyczaiłam, a jednak za każdym razem to boli. Dlaczego Martę kocha bardziej?

I wtedy to zrobił. Przeraziłam się. Dałam ojcu telefon, żeby porozmawiał z Martą, a on nim walnął o podłogę, rozbił na kawałki. Tak po prostu rzucił, bo nie chciało mu się dłużej rozmawiać, bo Marta nie odpowiedziała na nurtujące go pytanie, jak nazywa się bokser w *Złym*. Na kolanach szukałam pod meblami części rozsypanych po podłodze, ale nie udało się uruchomić telefonu, nie działa. Ojciec mnie przestraszył, jeszcze do tej pory nie rzucał przedmiotami ze złości. Dobrze, że jedziemy na tę tomografię, rzeczywiście coś niepokojącego się z nim dzieje. Ale trzeba pokombinować, żeby zechciał pojechać, z nim na siłę nie można, tylko sposobem. Obiecuję, że zajedziemy po badaniu na lufę i tatarka do Lotosu, jego ulubionej kiedyś knajpy. Pomagam mu się umyć, ogolić, ubrać. Czy mama to wszystko robiła, czy jemu coś się teraz stało, że jest taki niesamodzielny?

Wiozę go do szpitala naszym samochodem. Podróż z nim to męka pańska, dyryguje mną, krzyczy, wyklina od najgorszych, łapie za kierownicę. Jest niebezpieczny, bo silny, złapie za kierownicę, ja nie utrzymam i spowoduję wypadek. Ja zresztą nie jestem najlepszym kierowcą. A z nim już zupełnie nie mogę skupić się na drodze, ciągle o coś pyta, zagaduje, mąci.

– Gdzie Marta? Jak jej nie będzie, to ja tam nie wejdę.

– Będzie czekać na nas na miejscu, nie martw się.

Wjeżdżamy do miasta, w gąszcz zakorkowanej Warszawy. Nie lubię po niej jeździć, tu nikt nikogo nie przepuszcza, wszyscy trąbią, spieszą się, wyklinają, grożą, jestem od razu cała spocona. Mam nadzieję, że dobrze jadę do tego szpitala, nie znam miasta, czuję się niepewnie. I jeszcze mi ojciec non stop przeszkadza.

– Jak się nazywa ta ulica? Nie, teraz w lewo skręć, w tę no, jak jej tam... No, jak się nazywa ta ulica? – zasypuje mnie pytaniami.

– Tamka, tato.

– No. Tamka właśnie. O, i tu zrób francuski łącznik. Wiesz, co to francuski łącznik, debilu?

– Tak, wiem, tato, nie gadaj tak ciągle, bo zwariuję do reszty.

– Kto ci w ogóle dał prawo jazdy, matole? O, patrz, tu chodziłem na piwo – zmienia temat.

Zerkam z przerażeniem. Zachowuje się dziwnie nawet jak na niego. Podjeżdżamy pod szpital, tam już czeka Marta wkurwiona, że się spóźniliśmy. Pokazuje mi zegarek i gestem daje znać, że mnie zamorduje. Gwiazda. Trochę poczekała, oj wielkie mi halo.

Martie

Mamo, dziś poczułam u ciebie zapach śmierci. Taki słodkawy, specyficzny zapach, którego wcześniej nie było. Chciałabym, żebyś wiedziała, że możesz odejść. Pozwalam ci. Ojciec i Kaśka bardzo chcą cię z powrotem, ale ja myślę, że się męczysz, że już nie chcesz wracać. Że boli cię wracanie do tego ciała, które leży w szpitalu, że jesteś już gdzie indziej. Mamo, kocham cię i dlatego ci mówię, że MOŻESZ ODEJŚĆ. Nie odchodzisz, bo ojciec i Kasia cię nie puszczają. Ale ja, Marta, cię puszczam. Idź, kochana, ja tam do ciebie przyjdę, wszyscy przyjdziemy. Twoje biedne ciało leży pod tymi maszynami w szpitalu, ale dusza jest gdzie indziej. Mamo, można powiedzieć, że wreszcie jesteś wolna, nie musisz nic albo że możesz wszystko. Koniec cierpień, koniec terapii, koniec tego całego zawirowania, nastaje wolność i światło. Może wróciła ci na chwilę świadomość, żebyś się mogła z nami pożegnać? Żeby ojciec się nie załamał?

Mamo, on ma nas, ma jako takie zdrowie, pracę, dom, wnuki. Dbamy o niego, robimy mu obiady, chociaż jemu smakowało tylko to, co ty ugotowałaś. Eli najlepsze, nie ma to jak Ela, najlepsza restauracja – powtarza. Nigdy nie będę gotowała tak jak ty, jemu zresztą nie będzie nic smakować bez ciebie, ale i tak, przez ten czas, kiedy leżysz w szpitalu, przytył dwa kilo.

Dzisiaj w nocy miałam dziwny sen. Jakiś nieznajomy człowiek podczas snu rozdzielił się na pół, jedna część stała się połową orzecha włoskiego, a druga została ciałem. Bardzo to przeżywałam. Tę połówkę orzecha nosiliśmy na rękach, ona mówiła, kontaktowała, a o tej drugiej, na łóżku, zapomnieliśmy. Kiedy po nią wróciłam, nie mogłam jej znaleźć, gdzieś zginęła, ktoś ją zabrał. Jak zinterpretować ten sen?

Ten sen był chyba proroczy. Lekarka mi dziś powiedziała, że mama gaśnie. I niby to wiem, niby jestem przygotowana, ale ta wiadomość mnie powaliła. Pracowałam, nie mogłam dać tego po sobie poznać. Poszłam do mamy, wygląda źle, jest opuchnięta, zrezygnowana, jakby się poddała. Pożegnałam się z nią. Nie muszę dźwigać ciężaru bólu ojca i siostry. Mój ból mi wystarczy. Oni mają swój. I niech sobie sami z nim radzą. Ja staram się ze swoim radzić po swojemu. Wciąż nie powiedziałam im o prognozach lekarzy. Zresztą oni mają więcej nadziei niż zdrowego rozsądku. Może to i dobrze. Ja zanurzam się w cierpieniu. Nie mam siły pisać. Boli mnie cały człowiek.

Co robić, żeby się tak nie bać? Umiem świetnie ukryć swój stan przed ludźmi. Jestem przerażona, boję się nie wiem czego, chyba śmierci, której nie umiem do końca zaakceptować. Jak to mama ma odejść, gdzie, w nieznane? Dlaczego właśnie teraz? Niczego się nie uczę, jeśli chodzi o emocje…

*

Nie poznaję ojca. Facet zawsze odpowiedzialny, racjonalny teraz zachowuje się jak dziecko. Na tomografię nie wziął dokumentów, portfela. Nic go nie obchodzi ani nikt, zachowuje się po chamsku, wulgarnie. Nie dba o higienę, podobno wyszły mu hemoroidy, chodzi cały czas w tych samych spodniach. Nie weźmie sobie sam jedzenia, nawet nie posłodzi herbaty, tylko czeka, aż ktoś to zrobi za niego. Rzeczywiście, mama zawsze mu słodziła i mieszała herbatę jak dziecku. Opowiada jakieś dyrdymały, ciągle zadaje pytania, które kompletnie nie mają sensu. Jest zaburzony. Jak był z mamą, miał kim dowodzić, zbudowali sobie zamek, w którym niepodzielnie panował. Teraz, kiedy nie ma jej przy nim i nie ma kim dowodzić, zamek się sypie, niszczeje.

A mama jest ostatnio prawie bez kontaktu, dostała zapalenia płuc, to bardzo niepokojące. Taki tam jest dziwny zapach, słodkawy. Byłam w szpitalu wczoraj późnym wieczorem z Zuzią i też czułyśmy ten zapach. Skąd on się bierze? Mama leży sama, obok niej stoi radio nastawione na jedynkę, ona porusza głową, od czasu do czasu otwiera oczy, ale nie ma z nią kontaktu. Długa droga na jedną albo na drugą stronę. Mamo, mam stracha. Potężnego. Myślę, że ty też się boisz.

Zwrot akcji. Z mamą lepiej, chce coś powiedzieć, jest kontakt, ale mamy problem z ojcem. Tomografia wykazała, że ma guz mózgu, najprawdopodobniej złośliwy. Musi być operowany, guz uciska pewne obszary mózgu, trzeba to zrobić szybko. Dziwne zachowanie ojca i dodatkowo opadający kącik ust spowodowały moje narastające obawy i zmusiłam tatę, żeby przyjechał na tomografię. I całe szczęście. Okazało się, że jest guz, którego jeszcze trzy miesiące temu nie było (a może był, jak przypuszczamy, w strukturach głębokich, niewidocznych w tomografii, i teraz się uwidocznił).

Radiolog nie pozostawił złudzeń. Wpuścił nas tam, gdzie opisuje badania, i patrzyłyśmy z Kaśką przez szybę, jak ojciec wjeżdża do kosmicznej tuby.

– Guz w prawym płacie czołowym. Rozlany, nie wiem, czy operacyjny. Tata jest praworęczny? – pyta radiolog, patrząc na poruszające się na ekranie szare plamy będące chyba mózgiem. Zaskakuje mnie to pytanie. Chyba praworęczny.

– Tak – odpowiadamy po chwili niepewnie.

Ojciec zawsze mówił, że go na siłę upraworęcznili, że urodził się leworęczny, ale nauczył się też pisać prawą ręką i teraz pisze i lewą, i prawą.

– No, to można powiedzieć, że to szczęśliwa lokalizacja – mówi radiolog.

Jak to brzmi, szczęśliwa lokalizacja guza, oksymoron normalnie.

– A co to znaczy szczęśliwa lokalizacja? – pytam.

– No, lepiej, że to płat czołowy niż jakieś inne miejsce; przy guzie płata czołowego będzie pogodny, szczęśliwy, wesołkowaty. Dłuższy czas nie utraci mowy, nie przestanie chodzić, nie będzie miał depresji; przynajmniej na razie. Ale więcej to już powiedzą neurochirurdzy – kończy.

Kasia ma łzy w oczach, ja się trzymam. Ojciec wypuszczony z tuby wychodzi do nas uśmiechnięty.

– Fajnie było – mówi zadowolony, ubierając się.

– Tak? – Staram się wskoczyć na jego falę.

– Tylko strasznie tam wiało. Strasznie zimno było.

– Wiało? – Śmieję się.

– Marulka mi obiecałaś – przypomniał sobie nagle.

– Jak obiecałam, to mam. – Wyjmuję z torby batonik i macham mu przed nosem. – Ale musisz poprosić ładnie. Poproś.

Szczekam jak pies. Ojciec się zaraz pogniewa, widzę to, więc oddaję mu batonik; wkłada go sobie prawie w całości do ust. Zawsze w sytuacjach stresowych wyłazi ze mnie klaun, wygłupiam się z tchórzostwa, ze strachu, że ktoś zobaczy, jaka naprawdę jestem smutna.

Wychodzimy z gabinetu, Kasia cała we łzach, ojciec uradowany, z buzią wypchaną batonikiem i ja ciągle udająca kogoś, kim nie jestem. Szukam naprędce rozwiązania: co robić, jak działać, choć wiem, że rozwiązania nie ma. Nie potrafię zaakceptować rzeczywistości, więc ją wyśmiewam. Bo jak można zaakceptować taką rzeczywistość? Przecież to nawet nie jest prawdopodobne, żeby najpierw mama miała udar, potem ojciec guz mózgu, a to wszystko w ciągu miesiąca. Za dużo nieszczęść naraz, żaden scenariusz by tego nie wytrzymał. Za dużo tragedii, za smutne, zbyt przygnębiające, a ludzie chcą nadziei, jak mówi producent mojego serialu.

Muszę coś robić, żeby nie zwariować. Kiedy dzieje się u mnie coś zbyt trudnego dla psychiki, wypieram to, potrzebuję czasu, żeby zmetabolizować stres. Jadę więc pobyć gwiazdą, mam wielokrotnie odkładaną sesję okładkową do „Tele Tygodnia". Ironia losu, mama by się ucieszyła, zawsze chciała, żebym była na okładce „Tele Tygodnia", a jak już będę, ona śpi. Spóźniona wchodzę do hali, gdzie jest zorganizowana sesja, widzę śpiącego w rogu fotografa.

– Co jest, nikt nie pracuje? – budzę go.

– Marta? Myśleliśmy, że już nie dotrzesz, nie odbierałaś telefonu.

– Róbcie mnie na bóstwo i jazda! Jest jeszcze ktoś od włosów? Coś trzeba z nimi zrobić, są tragiczne.

Siadam przed lustrem w prowizorycznej charakteryzatorni w kącie hali. Fotograf ustawia światło na stażystce, stylista gej ubrany w kombinezon z opuszczonym krokiem ciągnie stelaż z ciuchami do przymiarki. Pokazuje mi na wieszakach, co przygotował. Jakieś różowe bluzki, obcisłe krótkie sukienki.

– No i jak się podoba? – pyta wysokim altem.

– Co wy chcecie ze mnie zrobić, biurwę jakąś? Aha, i nie zgadzam się na żaden retusz, mam czterdzieści dwa lata i na tyle mam wyglądać.

Zza przepierzenia wychodzi producentka.

– No co ty, Marta, bez photoshopa? – pyta.

Podchodzi fotograf, też gej, w obcisłej bluzeczce bez rękawów, z dużym dekoltem.

– Mowy nie ma, nikt teraz nie puści zdjęcia bez photoshopa. Szczególnie na okładkę.

– No to tylko trochę, rysy mi chociaż zostawcie i zmarszczki mimiczne, błagam.

W miłej atmosferze mierzę kostiumy, wizażysta przyciąga kolejne stelaże z ciuchami, nazbierało się ich już cztery. Najlepiej czuję się w męskim czarnym garniturze i szpilkach, bez niczego pod marynarką, upieram się, że tak chcę zostać.

Sesja jest miła, wygłupiam się, błaznuję, jest wesoło, profesjonalnie. Po czterech godzinach fotograf ma ponad tysiąc zdjęć.

– Tylko pamiętaj o autoryzacji, kochany – rzucam, wychodząc.

– Spoko, jest bjuti. Będzie pani zadowolona.

– Będzie pani zadowolona. No na pewno.

Wyjeżdżam z hali i wracam do mojego prawdziwego świata, świata chorób i szpitali.

Zaczynam analizować, co się stało, jak to się stało, że ojciec jest chory, że ma guz mózgu. Kilka miesięcy temu złamał kręgosłup, nie ustalono z jakiej przyczyny, może już wtedy był ten guz? Dopiero teraz wszystko składa mi się w całość: złamanie kręgosłupa w nocy najprawdopodobniej wywołał atak padaczki, która sygnalizowała, że coś złego dzieje się w mózgu. Zabrało go wtedy pogotowie, zrobili w szpitalu tomografię, która nie wykazała żadnych zmian, włożyli gorset na trzy miesiące i wypuścili do domu. Teraz już wiem, że zrobili mu tomografię bez kontrastu, w której nie było widać guza; taka wersja badania jest tańsza i taką robią w państwowych szpitalach. To tak, jakby zrobić zdjęcie nocą bez lampy błyskowej. Trzeba było zlecić tomografię z kontrastem albo rezonans. Przecież byśmy wcześniej zareagowali, coś robili, gdybyśmy wiedzieli, że jest guz mózgu.

Służba, kurwa, zdrowia; mam ochotę podpalić tamten szpital, zimnych lekarzy, którzy w dupie mają pacjenta i jego rodzinę. Kiedy zadzwoniłam i zapytałam o badanie ojca sprzed trzech miesięcy, niemiła lekarka z ukraińskim akcentem powiedziała, że takie są standardowe procedury i oni nie mają sobie nic do zarzucenia. Ożeż kurwa, człowiek miał bombę zegarową w głowie, której nie odkryliście, wypuściliście go do domu i nie macie sobie nic do zarzucenia? Ale przecież działa mafia lekarska, jeden drugiego kryje; kiedy powiedziałam o tym mamy neurochirurgowi, on też rozmywał odpowiedzialność, mówił, że guz mógł się jeszcze nie ujawnić. Boi się zaatakować, bo wie, że jemu też może się kiedyś powinąć noga. A człowiek sam przeciwko nim, przeciwko systemowi, nie ma żadnych szans. A szczególnie chory człowiek.

Nie chce mi się nawet pisać o naszej służbie zdrowia, szkoda czasu, jest tragiczna, nawet gorsza niż za komuny, system jest niewydolny, minister jest idiotą. Żeby dostać się do dobrego szpitala, trzeba najpierw prywatnie pójść na wizytę do ordynatora albo jego zastępcy, zabulić i ten ewentualnie weźmie delikwenta do siebie na oddział. Ale trzeba pójść jeszcze do przychodni po skierowanie do szpitala. Normalnie z izby przyjęć wyślą do domu nawet umarlaka.

*

Muszę się upić. Na trzeźwo nie da się znieść tego koszmaru. Zastanawiam się, czy już jestem alkoholiczką – za dużo piję. Mogę przeżyć wieczór bez alkoholu, ale wolę z nim. Wino jest moim najlepszym przyjacielem, powiernikiem najskrytszych sekretów, ulubionym pocieszycielem. Jak wracam z planu nakręcona, zmęczona, to jak inaczej mam spuścić powietrze, niż wypijając lampkę wina? Kiedy jest mi dobrze, czym świętować, jak nie lampką wina? A kiedy mi smutno, to wiadomo – lampka wina. Średnio wypijam pół butelki dziennie, nigdy się nie upijam, więc chyba nie mam jeszcze problemu. Ale się boję, że stąpam po niebezpiecznie grząskim gruncie. Wszyscy wokół mnie piją jeśli nie tyle co ja, to znacznie więcej, picie to główny temat na planie serialu: kto, co, ile; prześcigamy się. To jest teraz modne – pić. Kiedyś chodziliśmy na imprezy, na których się piło i rozmawiało, a teraz każdy pije sam, a potem w pracy o tym opowiada. Za alkoholizm uważa się picie w pracy, picie od rana, ale wieczorem – przecież wieczorem wszyscy piją, więc o co chodzi? Kiedyś wszyscy ćpali, a teraz zdrowo żyją, są eko, jeżdżą na kuracje oczyszczające, ale dalej piją. Dobrze, że nie muszę jeść, kiedy piję, moje koleżanki zażerają i tyją. Mnie wystarcza samo wino.

Stoję na balkonie z kieliszkiem wina i patrzę na to miasto z radzieckim Pałacem Kultury obudowanym innymi wysokościowcami, na to miasto, które tyle razy upadało, które jest jak wańka-wstańka – poddaje się, ale potem podnosi z ruin i udaje niezłomne. Ludzie tu są cały czas na kolanach przed bożkiem pieniądza, popularności, cały czas gotowi na cios z każdej strony, skupieni na sobie, zdolni do wszystkiego, żeby przetrwać, udający nieskalanych, a w gruncie rzeczy unurzani w gównie po uszy. Mój ojciec był inny, on był poza tym miastem, poza ludźmi, poza światem. Stworzył sobie w domu alternatywny świat, swoje królestwo, gdzie rządził jak Bóg karzący i nagradzający. Ojciec nie miał kolegów, przyjaciół, mama zresztą też nie. Byli sami, ludzie wykruszyli się z czasem, został po nich tylko niesmak. Ojciec uważał się za jedynego sprawiedliwego. I myśmy też takim go widziały. Miał trzeźwe spojrzenie na rzeczywistość, ale jego poglądy polityczne dalekie były od moich, wierzył w te spiski, zamachy, afery. Ale jako jedyny facet w moim życiu nigdy mnie nie zawiódł. Nigdy mnie nie okłamał, a wszyscy kłamali. Prawdomówny, uczciwy, spokojny. Ale też cyniczny i wymagający. Teraz już taki nie będzie, będzie się stawał dzieckiem. Jestem już pijana, nie wiem, jak na trzeźwo można znieść taką wiadomość. Twój ojciec będzie się cofał, będzie coraz bardziej zanikał, aż zniknie zupełnie – tak mógłby mi powiedzieć lekarz, bo taka jest prawda. Nie będzie już taki sam, nic nie będzie już takie samo.

Znieczulam się na rzeczywistość, która mnie przerasta. Zuzia przychodzi z chłopakiem i mówi, żebym się ogarnęła. Nienawidzę świata i ludzi, którzy są szczęśliwi. Jak ona śmie teraz być szczęśliwa, teraz, kiedy ziemia usuwa się spod nóg? Pieprzona egoistka. Jej życie się nie zatrzymało, ona wciąż chodzi na randki, żyje, mam do niej o to pretensję. Może nie powinnam, ale jakoś nie mogę zrozumieć, jak można całować się z chłopakiem, kiedy właśnie się dowiedziała, że dziadek ma guz mózgu i wkrótce odejdzie. Ale ona jest inna, ona żyje w innym świecie, nie mogę jej tego zabronić.

Dzisiaj poszłam do psychiatry. Czułam, że sama sobie nie dam rady, musiałam z kimś pogadać, bo inaczej bym zwariowała. Dostałam skierowanie do Poradni Psychoonkologii przy szpitalu od anestezjolożki, doktor Kwiecień, która prowadzi mamę. Nie wiedziałam, że coś takiego jak psychoonkologia istnieje, ale przecież to logiczne, tu wciąż ktoś umiera, ktoś kogoś zostawia, ktoś rozpacza albo boi się śmierci, tu niezbędna jest pomoc psychologa czy psychiatry. A tu jest ktoś, kto przeprowadza rodziny przez śmiertelną chorobę najbliższej osoby, przygotowuje na śmierć, pomaga się odnaleźć w tym labiryncie dramatów, które w szpitalu onkologicznym prawie zawsze źle się kończą.

Okazało się, że niewiele osób korzysta z takiej pomocy, oddział jest niemal pusty. To trochę dziwne w kontekście tłoku w rejestracji szpitala. Tak jakby chodzenie do psychologa czy psychiatry, było źle widziane jako bardziej wstydliwe niż na przykład leczenie raka prostaty czy raka piersi. Nasze społeczeństwo ma problem z mówieniem o emocjach, daleko nam do Nowego Jorku, gdzie to, ile razy w tygodniu i gdzie chodzisz na terapię, świadczy o statusie. Moja siostra też nie chciała przyjść, wzruszyła ramionami: jej psycholog nie jest potrzebny; a ja myślę, że właśnie jej by się przydał najbardziej. Tylko trzeba przemóc barierę idiotycznego wstydu przed sięgnięciem po pomoc nie dla ciała, ale dla psychiki. Myślę, że Kaśka ma chorobę dwubiegunową, tak mi to wygląda; wpada w stany euforii, a potem histerii, nie ma stanów pośrednich, jest naprawdę niestabilna. Ale na terapię nie pójdzie, żeby nie wiem co. To jest chyba taka prowincjonalna przyzwoitość, która każe trzymać demony pod kluczem, a swoje brudy prać w domu.

W sekretariacie pulchna pani w różowym sweterku z moheru założyła mi kartę, jestem teraz zarejestrowana w poradni zdrowia psychicznego, można powiedzieć, że mam żółte papiery. Pani w moherze robi ze mną wywiad: kto jest chory, od kiedy, pesel, ubezpieczenie. Jest rozkojarzona, mylą jej się rubryczki, widać, że obsługa komputera jest wciąż dla niej udręką. Poci się, trochę trwa, zanim mnie zarejestruje. Staram się nie denerwować, ale zerkam na zegarek; może bez sensu tracę tu czas. Pani w moherze sama ewidentnie potrzebuje wsparcia i to nie tylko psychicznego, ale nie mam siły na wzruszanie się jej losem. Wreszcie się udało, założyła kartę, dostałam kontrolkę, w którą mam wpisywać swoje wizyty, dokładnie taką samą, jaką miała mama, kiedy chodziła na chemię.

– To do kogo pani chce iść? Do pani czy do pana? – pyta moher.

– To obojętne. Do najlepszego.

– Ale psycholog czy psychiatra?

– No, nie wiem, w sumie wszystko jedno.

– Akurat zwolniła się godzina u psychiatry, może pani reflektuje, bo tak mi pani wygląda, że by się przydał – proponuje moher. Uśmiecha się, pokazując dziąsła.

Już wiem, że mnie rozpoznała z telewizji, ale udaje, że nie. Na bank śledzi *Zakręty losu*, tak właśnie wygląda mój widz.

– Jeśli jest dobry, to chętnie skorzystam.

Czekając na korytarzu, czytam porozwieszane na ścianach artykuły z gazet o tym, co powinno się jeść, kiedy ma się zdiagnozowany nowotwór, a czego nie. Już się wkręciłam w artykuł, kiedy głos psychiatry wyrywa mnie z lektury.

– Pani do mnie? Zapraszam. – Podchodzi zasuszony człowiek w średnim wieku o twarzy starca.

Wzdrygam się na jego widok, mam nadzieję, że tego nie zauważył, i idę za nim do gabinetu. Jak go zobaczyłam, zaczęłam wątpić, czy dobrze robię; może powinnam uciec. Gabinet w niczym nie przypomina gabinetu psychoterapeutki, do której chodziłam; nie ma tu dającego poczucie bezpieczeństwa fotela ani kozetki, nawet chusteczek nie ma. Jest za to paprotka, brzydki fotel biurowy z lat siedemdziesiątych, brzydki stolik na brzydkim dywanie, brzydkie biurko i siedzący za nim brzydki człowiek.

Siada za biurkiem przy komputerze i otwiera moją historię choroby; jaką historię, przecież ja tu nie mam żadnej historii? Jest tak chudy, że może się w każdej chwili rozsypać, chroni go przed tym tylko szary rozciągnięty sweter. Psychiatra cały czas wpatrzony w komputer niemal mnie nie dostrzega. No to nieźle trafiłam, myślę, on sam wygląda jak człowiek pilnie potrzebujący pomocy psychiatrycznej.

Patrząc w ekran, zadaje mi serię pytań, jedno po drugim, nie dając czasu na zastanowienie się nad odpowiedzią. Co się stało, kto jest chory, czy mam depresję, jakie biorę leki, czy już się leczyłam psychiatrycznie, dlaczego do niego przyszłam. Odpowiadam z zażenowaniem, bo to chyba nie tak powinno wyglądać. Powinniśmy najpierw się poznać, porozmawiać jakoś, on tu chyba, do kurwy nędzy, ma pomagać, a nie dręczyć. Zadaje te pytania, jakby mówił o pogodzie: beznamiętnie, bez energii, bez zaangażowania.

– Przepraszam, ale chyba możemy najpierw tak po prostu porozmawiać. Przecież przyszłam tutaj, bo mi ciężko...

– Proszę panią, ja wszystko rozumiem, ale ja mam procedury; najpierw wywiad.

– Aha.

– A od rozmowy, proszę panią, to są psycholodzy, a ja jestem psychiatrą i mogę pomóc lekami.

– Aha, no to może ja... – Już chcę sobie iść, przeprosić go, powiedzieć, że się pomyliłam, że w sumie to chciałam iść do psychologa, ale on kładzie przede mną kolejny kwestionariusz.

– Proszę to najpierw wypełnić.

Czytam listę pytań i możliwych odpowiedzi. Czy obecnie mam pociąg seksualny: a) taki sam jak wcześniej, b) zmniejszony, c) nie odczuwam go wcale. Czy jestem: a) smutna, b) wesoła, c) nie odczuwam nic. Czy mam: a) jednego przyjaciela, b) wielu przyjaciół, c) nie mam ich wcale... Przecież to jakiś absurd. No, ale dobra, co mi tam, wypełnię. Kiedy kończę, psychiatra chwyta kartkę i szybko liczy moje punkty. Widzę, że jest zadowolony z wyniku.

– To taki żart? – Jeszcze mam nadzieję, że mnie wkręca, że to taki pomysł na rozluźnienie pacjenta. Uśmiecham się do niego.

– Jaki żart? – pyta poważnie. – Tu wszystko widać jak na dłoni. Pani ma depresję.

Patrzę na niego jak na wariata. Ja depresję? Pojebało go? Umiera mi matka i ojciec, a on mnie pyta o życie seksualne i na podstawie tego, że w moim życiu nic się nie dzieje, że jestem smutna, stwierdza, że mam depresję. Kurwa, każdy by miał!

– Przepiszemy leki i będzie pani luźna jak guma w majtkach – mówi wesolutko.

– Ale jakie leki? Ja nie chcę żadnych leków. A jak się od nich uzależnię? – pytam, wiedząc już, że nie wezmę niczego, co mi ten świr przepisze. Depresję mi zdiagnozował, no nie mogę. Ciekawe; jak by się przeszedł po oddziale chorych na raka, to tam by miał stuprocentową depresję u wszystkich. Skąd oni biorą takich patałachów? Już rozumiem, dlaczego tu nikt nie przychodzi; w czym może pomóc taki gość, który cię jeszcze dobije, twierdząc, że ty też jesteś chora. Podaje mi receptę. Biorę, bo co mam zrobić.

– Wolałabym nie brać żadnych leków, wie pan, moja praca…

– Afobam i citalopram. Afobam dwa razy dziennie, citalopram tylko na noc. Proszę panią, sam to biorę, bo wie pani, wyrzucili mnie tak niesprawiedliwie z poprzedniej pracy, byłem szefem ośrodka w centrum, no i się mnie pozbyli. A w tym czasie mamusia mi chorowała. – Wzrusza się, prawie płacze. Podaje mi recepty. – Nie zacznie działać od razu, po dwóch tygodniach organizm się nasyci – mówi, wydmuchując nos w chustkę z materiału.

– Rozumiem. Bardzo panu współczuję – pocieszam go, zauważając absurd tej sytuacji.

– Ale wie pani, to taka niesprawiedliwość... – Rozkleja się.

– Spokojnie, takie rzeczy się zdarzają, niech się pan nie przejmuje. Tutaj też jest pan potrzebny – kłamię.

– Naprawdę pani tak myśli? – rozpromienia się. Boże, jak łatwo jest kłamać.

– Naprawdę – zapewniam i uśmiecham się wyuczonym w serialu uśmiechem.

– Dam pani wizytówkę, gdzieś tu kiedyś miałem. – Nerwowo szuka w biurku wizytówki, przetrząsa szufladę; patrzę na jego poobgryzane do krwi paznokcie. Wreszcie znajduje jedną, trochę już wymiętą, i mi podaje, wcześniej wpisując z tyłu numer telefonu. – Jakby pani chciała, to mogę też prywatnie.

– Tak, dziękuję bardzo. Zadzwonię – odpowiadam i czym prędzej wychodzę. – Boże, co za typ – mruczę, idąc korytarzem.

Jeszcze za mną wyłazi i woła:

– Do zobaczenia. I życzę szczęścia z mamą!

Uśmiecham się sztucznie; ciekawe, czy on uważa, że mi pomógł, czy jest z siebie zadowolony. Gdybym była bardziej asertywna, powiedziałabym mu, że jest pieprzonym amatorem, że nie umie słuchać, że nie powiedziałam o sobie nic, że wychodząc od niego, jestem bardziej nieszczęśliwa, niż gdy wchodziłam, a on przecież miał mi pomóc. Ale nic nie mówię. Dogania mnie moja siostra, patrzy, jak wyrzucam receptę do kosza.

– Co ty, recepty wyrzucasz?

– Nie będę brała psychotropów.

– A ja może i będę – mówi i wyjmuje receptę z kosza na śmieci. Biegnie za mną.

Mam déjà vu – biegnie za mną taka mała, gruba młodsza siostrzyczka, zawsze za mną biegła.

– Marta, zaczekaj na mnie, ja nie umiem tak szybko biegać! Jak na mnie nie zaczekasz, to będziesz u mamy. Powiem jej, że się całowałaś!

Teraz Kasia nic nie mówi, tylko wpatruje się w receptę.

– Powiedział ci, jak to brać?

Kasia

Patrzę na ojca, jaki jest dzielny, jak sobie nie odpuszcza. Kończy duży projekt i teraz już drugą godzinę siedzi u niego Michał, jego asystent, i wprowadza projekty do komputera. Michał kończy architekturę i dorabia, pomagając ojcu, a poza tym uczy się od doświadczonego architekta. Co jakiś czas do nich wchodzę, boję się zostawiać ojca samego na tych lekach. Lekarz ostrzegał nas, że ataki padaczki mogą się zdarzać przez całą dobę, ale trzeba się starać normalnie żyć.

Ojciec dostał całą baterię bardzo silnych leków przeciwpadaczkowych. Z tymi lekami absolutnie nie wolno łączyć alkoholu, więc muszę pilnować, żeby nie pił, a to nie jest łatwe, bo jest psotny i mi ucieka. Okazało się, że to złamanie kręgosłupa, które miał trzy miesiące temu, spowodował najprawdopodobniej rosnący guz mózgu. Oczywiście źle ojca zdiagnozowano, ale lekarz lekarza zawsze będzie krył, nie przyznają się do błędu, ścierwa. I wtedy z Martą w szpitalu, jak zemdlał, też pewnie miał atak, w ogóle powiedział nam ten lekarz, że ataki mogą być różne: silne, ale też takie, które powodują tylko lekkie drżenie dłoni, opadanie kącika ust, ale zawsze wtedy ojciec na chwilę traci kontakt z rzeczywistością i samego momentu ataku nie pamięta. Odpływa na chwilę i potem wraca. Boję się o niego i jak kwoka donoszę mu kanapeczki, herbatki, ciasteczka, żeby sprawdzić, czy wszystko w porządku. Może przesadzam, ale jakby coś się stało, tobym sobie nie darowała. Więc siedzę z tyłu, przy barku, i pilnuję.

– Dobrze, panie Tadeuszu, to ja rozrysuję to do jutra – mówi asystent.

Pracuje już z ojcem parę lat, ale wciąż są na pan.

– Ale do jutra rana, panie Michale, bo później idę do szpitala, a potem wie pan, nie wiadomo, co będzie – mówi ojciec.

– Co, jakieś badania?

– Nie, operacja – odpowiada ojciec rzeczowo. – Mam guza na mózgu, panie Michale, pięć na pięć centymetrów, trzeba wyciąć. Co poradzić.

Asystent jest w szoku. Nie wie, biedny, co powiedzieć, czy współczuć, czy pocieszyć, jak się zachować w takiej sytuacji.

– Panie Tadeuszu, to jak ja mam teraz zrobić z tym stropem? – pyta, żeby przykryć zmieszanie.

– No mówiłem, tu złamać, a tu podnieść, widzi pan? No zobacz pan. To podobno ja jestem chory na mózg – mówi ojciec trzeźwo.

Płakać mi się chce; tak się trzyma dzielnie, jest taki silny. Modlę się codziennie, dałam dwie stówy Tadeuszowi Judzie w kościele Zbawiciela, żeby tata wyzdrowiał, ale czy to pomoże? Zaczęłam brać leki Marty, te które przepisał jej psychiatra. Mają zacząć działać za jakiś czas, niech zaczną, bo zwariuję.

Pakuję ojca, tak jak mamę, do szpitala. Mam już w tym wprawę. Prasuję piżamę, kupiłam mu dziś nową na bazarku, granatową, elegancką, taką jak lubi. Kupiłam mu też nowe kapcie, majtki, skarpety, bo wszystkie ma dziurawe. W ich pokoju posiedziałam sobie trochę przy toaletce mamy. Wszystko jest tak, jak zostawiła, idąc na chwilę do szpitala – rozsypane kredki do oczu, otwarty róż, niedomknięta szminka, końcówka perfum, zużyte waciki. Czuć tu jeszcze jej obecność, jej zapach. Postanowiłam zanieść mamie do szpitala jej perfumy. To taki ciężki, piżmowy zapach, aż mnie dusi, ale jej tylko takie się podobały. Nie dotykam jej bałaganu na toaletce, niech będzie tak, jak zostawiła. Mama zawsze długo siedziała przy toaletce, jak się malowała, a ja często siadałam obok w fotelu, i tak sobie gadałyśmy.

Przyjeżdża Marta, razem mamy odwieźć ojca do szpitala. Boję się jechać z nim sama, jeszcze mi zemdleje w samochodzie. A z Martą bezpieczniej. No i ona ma lepszy samochód. Kiedy wysiadamy z nim na parkingu przed szpitalem, parkingu, który znamy już tak dobrze, myślę, że teraz będziemy mieć w jednym miejscu mamę i tatę, że znowu będą pod jednym dachem. Ojciec wychodzi z samochodu i nam ucieka, bawi się, droczy z nami, nie odczuwa grozy sytuacji.

Neurochirurg powiedział, że trzeba go operować jak najszybciej, żeby zminimalizować dalsze uszkodzenia mózgu, żeby zmniejszyć ciśnienie śródczaszkowe. Bez kolejki wpisał go na operację. Ma ją mieć dziś wieczorem. Wcześniej jeszcze trzeba go położyć na oddział, zrobić badania. A ojciec jedzie jak na obóz harcerski, cieszy się, że przygoda. Ja jestem cała przerażona, ale staram się przy nim nie płakać. Po rejestracji idziemy do magazynu ubrań. Trzeba go przebrać w piżamę i zostawić ubrania w magazynie.

– Co macie takie grobowe miny – mówi ojciec, wkładając górę od piżamy. – Brzydkie jakieś jesteście.

Rzeczywiście mamy z Martą miny nietęgie. A ten – wesolutki.

– Wkładaj spodnie od piżamy, tato, nie pójdziesz chyba z gołym tyłkiem – mówi Marta.

– Jak będę chciał, to pójdę.

– Ale mam nadzieję, że nie będziesz chciał – mówię.

Chowam jego ubrania do wielkiego worka, których dziesiątki, setki wiszą na wieszakach. Zapytałam, co robią z ubraniami, których nikt nie odbiera. Oddają do depozytu, a potem dają je bezdomnym, którzy nie mają w czym wyjść.

– Może będę chciał. – Ojca trzymają się żarty.

Marta na siłę wkłada mu spodnie od piżamy, które ojciec podciąga sobie wysoko na brzuch.

Widzę, że już się gorzej porusza, schylanie się, zginanie nóg sprawia mu kłopot, ale nic nie mówi, żeby nas nie martwić.

– Elegancko – chwalę, kiedy wreszcie stoi w piżamie.

Chowam rzeczy razem z butami do wielkiego szarego worka, wkładam ojcu kapcie. Pani wydaje kwit i zabiera worek. Człowiek równa się worek. A potem nie ma człowieka, a worek zostaje. Wychodzimy, ojciec cmoka panią z magazynu w rękę, jest niezwykle uprzejmy, zawsze był w stosunku do kobiet szarmancki, całował w rękę nawet wszystkie moje koleżanki.

– Do widzenia pani – mówi.

– Do widzenia. – Pani rozpoznała Martę i uśmiecha się wybrakowanym uśmiechem bez górnych trójek i czwórek.

Idziemy z ojcem labiryntem szpitalnych korytarzy. Mijamy prosektorium; co za debil umieścił prosektorium obok magazynu ubrań? W prawo czy w lewo, nie ma żadnych oznaczeń, szpitalna piwnica wieje grozą. Tu naprawdę można się pogubić, kilka razy źle skręcamy.

Wjeżdżamy windą i idziemy korytarzem oddziału neurochirurgii, ruch jak na Marszałkowskiej. Wiele rytmów. Pielęgniarki chodzą, jakby miały w tyłkach małe motorki, salowe kroczą jak prezydenci, one się nie spieszą, pacjenci suną po korytarzu jak żółwie, ciągnąc stojaki z kroplówkami. W salach tylko leżący, większość z zabandażowanymi głowami, czasami przy łóżkach są rodziny. Jednego chorego widzę przypiętego pasami, w końcu to neurochirurgia. Ojciec jest zadowolony, jakby jechał na wakacje.

– A gdzie leży mama? – pyta.

– Na innym piętrze, mama leży na OIOM-ie – tłumaczę.

– To ja też chcę.

– Na OIOM nie przyjmują – mówi Marta.

– To powiedzcie im, żeby zrobili łóżko małżeńskie, będziemy sobie razem leżeli. Tego jeszcze nikt nie wymyślił, co? Ja pierwszy.

Tego rzeczywiście jeszcze nikt nie wymyślił, bo takie rzeczy się nie zdarzają. To nie jest prawdopodobne, żeby naraz śmiertelnie zachorowało małżeństwo, a jednak tak właśnie się dzieje.

Podchodzimy do siedzącej za kontuarem starszej pielęgniarki z dużym biustem. Traktuje nas jak powietrze, każe czekać, aż skończy coś robić na komputerze. Ciekawe czy to przypadkiem nie pasjans jest. Wreszcie podnosi łaskawie wzrok.

– Skierowanie proszę.

– Dzień dobry, Tadeusz Makowski. – Ojciec wyciąga rękę i chce ją pocałować na przywitanie.

Pielęgniarka niechętnie podaje mu dłoń, my podajemy jej skierowanie na oddział i dokumentację choroby taty ładnie spakowane w teczkę. Ojciec w tym czasie chce wejść do niej za kontuar, zaciekawiły go szafki z lekami stojące w głębi.

– Proszę tu nie wchodzić. – Pielęgniarka zatrzymuje ojca.

Ojciec się nie zraża. Uśmiecham się do pielęgniarki, teraz jej przychylność jest superważna, to ona będzie panią dni i nocy ojca, to od niej będzie zależało, czy da mu coś przeciwbólowego, czy też nie da. Tata chodzi w kółko, otwiera drzwi obok recepcji, zagląda tu, tam. Pielęgniarka przegląda jego dokumenty, nie zwraca uwagi na dziwne zachowanie ojca, dla niej nic nie jest dziwne. Wszystko mamy skserowane, zeskanowane, żeby był komplet dla różnych lekarzy.

– To proszę jeszcze wypełnić. – Pielęgniarka daje nam ankietę. – A pana zapraszam na dwójeczkę. Proszę za mną.

Bezceremonialnie bierze ojca pod rękę i prowadzi do sali, ale on po drodze zagląda do różnych pomieszczeń.

– Kibel – mówi nam, otwierając jakieś drzwi.

Leży w sali z dwoma pacjentami, jeden ma obandażowaną głowę i wygląd alkoholika, czyta sobie gazetę i ojciec od razu się z nim zakolegowuje. Drugi jest chyba nieprzytomny albo śpi, jest podpięty pod aparaturę, ma zabandażowaną wielką głowę, wygląda jak Frankenstein. Ojciec się martwi, że nie wziął jaśka, patrzy, że za miękka dla niego poduszka, a on lubi spać wysoko. Przyglądamy się z Martą, jak się zadomawia.

– Zobacz – mówię siostrze, kiedy ojciec nie słyszy – wygląda, że mu ulżyło, że on też ma coś na mózgu. Naprawdę. I że też, tak jak mama, będzie miał operację.

– Co ty pieprzysz. – Marta patrzy na mnie jak na idiotkę. – Jest wesoły, bo ma w płacie czołowym guz, który zablokował mu głębokie emocje. Nie twórz jakichś głupich teorii.

Zawsze musi mnie udupić, zawsze jest mądrzejsza.

Zostawiamy ojca i idziemy do lekarza, żeby czegoś więcej się dowiedzieć. Musimy poczekać, aż skończy operować. Marta w tym czasie leci do sklepu po koniak. Trzeba, teraz wszyscy dają, wiadomo, że bez tego w szpitalach ani rusz. To jest polska służba zdrowia.

Przychodzi neurochirurg, ten sam, który operował mamę, spocony, zmęczony, w czepku na głowie i zielonym ubraniu. Zastanawiam się, czy na pewno jest najlepszy, może powinniśmy poprosić profesora.

– Panie doktorze, przywieźliśmy tatę, Tadeusza Makowskiego.

– A, tak, dobrze, zapraszam, przepraszam, tylko się przebiorę.

Przez chwilę czekam sama w jego gabinecie, wysyłam Marcie esemesa, żeby od razu weszła, wolę, jak ona rozmawia. Wraca przebrany, odświeżony, czuć dobre perfumy.

– Zrobimy badania, zobaczę wyniki i zaraz operujemy – mówi. – Mam dzisiaj świetną asystę. Przyjechał ze Stanów doktor Kalinowski, będziemy operować razem.

– To dobrze. Chciałabym poprosić, żeby pan tatę tak jakoś specjalnie potraktował. Może u niego to się rozwinęło ze stresu, że z mamą to wszystko? – pytam. Próbuję zobaczyć w lekarzu człowieka, chcę, żeby potraktował nasz przypadek jakoś inaczej, lepiej, żeby zrozumiał, że nasze cierpienie jest większe. Patrzy na mnie wzrokiem niewyrażającym zupełnie nic.

– To fatalny zbieg okoliczności – mówi. – Dla nas rodzice pań to odrębne jednostki chorobowe. Choroba żony nie ma nic do choroby męża, guz u pana Tadeusza musiał się rozwijać jakiś czas. Przecież to złamanie kręgosłupa już wskazywało, że coś jest na rzeczy...

– Ale tamci lekarze to zbagatelizowali...

– Może guz jeszcze nie był widoczny – broni kolegów.

Wchodzi Marta z koniakiem, który stawia dyskretnie na podłodze.

– Przepraszam – mówi i głupio się do niego uśmiecha.

– To co jeszcze możemy zrobić? – pytam.

– Jeżeli chcą panie pomóc, można oddać krew.

– Ale jak?

– Proszę iść do stacji krwiodawstwa i powiedzieć, że to dla naszego szpitala, że mają panie tu rodzinę.

– Dobrze. A proszę powiedzieć, co dalej z tatą, co po operacji? – pytam jeszcze.

– Wszystko zależy od wyniku histopatologii. Przykro mi, ale teraz nie mogę nic więcej powiedzieć.

Zapada niezręczna cisza. Nie chce dłużej z nami rozmawiać.

– To dziękujemy, do widzenia – mówimy.

Marta zostawia koniak na podłodze i wychodzimy. Lekarz wybiega za nami.

– Coś pani zostawiła.

– Ja? Nie. – Marta udaje głupią.

– Proszę to zabrać, naprawdę nie trzeba. Dziękuję.

Nie chce wziąć koniaku, nienormalny czy co. Marta bierze butelkę z powrotem.

– No i właśnie tak daję prezenty – mówi zawstydzona.

– Rozumiem, bardzo oryginalne, ale nie potrzeba – odpowiada lekarz.

– A może jednak? – Marta próbuje jeszcze raz, krygując się jak nastolatka.

– Jesteś nienormalna. Wszyscy dają koniaki, a ty jedna nie potrafisz – mówię.

Wjeżdżamy na piętro OIOM-u, personel już nas zna, wita jak dobrych znajomych. Od kiedy wiedzą, że tata też jest chory i że będzie operowany, patrzą jakoś przychylniej, jakby skala nieszczęść, jakie na nas spadły, stawiała nas wyżej w kategorii rodzin pacjentów. Tak mi się wydaje. Sale operacyjne są przy OIOM-ie, więc przez chwilę tata będzie obok mamy, przez ścianę.

U mamy bez większych zmian, leży w izolatce podpięta pod urządzenia podtrzymujące funkcje życiowe, oddychające za nią, pompujące krew, pod plątaniną rurek i wenflonów podających pokarm, płyny i leki. Ma otwarte szeroko oczy. Nie połyka, więc wszystko musi być podawane inaczej niż przez przełyk. Ale wygląda ładnie, czujne oczy wychwytują nas od razu na korytarzu. Cieszy się na nasz widok. Boże, ona tak sama leży cały czas, przecież to musi być straszne, jak w więzieniu.

Obsypuję ją pocałunkami. Moja kochana, leży taka bezbronna, biedna. Siadamy z Martą po dwóch stronach łóżka.

122

I jak zwykle po dziesięciu minutach już nie wiemy, co mamy mówić, co robić. To nas przerasta. Marta zaczyna obcinać mamie paznokcie u rąk. Ja wyjmuję z torby „Tele Tydzień" i zaczynam jej czytać.

– „Marta Mułek ma romans z żonatym mężczyzną. Nasi reporterzy wyśledzili ich czułe gesty w modnym warszawskim klubie…".

– Kaśka, daj spokój, mama nigdy nie czytała takich rzeczy – przerywa mi Marta.

– Oczywiście, że czytała.

– Nie czytała.

Przecież wiem lepiej, co tydzień na spółkę kupowałyśmy „Tele Tydzień", „Show", „Vivę", „Galę" i mama wszystko to czytała, wymieniałyśmy się tylko. Marcie się nie chwaliła, bo i po co. Marta Mułek często jest bohaterką skandali, to aktorka *Mody na kuchnię*, która rozbiła małżeństwo aktora, miała z nim dziecko, a teraz znowu jego zostawiła dla innego. Mama jej nigdy nie lubiła.

– O, kurczę. Przycięłam mamie palec. – Marta syknęła.

Nie mogę patrzeć na krew, robi mi się niedobrze. Ale mama nie reaguje, pewnie ją boli, ale nie może okazać bólu, bo nie może niczym ruszyć. A może nic nie czuje?

– Coś ty zrobiła? Zwariowałaś? Idę po pielęgniarkę.

– Po co pielęgniarka. – Marta przyciska mamie do palca gazik, tamując krwawienie. – Przepraszam cię, mamo.

Boże, jaka ona, ta Marta, jest zimna. Nic jej nie rusza.

Nocie

Odwożę siostrę do domu. Zostawiłyśmy ojca w szpitalu, teraz mamy tutaj oboje rodziców. Jak na ironię, bo ojciec chciał do mamy, no i jest obok niej. Kaśka jak zwykle się rozkleja. Czytała mamie „Tele Tydzień", idiotka. Co mamę mogą obchodzić jakieś plotki z życia gwiazd? Trzeba jej opowiadać, co się u nas dzieje, bo jeśli nas słyszy, to to ją najbardziej interesuje. Ale mojej siostry i jej prymitywnego gustu nie zmienię.

Jak obcinałam mamie paznokcie, przez nieuwagę obcięłam jej połowę opuszka wskazującego palca. Krew się lała, ale mama nawet nie mrugnęła, nie zareagowała, chyba ją nie zabolało. Inaczej obcina się paznokcie, kiedy ręce są sparaliżowane; wtedy nie ma oporu, skóra i paznokieć zlewają się w jedno. Kaśka zrobiła z tego aferę na cały oddział.

Po drodze oczywiście się pokłóciłyśmy. Ona ciągle uderza w te sentymentalne tony, których nie cierpię.

– Rodzice są jak Romeo i Julia, no nie? Teraz tata idzie za mamą – rozczula się.

– Można to tak ująć. Ale można też i tak, że za chwilę stracimy i ojca, i matkę – mówię.

– Jezus Maria, co ja teraz bez rodziców zrobię? – Kasia patrzy na mnie przerażonym wzrokiem, makijaż ma rozmazany po płaczu. Całe życie mieszkała przy rodzicach, nie miała szansy dorosnąć.

– Właśnie, co ty teraz zrobisz? – pytam ironicznie.

– Ale ty jesteś zimna suka, Jezus Maria – pluje jadem. – Jak ty możesz być taka bez uczuć, krowo jedna? – Patrzy na mnie z nienawiścią. Wie, gdzie wbić szpilę, żeby mnie zabolało. Ma radar wykrywający czułe miejsca.

– Oj, wiecznie się nad sobą użalasz, po prostu weź się w garść – próbuję normalnie z nią rozmawiać, ale ona już się kłóci; czyje na wierzchu, kto wygra, jak na bazarze.

– Ja nie jestem taka jak ty – płacze. – Wszystko zawsze w garści. Nie jestem taka jak ty. Ja jestem inna. Może dlatego nie wychodzi ci z facetami, bo oni tego nie lubią. Zawsze wszystko w garści.

– Ty masz za to wzorowego męża – kontruję.

– A ty nie masz żadnego.

Przez resztę drogi nie odzywamy się do siebie. Nienawidzę jej, ona jak nikt inny potrafi mnie zranić, potrafi sprawić, że czuję się jak gówno.

Kasia

Nienawidzę jej, zawsze mnie wyszydzi, wyśmieje. Powiedziałam, że to niesamowite, że rodzice razem zachorowali, że tata idzie za mamą jak Romeo za Julią, a ta na mnie z mordą, że jestem głupia. A ja naprawdę myślę, że tata tak bardzo martwił się o mamę, a nie potrafił tego okazać, nie umiał dać sobie rady ze swoim cierpieniem i tęsknotą, że ten guz, który pewnie gdzieś tam był, urósł szybko do niebotycznych rozmiarów. Tak mi się wydaje, ale może ja jestem głupia, a ona jedna mądra. Pierdolony ideał.

Nigdy nie umiałyśmy rozmawiać, jesteśmy jakby z innych planet, z innych materii, zawsze jak ogień i woda. Ja nie wiem, jak można być taką zimną suką, kiedy cały świat ci się wali; czy ona jest w ogóle człowiekiem, czy jakimś robotem? Ile razy próbuję się przed nią otworzyć, zawsze mnie oceni, podsumuje, skrytykuje, nigdy po prostu nie posłucha. Nigdy. Ja wcale nie chcę tych jej rad, mądrości, ja chciałabym mieć siostrę, z którą mogłabym dzielić radości i smutki, problemy. Nie dziwne, że nie ma przyjaciół, każda przyjaciółka ją rozczarowała, ale jak ona szuka ideału, to wiadomo że nic z tego nie wyjdzie. Niechby zeszła z tego piedestału, przestała grać tę doskonałą i perfekcyjną silną Martę, niechby pozwoliła sobie na przytulenie i po prostu nic nie mówiła, tylko była. Przecież jej też by wtedy ulżyło.

Noctie

Teraz to dopiero się boję; myśl, że będzie miał operację mózgu – biorąc pod uwagę to, co się stało z mamą – jest tak przerażająca, że ją odsuwam i staram się zająć czym innym. Z ojcem wiąże mnie chyba silniejsza, bardziej atawistyczna więź niż z mamą. Boli mnie cały człowiek. Boję się brać psychotropy, jadę na neopersenie.

Boże, żeby tylko nie było komplikacji pooperacyjnych, żeby nic się złego nie stało, żeby wszystko się dobrze skończyło. Żeby oni razem pożyli jeszcze trochę, choć parę lat. Ojciec jest świadomy swojej choroby i znosi ją nadspodziewanie dobrze. Lekarze, widząc guz na zdjęciu, pytają, czy pacjent jest chodzący. A on nie tylko chodzi, ale jeszcze dzień przed operacją przyjął trzech klientów, jest logiczny, choć zbyt gadatliwy, no i na pewno nie boi się tak jak my.

Tak sobie dzisiaj myślę, że Ty, kimkolwiek jesteś, spełniasz moje prośby na swój sposób. Tak jak chcesz. Bałam się o ojca, martwiłam się, jak sobie poradzi bez mamy, to Ty go ciach, nowotwór mózgu. Nie mam nic do powiedzenia, stoję i patrzę jak w kinie, co się wyprawia w tym moim życiu. Co ja mogę? Nie mam wpływu na nic. Kupiłam jakieś chińskie tabletki na raka, które daję ojcu, podobno skuteczne, ale któż to wie, na pewno bardzo drogie, stówa za porcję na trzy dni; lekarzom nie mówię, boby mnie wyśmiali. Później będę jeździć z ojcem na chemię i radioterapię, to może zarzucimy te wynalazki. Rokowania są złe, bardzo złe. Przeczytałam, że przeżywalność z glejakiem, jeśli to się okaże glejak, co podejrzewają, czyli najgorsza odmiana guza, bo nie da się go w całości usunąć, to około pół roku. Bardzo mało. Mam jeszcze odrobinę nadziei, że może to będzie jakaś łagodna odmiana, niezłośliwa, że ojciec się wykaraska, ale czuję, że scenariusz jest raczej czarny, że tu nie będzie happy endu. I nie mogę sobie z tym poradzić. Ojciec jest dla mnie najważniejszym człowiekiem na świecie, jedynym punktem odniesienia, bez niego stracę pion. Choć mnie czasem wkurza i osłabia, jest moją skarbnicą, moją energią. Jestem inna niż on, ale jednak w pewnych aspektach taka sama. Tata, mój tata, taki mądry, cierpliwy, spokojny, nieustępliwy. Albo raczej słaby i mądrzący się karzeł. Ojciec. Mój ojciec. Krew z krwi. Co ze mną będzie, jak go nie będzie? Na razie nie jestem w stanie sobie tego wyobrazić.

Nie mogłam zasnąć. Włączyłam sobie jakiś pornos, ale w połowie zasnęłam. Obudziłam się o wpół do szóstej rano pod kocem; pewnie Zuzia mnie przykryła. Każdy dzień zaczynam od telefonu do szpitala, bo tam o ósmej jest już po obchodzie. W nocy nie dzwoniłam, operacja pewnie skończyła się po północy.

Okazało się, że ojciec nieźle narozrabiał po operacji. Stał się sławny na cały szpital. Udało mu się uciec z oddziału neurochirurgii, z sali pooperacyjnej, i znaleźli go kilka pięter niżej, na ginekologii. Sama operacja przebiegła bez komplikacji, ojciec się wybudził, był z nim kontakt, ale później zaczął się awanturować. Koniecznie chciał wyjść do toalety, pielęgniarka nie pozwoliła, więc ją zwyzywał, pobił i próbował wyrwać sobie cewnik. Pielęgniarka postraszyła, że go przypnie pasami, to się na chwilę uspokoił, ale później po prostu zwiał.

– Jeszcze mi się to nie zdarzyło, jak tu dwadzieścia dwa lata pracuję – mówiła pielęgniarka. – I zabrał z kontuaru moją komórkę, wyobraża sobie pani, taki cwaniak.

– No ale jak to możliwe, przecież miał cewnik, kroplówkę? – pytam.

– Nie wiem. Nie przypięłam, bo dostał potężną dawkę środków nasennych, powinien po nich spać jak suseł. No mówię pani, myślałam, że zawału dostanę; wchodzę, a jego nie ma, zniknął, puste łóżko.

– I kto go znalazł? – dopytuję.

– Salowa. Siedział w ciemnym korytarzu i mówił do siebie. Domyśliła się, że to nasz pacjent i go przywiozła. Mam nadzieję, że nie dostanie zapalenia płuc, pół nocy chodził bosy, tylko w koszuli pooperacyjnej, z gołym tyłkiem.

– Przepraszam.

– Niech pani nie przeprasza, przynajmniej mieliśmy wesoło.

Zastanawiam się, czy po tej operacji nie zwariował na dobre.

Szybko jak w wojsku biorę prysznic, ubieram się w byle co. Zuzi nie ma w domu, pewnie już wyszła na uczelnię. Ale zostawiła mi kaszę jaglaną z owocami; ona teraz ma jazdę na zdrowe jedzenie.

Zajechałam po Kaśkę. Po wczorajszej kłótni było mi nie po drodze, ale cóż, siostry się nie wybiera. Musimy razem jakoś przez to wszystko przejść. Opowiedziałam jej o nocnych wyczynach ojca, po których jest słynny na cały szpital. Kiedy po raz setny wjechałyśmy na szpitalny parking, zaczęłyśmy się zastanawiać, która do kogo pójdzie.

– Ja do mamy, ty do taty? Idź do niego; ukochana córeczka tatusia – decyduje Kaśka.

– Spieprzaj, zazdrośnico.

Kasia zawsze była zazdrosna: o mnie, o miłość ojca, o to, że mi czasem wychodziło, a jej nie, o kolegów, zabawki, ciuchy, kosmetyki, o wszystko. Od dziecka. Była zazdrosna o sprawy, o których ja zupełnie nie myślałam, jak kolejność kąpieli (kąpałyśmy się jedna po drugiej w tej samej wodzie), to, jak babcia nas czesała – którą najpierw, o moje długopisy – zawsze chciała takie same. Mama starała się nas godzić, kupować wszystkiego po dwie sztuki, ale Kaśka w swojej rzeczy wynajdywała jakiś feler i chciała tę moją. Taki typ.

Teraz idziemy przejęte korytarzami, które znam już na pamięć, mogłabym chodzić po tym szpitalu z zamkniętymi oczami. Zawsze mnie rusza, kiedy przechodzę przez oddział paliatywny, czyli leczenia bólu; nie da się inaczej wejść na OIOM. Oddział jest niewielki, biedniejszy niż inne, leżą na nim ci, dla których już nie ma nadziei, którym medycyna może zaproponować tylko uśmierzanie bólu. Siedzą tam na korytarzu i w nędznych salach wychudzeni i bladzi pacjenci z kroplówkami. A jak mama albo tata będą musieli tu trafić? Prawie nie ma personelu, oddział jest niedofinansowany, jakby był bękartem medycyny, jakby nie było dla niego miejsca, więc go umieścili w przejściu między innymi oddziałami. Śmierdzi chemią i lizolem. Nikt się nie odzywa, panuje kompletna cisza.

Ból to osobny temat. Jak człowiek sparaliżowany może powiedzieć, czy go coś boli, po czym to poznać. Lekarze, pielęgniarki zgadują, mówią, że przy potężnym bólu wzrasta tętno, ale to przecież niewystarczająca informacja. Skąd mamy wiedzieć, że ci ludzie, z którymi nie mamy kontaktu, nie cierpią potwornie całymi latami? Kiedy nie mówią, nie dają znaków, pozostaje tylko przypuszczanie, że teraz ich boli bardziej, a teraz mniej. Dlaczego w XXI wieku nie monitorujemy bólu za pomocą rezonansu magnetycznego? Podobno pozwala zobaczyć, czy człowieka boli i gdzie. Słyszałam, że na Zachodzie rezonans to podstawowe badanie, a u nas to luksus. Kolejna paranoja polskiej służby zdrowia. Tyle już wiemy, a mentalność się nie zmieniła. Tu nic nie działa dobrze, tu nikomu na niczym nie zależy. Dlaczego prawie nikt z personelu nie pomyśli, że tym uciążliwym chorym, tą jego przeganianą rodziną mogą być kiedyś oni sami, że choroby przytrafiają się wszystkim? Czy tak trudno sobie wyobrazić siebie leżącego w bólu i niemogącego nic powiedzieć?

Kiedy wchodzę do ojca, pielęgniarka zmienia mu opatrunek na głowie. Patrzę przerażona na krwawy szew. Ojciec zauważa mnie i od razu się rozpromienia. Uśmiecham się.

– Cześć łobuzie. Jak się mamy?

– Patrz, przyczepiła się do mnie. – Pokazuje na pielęgniarkę z wielkim tyłkiem, która właśnie odkaża mu ranę.

– O, i pięknie. Oj, mamy tu wesoło z pani tatą, żartowniś z niego, co? I leczki jeszcze, proszę – mówi pielęgniarka, sprawnie opatrując ojca.

Siadam obok niego. Jest opuchnięty, jakby chorował na świnkę, ma siniaki pod oczami.

– To normalne, że tata tak spuchł? – pytam pielęgniarkę, która już zajmuje się sąsiadem ojca.

– Normalne, normalne, w końcu to była operacja mózgu. Najważniejsze, że rana dobrze się goi, wyjęłam właśnie dren. – Pokazuje mi nerkę z zakrwawioną rurką i torebką z krwią. Pielęgniarki mają jakąś dziwną przyjemność z epatowania krwią, ja wcale nie chcę tego oglądać.

Całuję ojca, który myszkuje w mojej torbie, szukając słodyczy.

– No i co tam, łobuzie? – powtarzam pytanie.

– Masz marulka?

– Jeszcze nie można, panie Tadeuszu. – Pielęgniarka kręci głową. – Ścisła dieta.

– Tato, musimy się pani słuchać. A ty podobno uciekłeś w nocy i wałęsałeś się po szpitalu; panie cię szukały. Pamiętasz?

– Co ty pieprzysz? – Ojciec patrzy na mnie nieprzytom-
nie. – Ela, weź mnie do domu.

Pomylił mnie z mamą, konstatuję z przerażeniem. Pielęgniarka kończy opatrunek i wyprowadza swój wózek, nie
zaszczycając mnie już spojrzeniem. Obok ojca leży dwóch
zabandażowanych i nieprzytomnych sąsiadów.

– Tato, ja jestem Marta, a nie Ela. Jestem twoją córką,
nie pamiętasz mnie?

Patrzy na mnie zdziwiony. Pokazuję mu w telefonie filmik
z mamą, który nagrałam, kiedy się obudziła.

– Zobacz, to jest Ela. Ja jestem Marta.

– Ja jestem Marta – powtarza po mnie jak echo.

– Ty jesteś Tadeusz.

– Ty jesteś Tadeusz – powtarza.

– Ja jestem Tadeusz – mówię.

– Ja jestem Tadeusz.

Boże, co oni mu zrobili? Daję mu do ręki mój telefon
i nakładam na nos okulary; ojciec nie chce oglądać mamy.

– Co ty mi jakieś łyse pokazujesz. Ela jest piękna – mówi.

Poprawiam rozkopaną pościel, obciągam podwiniętą
piżamę. Tata zrobił się jak dziecko, nie wie, gdzie jest, co
się dzieje, ale się cieszy.

– Tato, pamiętasz, że miałeś operację? – sprawdzam.

– Operację? – Dotyka głowy. – Pewnie, że pamiętam,
głupia jesteś. Masz ptasie mleczko?

– Mam, ale pani zabroniła na razie.

– Co mi może zabronić? Jak zechcę, to zjem. Dawaj.

Wychodzę na korytarz, szukam kogoś, kogo mogłabym
zapytać, czy już można ojcu dawać słodycze. Miła ładna pielęgniarka w bordowym dopasowanym mundurku sprawdza
to w komputerze.

– W sumie już można, niech pani mu da – mówi łaskawie.

Wracam do ojca, widzę, że ściąga sobie opatrunek.

– Tato, nie zdejmuj tego, nie wolno!

Szarpie się ze mną, wciąż próbuje go zerwać, ale jestem silniejsza.

– Bo nie dostaniesz ptasiego mleczka – szantażuję go.

Uspokaja się w końcu. Wyjmuję z torby ptasie mleczko, otwieram i podstawiam mu pod nos; milcząc, wodzi wzrokiem za moimi dłońmi, po czym rzuca się na słodycze, pożera, patrząc bezmyślnie przed siebie jak usmarowany czekoladą trzylatek. Pobrudził się, uświnił pościel.

– Daj mi mój telefon – mówi.

– Gdzie chcesz dzwonić? Zadzwonimy z mojego. Tu nie wolno mieć telefonów.

– Nie chcę z twojego. Chcę swój – upiera się.

– Twojego nie ma. Rozwaliłeś.

Jest obrażony. Podaję mu książkę; przywiozłam *Złego* Tyrmanda. Otwiera, trzymając książkę do góry nogami, i patrzy skupiony, jakby naprawdę czytał. O Jezu.

Piotr później powiedział mi, że po zabiegu zawsze jest obrzęk mózgu i dlatego tata na razie tak dziwnie się zachowuje, ale to powinno minąć. Oczywiście, guz dalej będzie rósł, one tak mają, ale na razie jest okej, usunęli jego dużą część i wycięli w czaszce okienko, żeby w razie powiększania się guza mózg miał więcej miejsca. Piotr mówił, że guz ojca był rozlany jak klej. Mnie się wydawało, że guz to jest jakaś całość, jakaś kulka, którą można usunąć, a okazuje się, że nie, że ten jest jak galareta, jak maź rozlana po zakamarkach mózgu. Usunęli, co się dało, i oddali wycinek do badania histopatologicznego; będą wyniki, to się okaże, jaki to guz – bardziej czy mniej złośliwy. Piotr powiedział, że tata podczas znieczulania podrywał panią anestezjolog. Dłużej nie gadaliśmy, bo musiał pędzić na kolejną operację; oni tu mają codziennie po kilka operacji plus nagłe przypadki; to jest, jak się okazuje, najlepszy oddział w Polsce, przywożą im z całego kraju chorych, z którymi nie radzą sobie w innych szpitalach.

Wróciłam do taty. Leży sobie, czyta *Złego*. Obok puste opakowanie po ptasim mleczku.

– Boli cię coś, tato?

– Masz jeszcze coś słodkiego? Loda bym zjadł. Kup mi loda.

Patrzę na niego rozczulona, wszystko bym mu kupiła, całą lodziarnię.

– Jakiego chcesz? Śmietankowego czy truskawkowego?

– Truskawkowego.

– Fajnie się czyta? – pytam, przekręcając mu książkę, bo wciąż ją trzyma do góry nogami.

– Kruszyna to był gość – mówi.

Przynoszę mu z bufetu lody, zjada je ze smakiem. Mam wyrzuty sumienia, że nie powinnam, że tyle cukru od razu po operacji, ale co mu jeszcze może zaszkodzić; właśnie że będę spełniać jego zachcianki. Jak nie teraz, to kiedy? Niech ma chłopina trochę szczęścia w życiu, skoro to szczęście to tylko lody. Takie małe radości są mu potrzebne. Usmarował się; wycieram go mokrymi chusteczkami.

– Jak się nazywasz? – pytam.

– Jak się nazywasz? – powtarza za mną.

– Tadeusz Makowski – mówię.

– Tadeusz Makowski – powtarza. – Tadeusz Makowski.

– No to jak się nazywasz? – Chcę się upewnić, że pamięta.

– No to jak się nazywasz?

– Tato, nie żartuj. – Nie wiem, czy mnie wkręca, czy naprawdę nie pamięta.

– Tato, nie żartuj – powtarza jak papuga.

Podnoszę oparcie łóżka; jest sterowane pilotem, na wypasie. Bawimy się; podnoszę tak ojca i opuszczam, w górę i w dół, w górę i w dół, chcę go trochę rozkręcić, rozweselić.

– Fajnie? – pytam.

– Karuzela – mówi zadowolony.

Śmiejemy się.

– Zaraz zrobisz taki skłon do kolan – uprzedzam, podnosząc oparcie niebezpiecznie wysoko. Ojciec zaczyna kaszleć, więc cofam skłon; widocznie przesadziłam.

– Uduszę się, uduszę się.

Kończę zabawę, już go zmęczyłam.

– Coś niedobrze, tato?

– Głowa mnie boli.

– Boli cię? No to już. Niżej, wyżej, jak chcesz? – Ustawiam w końcu pilotem wysokość oparcia.

– Tak dobrze – mówi i wkłada do ust wafelek loda z kawałkiem opakowania.

– Może ci ten papier zdejmę. – Widzę, jak go zjada.

Zmęczył się. Patrzę na mojego ojca, tego silnego ojca, któremu zawsze chciałam imponować. Boże, jak ja go kocham. I jak nie umiem mu tego powiedzieć.

Kasia

Marta poszła do taty, a ja do mamy. Przyniosłam kieszonkowy wiatraczek, taki śmieszny gadżet z buzią dziewczynki. Będzie ją chłodzić w te gorące dni, właśnie zaczynają się najgorsze upały. Mama ma otwarte oczy, ale widzę po niej, że jest zmęczona. Ileż można tak leżeć.

Rozmawiałam z lekarką, powiedziała, że wyniki są coraz gorsze, że mama słabnie, ale ja wierzę, że wszystko będzie dobrze, przecież trzeba w coś wierzyć. Od kiedy otworzyła oczy, jest z nami w kontakcie, coś próbuje powiedzieć. Lekarka jest sceptyczna, mówi, że mama rusza ustami bez większego sensu, że nie wypowiada żadnych słów; badali ją i to są takie reakcje pierwotne, zwierzęce. Nie lubię tej lekarki, wstrętne babsko, wszystkie rozumy pozjadała. A może nie ma racji, może mama właśnie rozumie? Skąd ta pewność, że nie?

Przysuwam do mamy wiatraczek, chłodzę ją. Może teraz coś się zdarzy, jakiś cud.

– Fajnie, mamo? Widzisz, jak fajnie chłodzi?

Przyniosłam też obrazek, który dostałam od księdza Marka; powinien tu stać, jak amulet.

– A to Matka Boska Częstochowska. Od księdza Marka. Wstawi się za ciebie – mówię.

Mama nie rusza ustami, tylko się we mnie wpatruje, jakby chciała mi coś powiedzieć wzrokiem, ale nie wiem co. Próbuję to zrozumieć. Zawsze rozumiałyśmy się bez słów, może i teraz coś wyczytam.

Nagle straszny pisk, rozdzwaniają się wszystkie urządzenia, do których mama jest podpięta. Alarm wyje, a ja wpadam w panikę, że to przeze mnie. Wołam pielęgniarkę, pokazując jej przez szybę, że coś się dzieje, że strasznie piszczy.

Pielęgniarka bynajmniej się nie spieszy. Wysoka, leniwa krowa; jakby to jej matka tu leżała, toby biegała. I jeszcze w jakim kusym fartuszku, pewnie podrywa na te nóżki do nieba lekarzy. Dobra, ale muszę być miła, od niej dużo zależy, ona jest teraz panią życia i śmierci mojej mamy. Ile może mieć lat, ze dwadzieścia pięć; czy ona na pewno wie, co robi? Ale wyłącza sprawnie alarmy jeden po drugim.

– Coś piszczało, nie wiem, coś się stało – mówię.

– Nic się nie stało. Piszczało, bo trzeba zmienić pompę – odpowiada znudzona, sprawnie wypinając zużytą strzykawkę po insulinie i zakładając nową.

– Proszę mi powiedzieć, jak pani myśli, czy z mamą jest lepiej? – pytam.

– Proszę zapytać lekarzy, nam nie wolno udzielać informacji rodzinom.

Suka nie odpowie. Czy to takie trudne kogoś pocieszyć; zatrudniają młode siksy, powinny tu pracować wykwalifikowane pielęgniarki, które znają życie i ludzi.

– Proszę powiedzieć, bo nie wiem, czy mogę coś mamie przynieść, czy czegoś potrzebuje? – pytam.

– Balsam do ciała by się przydał – mówi, biorąc z półki plaster przeciwbólowy. – Na szczęście na razie nie ma odleżyn.

Pielęgniarka odchyla kołdrę, odsłaniając nagi biust mamy. Nie wkładają jej żadnej koszuli, żeby mieć pełen dostęp w razie czego, tak mi tłumaczyli. Duży biust mamy opada ciężko na boki, nad piersiami wkłucie centralne osłonięte opatrunkiem. Pielęgniarka przykleja mamie na piersiach plaster przeciwbólowy.

– Uparta jest, co? Jak nie chce się myć, to nie ma na nią siły – mówi.

– To mama jakoś reaguje? – dziwię się.

– No jasne, jak jej się nie podoba pozycja, to strasznie protestuje. – Spogląda na mamę. – Prawda?

Mama patrzy na nią umęczonym wzrokiem; najwyraźniej jej nie lubi. Ja też.

– Ale co jakiś czas zmieniacie mamie pozycję? – Chcę się upewnić.

– Co trzy godziny.

– A rehabilitant przychodzi?

Pytam, bo lekarka powiedziała, że będzie rehabilitacja, że będą pracować nad mięśniami, nad stawami, żeby się nie zastały, żeby były sprawne, kiedy mama się wybudzi.

– Oczywiście. Pan Darek to solidna firma. Dba o mamę. My zresztą też – odpowiada. – Niech pani rozmawia z mamą. Ona wszystko słyszy. – Zdejmuje jednorazowe rękawiczki.

Wyrzuca je do kosza, myje ręce. – Prawda, Ela? – zwraca się do mamy.

Wreszcie wychodzi i zostajemy same. Jest cisza, tylko pikanie urządzeń daje znaki, że mama oddycha miarowo, że jest. Odkrywam jej nogi, sprawdzam, czy nie ma odleżyn. Stopy są zabandażowane, nie wiem, po co to jej zrobili.

– Opowiesz mi wszystko, jak się obudzisz, prawda? – mówię.

Mama patrzy na mnie ze zrozumieniem. Muszę ją spytać, czy mogę pojechać do Egiptu, bo już sama nie wiem. Z jednej strony zapłacone, a z drugiej to straszne pojechać, kiedy ona tu leży.

– Mamo, chciałam cię jeszcze o coś zapytać: już od dawna mamy zarezerwowane wczasy w Egipcie i nie wiem, czy mogę pojechać, bo ty tutaj, a tata...

O mały włos się nie wygadałam, że tata też tu leży. Postanowiłyśmy z Martą, że nie będziemy mówić mamie, że ojciec miał guz, że był operowany, żeby jej dodatkowo nie martwić, nie obciążać. Mówimy, że tata teraz do niej nie przychodzi, bo ma dużo pracy, ale że czeka na nią w domu, że boi się szpitala.

– Z tatą wszystko okej, tylko wiesz, on mnie też potrzebuje – tłumaczę i czekam na odpowiedź. – To jak, mogę jechać? Mogę?

Czuję się tak, jakbym rozmawiała sama ze sobą. Patrzę na mamę i się zastanawiam, co ona sobie myśli. Zamyka oczy, jakby chciała powiedzieć: oczywiście, córeczko, jedź, odpocznij, przecież są wakacje, ja na ciebie poczekam. Albo i nie, albo chce powiedzieć, że mnie potrzebuje, że się boi tu być sama. Nie wiem, czy mam jechać, czy nie, przecież wszystko się może wydarzyć, ale biuro podróży nie chce oddać pieniędzy. Zresztą przecież jest Marta, starsza córka, więc chyba mogę sobie pozwolić na dwa tygodnie wakacji. To może jeszcze trwać i trwać.

Wychodzę od mamy rozdarta, nie wiem, co mam robić. Idę do ojca, a on z Martą bawi się w najlepsze. Ona jest kompletnie nieodpowiedzialna, bawi się pilotem do łóżka, na którym leży człowiek świeżo po operacji mózgu. A jak mu się pogorszy, a jak dostanie zapalenia płuc? Człowiek po operacji jest jak bibuła. Witam się z tatą, wygląda dobrze, tylko jest napuchnięty, ma podkrążone oczy, a na głowie wielki, gruby opatrunek, przez który przesiąka krew.

– Kto przyszedł? – pyta go Marta. – Co to za pani? Znasz ją?

Ojciec patrzy na mnie wzrokiem niewyrażającym absolutnie nic. Przez chwilę się zastanawiam, czy rzeczywiście mnie nie poznaje. Przytulam go.

– Lody? Zwariowałaś? – pytam Martę.

– A niech je, niech pije, niech sobie jeszcze pożyje – odpowiada szeptem.

Siadam po drugiej stronie łóżka i tak sobie przez ojca rozmawiamy.

– Rozmawiałam z mamą i zgodziła się, żebym pojechała do Egiptu.

– Tak? Naprawdę? – Moja siostra jest cyniczna jak zwykle.

Dlaczego ona nie czuje, że to nie fair, ciągle lata do tych Włoch, a my siedzimy jak grzyby w tym domu i gnijemy, od lat nie wyjeżdżaliśmy na wakacje.

– Żebyś wiedziała. I pojadę, czy tobie się to podoba, czy nie – mówię.

Ojciec przenosi wzrok z jednej na drugą jak na meczu tenisowym, a my się kłócimy.

– Takie rzeczy to możesz sobie wmawiać ośmiolatkom. Wierzysz w to, co jest dla ciebie wygodne, egoistko. Ale

jedź, przynajmniej od ciebie odpocznę, nie jesteś taka niezbędna, jak ci się wydaje – mówi Marta.

– Macie marulka? Bo jak nie, to wypierdalać! – przerywa
nam tata.

Wybuchamy śmiechem; ojciec jest rozbrajający z tymi
marulkami.

– To co, zostaniesz z Reksiem? – pytam Martę.

– Mowy nie ma..

Powiedzieli, że tatę pojutrze wypuszczą, nie ma co go tu
więzić. Wygląda na zadowolonego, w sumie to chyba lepiej,
że nie zdaje sobie sprawy ze swojego stanu. Błogosławiona
niewiedza, zapomnienie, nieświadomość. Bez nich życie byłoby nie do wytrzymania.

Noctie

Całą noc siedziałam na forach internetowych na temat
guzów mózgu; ludzie opisują swoje historie i za każdym
razem złym bohaterem jest polski szpital. Zdesperowani
chwytają się wszystkiego tak jak i my, ale przy okazji tracą
majątki, sprzedają domy, żeby mieć na operacje w Niem-
czech, gdzie podobno jeden lekarz robi to najlepiej na
świecie. Wszystkie te wątki kończą się, kiedy znowu na-
stępuje pogorszenie; potem ludzie nie piszą, bo nie ma już
nic do powiedzenia. Skuteczność leczenia guzów mózgu
jest taka sama od kilkudziesięciu lat, czyli prawie żadna,
nic nowego nie wymyślono; mimo reklam najróżniejszych
cudownych terapii, eliksirów, korzeni, grzybów, mieszanek
ziół, nic z tych rzeczy nie uzyskało patentu, nie udowodniono, że cokolwiek naprawdę pomaga. Teraz jeszcze nie
wiemy, jaki rodzaj nowotworu ma tata, mam nadzieję, że

to jakaś trójeczka, a może optymistycznie nawet dwójeczka, ale nie czwórka, czyli glejak wielopostaciowy – bezlitosny najszybszy zabójca. Zainteresowało mnie coś innego – w Stanach i Izraelu udowodniono pozytywne działanie marihuany w leczeniu różnych chorób, w tym guzów. To fragment artykułu:

…rośnie liczba doniesień o pozytywnych wynikach stosowania [medycznej marihuany] w leczeniu: astmy (zwiększa przepustowość dróg oddechowych), jaskry (obniża ciśnienie śródgałkowe), padaczki, zwłaszcza lekoopornej u dzieci, autoimmunologicznych chorób jelita grubego (w tym choroby Leśniowskiego-Crohna), a także zaburzeń neurologicznych (spastyczność, drgawki), m.in. w stwardnieniu rozsianym, stwardnieniu zanikowym bocznym. Są pojedyncze doniesienia o niszczeniu przez kannabinoidy komórek agresywnych nowotworów: glejaka mózgu, raka piersi i trzustki*.

Od razu zapaliła mi się zielona lampka. Załatwię ojcu trawę. Będziemy razem palić; jemu to pomoże, a mnie… także. Zastanawiam się tylko, skąd wziąć, od dawna już nie jaram zioła. Nie chcę dzwonić do znajomych z serialu, bo zaraz zaczną się ploty, ktoś wpuści na Pudla, ale przypominam sobie, że mój siostrzeniec jest w temacie; co ja będę daleko szukać.

Zadzwoniłam do Filipa, podjechałam do niego pod szkołę. Patrzę na palących przed szkołą uczniów i się zastanawiam, co też oni palą. Filip podchodzi, wsiada do samochodu.

---

* Piotr Pacewicz, *Prawdy i mity na temat leczenia marihuaną*, „Gazeta Wyborcza", 21.04.2015.

– Co się stało? – pyta zadowolony, że siedzi w bryce znanej ciotki.

Widzę, że to go kręci.

– Potrzebuję trawy – mówię prosto z mostu.

Filip robi się czerwony jak burak, rozgląda się niespokojnie i głupkowato śmieje. Od razu widać, że jara.

– Ciocia, ale skąd ja miałbym?

– Oj, dobra, już przestań, matka się nie dowie. Potrzebuję dla dziadka. – Wciskam mu stówę. – Reszta dla ciebie. Nie podpuszczam cię, marihuana naprawdę pomaga na guzy mózgu. W Stanach jest na receptę.

– Serio?

Okazuje się, że Filip w plecaku ma z pięćdziesiąt gramów; dealuje pewnie. Nie mogę powiedzieć Kaśce, ale jak wrócą z tego Egiptu, sama muszę z nim pogadać. Co innego popalanie, a co innego handel ziołem w gimnazjum. To mi źle wygląda; taki Filipek malutki, mamusi synuś, a tu proszę, czym chata bogata.

Niedziela rano. Jest piękna pogoda, pachnie świeżym chlebem. Siedzę na balkonie, patrzę na miasto, piję kawę i po raz pierwszy od wykrycia u ojca nowotworu mam w sobie spokój. Powoli się z tym godzę, że jest, jak jest. Będziemy walczyć, leczyć, palić trawę i żyć, ile się da. Tak sobie wyobrażam teraz chwile szczęścia: ojciec i ja siedzimy w ogrodzie i palimy sobie trawę. A co tam, skoro to życie trwa tylko chwilę, spędźmy je najlepiej, jak się da. Wdycham zapach jajecznicy od sąsiadów, zaraz muszę coś zrobić na śniadanie, niech Zuzia poczuje, że ma mamę; zupełnie o niej zapomniałam. Zrobię grzanki Puchatka – jak była mała, tak nazywałyśmy francuskie tosty maczane w mleku i jajku, smażone i posmarowane miodem.

*

Dzisiaj odbieram ojca ze szpitala. Wypuścili go do domu, wręcz wyrzucili, bo bardzo rozrabiał; tak jakby wydalili go za złe zachowanie. Wychodził, kiedy chciał i gdzie chciał, nikogo nie słuchał, zamęczał innych pacjentów. Pielęgniarka pokazała mi, jak zmieniać opatrunek, dostaliśmy baterię leków i wio do domu. Tata jest po operacji ewidentnie zmieniony. O ile wcześniej był zamknięty w sobie, smutny, o tyle teraz jest aż za wesoły, nienaturalnie wprost szczęśliwy. Opowiada jakieś niestworzone historie z przeszłości, na wpół wymyślone, na wpół prawdziwe, myli mu się córka z wnuczką, męczy nas bezsensownymi pytaniami. Może ta część guza, którą zostawili, daje taki efekt, a może to jest obrzęk pooperacyjny, który powoli ustąpi. Piotr powiedział, że każdy scenariusz jest możliwy, mózg jest nieprzewidywalny, tu nie ma twardych reguł. U jednego taka sama operacja nie pozostawia żadnych skutków, a u drugiego może zaburzyć mowę, spowodować paraliż. Mózg jest kapryśny, kiedy chce, to hula, ale kiedy nie chce hulać, nic go do tego nie zmusi.

Przywiozłam ojca do domu, jutro ma przyjechać wujek Włodek, jego młodszy brat, który będzie z nim mieszkał. Nie chciałam się tam przeprowadzić na dwa tygodnie, kiedy Kaśka z rodziną są w Egipcie, więc wymyśliłam wujka, z którym tata całe życie się kłócił, ale w końcu co brat, to brat. Trochę się obawiam spięć, bo wujek będzie chciał rządzić, a ojciec też jest dominujący. Kiedy mama zachorowała, zbliżyli się do siebie, ojciec codziennie dzwonił i godzinami rozmawiali. Nadrabiali stracony czas, bo przez kilkanaście lat się do siebie nie odzywali; pokłócili się o coś, tata nigdy nie powiedział o co. Taka kozacka natura, żaden nie popuści.

Idąc po ojca, odwiedziłam jeszcze mamę. Teraz wygląda to tak: ojciec jest w swoim świecie, a mama w swoim. Ona leży sparaliżowana, rusza lekko prawą ręką, trochę nogą – mówi rehabilitant. Mama ma otwarte oczy i aktywną twarz, ale jest spuchnięta jak balon. Znowu nie daje rady z wydzieliną z oskrzeli. Płuca wyglądają źle, wciąż ma stan podgorączkowy. Boję się, co będzie, jak mama odejdzie. Jak ja to powiem ojcu?

Cieszę się, że odpocznę od Kaśki; wyjeżdża do tych Arabusów, w życiu bym nie chciała. Tu jest gorąco, a co dopiero tam? Po co się tak męczyć; no, chyba że im chodzi o *all inclusive* i darmowe drinki od rana.

Kasia

No i wylatujemy do Egiptu. O mało nie spóźniliśmy się na samolot, całe miasto zakorkowane. Kolejka do odprawy długa na kilometr. Niepotrzebnie włożyłam te szpilki, cisną jak cholera. Ubrałam się modnie, w niebieskie superspodnium, które niestety, trudno zdjąć do sikania. Grzesiek wyklinał, bo nie mogłam się zdecydować, co wziąć, i wzięłam największą różową walizkę, a co tam, pomyślałam, najwyżej czegoś nie włożę; gorzej, jakby miało zabraknąć. On biedny musi teraz to wszystko wlec. Filip ciągnie się za nami jak wyrzut sumienia, po co my go w ogóle bierzemy, za nic nie umie być wdzięczny; non stop nadąsany. Kiedy wreszcie się skończy ten okres dojrzewania, bo ja już nie wytrzymam. Naprawdę wolę cudze dzieci niż własne.

– Mają państwo badże? – pyta organizator, otyły spocony gość w żółtej koszulce z logo biura podróży.

– Jakie znowu badże? – Nie rozumiem, o co mu chodzi.

– Przecież jadą państwo ze Sfinks Travel – stwierdza i wręcza nam zawieszki na walizki i daszki z napisem „Sfinks Travel". – Pierwszy raz?

– Myślałem, że na walizki to nie trzeba – odpowiada Grzesiek, przyczepiając badże.

Pot mi leci po plecach cienką strużką, na lotnisku nie działa klimatyzacja. Ciekawe z kim będziemy jechać; patrzę na stojących w kolejce. Młodzi ludzie w grupkach, małżeństwa z dziećmi, starsze pary. Jedyna jestem w szpilkach, po co mi to było, powinnam włożyć klapki i byłoby dobrze, a tak się męczę.

– Ta kolejka w ogóle się nie posuwa.

– Już niech się pani nie spieszy, jesteśmy prawie na wakacjach. – Znowu podchodzi do nas zadowolony z siebie organizator. – W jakim hotelu są państwo?

– W Ali Babie – mówi Grzesiek.

– No, też dobrze – odpowiada organizator i odchodząc, rzuca: – A wodę proszę wypić tutaj.

– Jak to: też dobrze, przecież to miał być najlepszy hotel? – pytam, ale już nie słucha.

Zaczyna się, w folderze pięknie, cudownie, a teraz wychodzi na to, ze pewnie będziemy mieszkać w jakimś syfie. Ludzie w kolejce wypijają litry wody, żeby się nie zmarnowała. Każę Filipowi pić, ale ten oczywiście jest na nie.

– Ostatni raz jadę z wami na wakacje. Wiocha – mówi.

– Ciesz się, że jedziesz, gnoju jeden. Zostawiłeś jedzenie dla psa? – pytam.

– O kur…

Strzelam go w ten głupi łeb i wybieram numer do Marty.

– Marta, kochanie, zapomnieliśmy zostawić jedzenie dla Reksia, a on je tylko kocie. Te w małych puszkach; kup, ja ci zwrócę. My jeszcze na lotnisku. Pa! I dzwoń, jakby co! – nagrywam się.

Cały czas biję się z myślami, czy powinnam wyjeżdżać. Może to lekkomyślność? Ale nie wiadomo, ile ten stan mamy będzie trwał, z tatą też sytuacja opanowana, mogę chyba na chwilę wyjechać, żeby zebrać siły. Poza tym jesteśmy we dwie, więc niech ona też się włączy, niech pomieszka z ojcem. Korona jej z głowy nie spadnie. Będę codziennie dzwonić i jakby co, to od razu wracam.

Grzesiek tuż przed odprawą mówi, że zapomniał naszych paszportów, myślałam, że umrę na zawał. Okazało się, że miał je cały czas w saszetce na szyi – pan Hilary. Dopiero w samolocie odetchnęłam. Siedziałam przy oknie i patrzyłam na te wstążki rzek, kwadraciki lasów, osiedla jak punkciki. Przy pełnej przejrzystości powietrza i pięknej pogodzie widać, że jesteśmy jak ziarnka piasku. „Piasku ziarenka w Twoich rękach", jak śpiewa Bukartyk. Wgrałam jego nowe piosenki do iPhone'a, będę słuchać, opalając się.

Nocie

Kaśka wreszcie wyjechała z rodzinką i jest święty spokój. Zanim przyjedzie wujek, muszę tu spać. Leżę w przykrótkim łóżku Filipa i próbuję zasnąć. Spod poduszki wypada pornos; widać Filip jest zainteresowany tematem, to zupełnie normalne w tym wieku, pamiętam, że jak miałam tyle lat co on, czytałam z kolegami *Sztukę kochania*. W nogach leży pies i chrapie, nie mogę się nawet wyciągnąć ani go przełożyć, ten pies musi z kimś spać, tak jest nauczony, a ja nie chcę, żeby spał z ojcem, kiedy ten ma opatrunek. Dzwoni Zuzia.

– Jak tam, mamo? Powrót do przeszłości?

– Leżę skręcona w chińskie zero w łóżku Filipa i nie mogę zasnąć. Tu jest jakoś tak zimno.

– A Reksio gdzie?

– Jak to gdzie. Ze mną w łóżku.

Zuzia się śmieje.

– Przyjechać do ciebie? – pyta.

– Nie, nie przyjeżdżaj. Ile ci jeszcze egzaminów zostało?

– Cztery.

– No widzisz. Ale jesteś zdolna i wszystkie zdasz za pierwszym podejściem.

– Mamo, bo jeszcze chciałam z tobą pogadać; chcę wziąć dziekankę i wyjechać na rok...

– Słucham? Co ty do mnie mówisz?

– Dobra, mamo, nie przez telefon, później ci wszystko wyjaśnię.

– Ale co masz mi wyjaśniać? Jesteś na swoich wymarzonych studiach, dostałaś się i teraz chcesz zostawić na rok fortepian, i myślisz, że ot tak będziesz mogła wrócić. Wypadniesz z gry! – krzyczę.

– Mamo, nie ekscytuj się tak. Pa. – Rozłącza się.

Teraz to na pewno nie zasnę, jeszcze ta mi dowaliła. Wyjeżdża sobie. A ciekawe, z czego będzie żyła, bo ja jej nie będę utrzymywała. Może to ten Rafał jej namieszał w głowie. Ale co ja mogę, ona jest już dorosła i zrobi, jak zechce.

Wkrótce będzie świtać, a ja leżę, czuję paniczny strach i nie mogę spać. Sama nie wiem, czego się tak boję. Leżę w domu mojego dzieciństwa, który powinien mi się dobrze kojarzyć, z bezpieczeństwem, ale tak nie jest; przypominam sobie same opresyjne sytuacje, napływają wyłącznie złe obrazy z dawnych lat, jakieś traumy, których nie chcę pamiętać. Przecież moje dzieciństwo nie było takie złe, dlaczego nie mogę sobie przypomnieć niczego dobrego, co by mnie utuliło do snu? Może jednak coś ze mną jest nie tak, może to racja z tą depresją. Przypominam sobie, jak leżę w tym pokoju z Kasią, słuchamy kłócących się rodziców, a potem wychodzimy i prosimy mamę, żeby nie zostawiała taty, który stoi przed nią jak zbity pies i prosi nas wzrokiem o ratunek. Widzę, jak spada mi filiżanka z gorącą zupą, która zalewa dywan. Widzę, jak leżę na podłodze w swoim, a teraz Kasi

146

pokoju, i się boję, że jestem w ciąży. Przecież zdarzyło się do cholery też trochę dobrych rzeczy, dlaczego nie mogę sobie ich przypomnieć?

Idę do ojca, patrzę, jak śpi odkryty, z przekrzywionym opatrunkiem na głowie. Przykrywam, poprawiam opatrunek. Pies przybiega za mną, szczeka, budzi ojca, który nieprzytomny patrzy na mnie i myśli pewnie, że mu się śnię. Odchodzę, nie chcę go wybudzać.

Tu nie umiem zasnąć, za dużo duchów z przeszłości. Jutro przyjeżdża Włodek, a ja wrócę do siebie; nie dałabym rady normalnie funkcjonować, mieszkając tutaj.

Wchodzę do kuchni, wyjmuję z szafki ulubioną kawę mamy i zaparzam po turecku. W lodówce psują się gołąbki, którymi mnie częstowała, jak przyjechałam, żeby ją wziąć do szpitala. Wyrzucam je do kibla, myję garnek. Wyrzucam z lodówki zepsuty ser, kabanosy, pomidor. To ciekawe; lodówki zazwyczaj odzwierciedlają to, co dzieje się w naszym życiu – jak jesteśmy szczęśliwi, jak jest dobrobyt, są pełne produktów, bogate, a jak jest źle, świecą pustkami i psuje się w nich tylko jakaś stara cytryna. Kaśka nie korzysta z mamy kuchni, gotuje u siebie, tu nawet nie zagląda. Sprzątam do świtu, maniakalnie czyszczę wszystko do białości. Potem biorę prysznic.

Moje myśli koncentrują się wokół tego, jak teraz będzie wyglądało nasze życie. Na sercu leży mi wielki kamień, nie umiem go odsunąć. Jest mi ciężko, bardzo ciężko. Z Kaśką nigdy nie zawiążę koalicji, nigdy nie byłyśmy i nie będziemy teamem. Pojechała sobie na wakacje, dla mnie to skrajna nieodpowiedzialność. Oho, ojciec już wstał, już go słyszę. Ciekawe, jak ja mam pójść do sklepu po jakieś zakupy, czy mogę go zostawić samego? Jak to Kaśka załatwiała?

No i się jakoś kręci. Przyjechał wujek, naprzywoził swojskich wędlin, do tego bochen chleba, kawał sera, jakbyśmy tu nie mieli jedzenia. To wszystko swojskie, zdrowe – mówi – a Tadzio teraz musi się zdrowo odżywiać, sił nabrać. Wujek jest pełen optymizmu, wiary, że wszystko będzie dobrze, tak że i mnie się ten pozytywny nastrój udzielił. On ma taki zdrowy stosunek do rzeczywistości, tryska humorem, energią. Jak byłam mała, nie lubiłam go, bo zawsze się ze mnie wyśmiewał, ale teraz jego hurraoptymizm jest mi na rękę. Zostawiam go na gospodarstwie, ale najpierw daję ojcu leki, zmieniam opatrunek i dopiero jadę do pracy.

Mam dzisiaj nocne zdjęcia do filmu; te uciekające. Charakteryzatorka zaszalała i zrobiła mnie na rockandrollówę czy też famme fatale, która pozwala sobie na wiele, która nie waha się przekroczyć granicy przyzwoitości, dobrego smaku, moralności. To jest wspaniała rola, powoli zaczynam ją czuć; taka alternatywna wersja mnie, ja, ale bardziej hardcorowa.

Reżyser mnie hołubi, ale widzę, że przerasta go sytuacja na planie, nie radzi sobie, nie ma wsparcia ze strony drugiego reżysera. Staram się nie mądrzyć, wycofuję się, wszystko się może jeszcze jakoś ułoży. Dzisiaj gram tylko ja, więc dajemy radę. Biedny reżyser jest zestresowany na maksa. Operator na niego krzyczy, kierownik produkcji każe kończyć, a on nie umie się postawić. To naprawdę trudny film. Moja rola jest absolutnie główna, tematem filmu jest rozedrgana psychika bohaterki, która pozwala sobie na coraz więcej, sama siebie przeraża. To bardzo trudne, bo wszystko musimy mieć precyzyjnie dogadane, nie ma miejsca na improwizację. Ale dzisiaj praktycznie sama siebie reżyseruję, bo reżyser jest zajęty problemami ze światłem, dźwiękiem i produkcją.

Sama się sobie dziwię, że potrafię tak się odciąć od tego, co się dzieje w domu, ale muszę, jeżeli gram. Umiem się koncentrować i wtedy wszystko przestaje istnieć. Jestem wtedy spięta, mam mniej ochoty na żarty; cała jestem postacią. Nie chce mi się uczestniczyć w tych planowych *small talks*, pogaduszkach o niczym, nie chce mi się obgadywać koleżanek, nie chce mi się przywdziewać jeszcze innych masek. Dziś mnie to męczy.

Czekamy na zmianę światła między scenami, zrobiła się druga w nocy i nagle wraca rzeczywistość. Czuję falę niepokoju: co z mamą, co z tatą, czy nic się nie stało. O Jezu, trzeba zadzwonić do szpitala, do wujka. Maniakalnie sprawdzam telefon.

Zastanawiam się, dlaczego nie ma obok mnie nikogo, z kim chciałabym porozmawiać o swoich problemach. Podobno po to są przyjaciele, żeby im się zwierzać, żalić, narzekać. Ja ich nie mam. To znaczy mam masę znajomych, ale przyjaciółek, takich jak kiedyś, to nie mam. Wszystkie przyjaźnie ze studiów jakoś się wykruszyły, nie utrzymała się ani jedna, nie było spektakularnych afer, ale z czasem każda z nas stała się egoistką, zaczęłyśmy myśleć głównie o sobie, stałyśmy się konkurencją. Dramatycznie zmniejszył się krąg ludzi, z którymi rozmawiam; zaczyna mnie to martwić. Prawdę mówiąc, rzeczywiście jestem sama. Już nawet nie mówię o facetach, bo do takiej samotności się przyzwyczaiłam; w moim wieku szansa na udany związek jest jedna na tysiąc. A kapcia w domu mieć nie chcę, jak moje koleżanki, ani buhaja, który mnie dyma, a na boku dyma jeszcze tuzin młodych siks. Wolę być sama, ale czy samotna? Może rzeczywiście coś ze mną jest nie tak?

Dzisiejsza wizyta u mamy mnie rozwaliła. Rozpaczliwie próbowała coś powiedzieć, coś dać mi do zrozumienia. A ja nie rozumiałam. Usiłowałam odczytać słowa z ruchu warg, ale nie byłam w stanie. Może powinnam poprosić kogoś, jakiegoś specjalistę, żeby przetłumaczył mi mamę? Lekarka mówi, że to najprawdopodobniej nie świadome słowa, a odruchy bezwarunkowe, że mózg przetwarza jakieś znane mu obrazy, że mama nie mówi nic konkretnego, ale nie wiem, czy lekarka ma rację. Mózg ludzki jest przecież zagadką także dla medycyny.

Czuję strach mamy, paniczny strach, przerażenie, samotność. Nie chce już tam być, pewnie prosi, żebym jej pomogła odejść. A ja nie jestem w stanie tego zrobić, za duży ze mnie tchórz. Jestem za słaba. Smaruję ją kremem, najlepszym kremem, jaki miałam, przeciwzmarszczkowym Sisleyem za osiem stów. Chociaż to.

Zastanawiam się, jak w praktyce można pomóc odejść komuś, kto leży na OIOM-ie, gdzie jest dwudziestoczterogodzinna opieka, gdzie ciągle jest personel. Może trzeba by było na chwilę odłączyć urządzenie monitorujące oddychanie, żeby nie wyło, i sprowokować śmierć? Nie, nie jestem w stanie tego zrobić, to mnie przerasta, nie jestem tak odważna jak Jean-Louis Trintignant w *Miłości* Hanekego, który przydusił poduszką swoją ukochaną żonę, żeby już dłużej nie musiała cierpieć. Ja nie umiem tak zrobić.

Minął tydzień pełen zajęć, ale i spokoju. Paradoksalnie to, że nie było mojej jęczącej i wiecznie czegoś ode mnie chcącej siostry, spowodowało, że jest mi lżej i wszystko się poukładało. Ojciec z Włodkiem funkcjonują jak zgrana drużyna piłkarska. Ja tylko dojeżdżam, robię opatrunki, przywożę zakupy, a z resztą oni spokojnie dają radę. Mają morze tematów: a to koledzy ze szkoły, a to sąsiedzi, a to ludzie z telewizji; nie rozmawiają wyłącznie o rodzinie. Wujek ma dwie córki – jedna mieszka w Australii, druga w Norwegii – z żadną nie utrzymuje kontaktu, z jedną i drugą się kiedyś pokłócił. Jego żona nie żyje, mieszka sam. Na dłuższą metę jest nie do wytrzymania: despota, krytykant, córki tak naprawdę od niego uciekły. Sam przed sobą udaje, że jest fajny, że wszystko o wszystkich wie, że jest wesoły, dowcipny i zaradny; nie przyznaje się do tego, że brak mu córek, że bez nich jego życie nie ma sensu. On takich rzeczy nie powie nawet na sądzie ostatecznym, nie zdejmie maski cynika i wesołka, któremu wszystko zwisa, który uważa, że wystrychnął wszystkich na dudka. Wujek jest człowiekiem przegranym, złamanym przez życie, głęboko rozczarowanym, ale zarazem tak upartym, że się do tego nie przyzna. Ojciec też ma coś z tego uporu, on widocznie jest zapisany w genach naszej rodziny.

Zapytałam wujka, czy dzwoni czasem do Lidki i Marysi. Jak one do mnie nie dzwonią, to znaczy, że im nie jestem potrzebny, a ja nie będę się narzucał. Mówiłam, że może one czekają, aż pierwszy zadzwoni, czekają, aż im przebaczy ucieczkę, że pewnie tam na emigracji są bardzo samotne, ale on nie. To one uciekły, to one go zdradziły, niech teraz cierpią, nie tak wychował córki, nie będzie prosić na kolanach, żeby sobie o nim przypomniały. Nie widział nawet swoich wnuków – Lidka, starsza, ma dwóch synków, jeden ma już z dziesięć lat. Regularnie dostaję od niej życzenia i zdjęcia, ale z własnym ojcem nie utrzymuje kontaktu. Nie wiem, o co on się tak strasznie z córkami pokłócił. Lidka nigdy nie chciała mi powiedzieć. Z Marysią chyba poszło o to, że mieszka z kobietą; no, tego to mój wujek nie był w stanie znieść – jego córka lesbijką? Marysia jest szczęśliwa, ale to dla niego nieważne. Wujek nigdy nie zaakceptował, że jego córki dokonują własnych wyborów i mają swój świat. Nie zaakceptował też, że żona umarła na zawał i go zostawiła. Jak mogła mu to zrobić?

Mnie zawsze strofował. Pamiętam, jak byłam mała, tak potrafiłam się zamyślić, że pół godziny siedziałam w jednym miejscu z otwartymi ustami i wujek wołał na mnie „gapa". Wtedy mnie to bolało, myślałam, że naprawdę jestem tą gapą, taką sierotą życiową. Jako dziecko miałam potworne kompleksy, byłam dosyć smutną dziewczynką. Jesteśmy z wujkiem bliską rodziną, a ja ostatnio widziałam go chyba ze dwadzieścia lat temu. Dlaczego ani on, ani moi rodzice nie chcieli podtrzymywać kontaktów, co takiego między nimi zaszło, że kontakt się urwał, już nie dojdę. Myślę, podejrzewam, że mama go nie bardzo lubiła, na pewno też miał mi za złe, że urodziłam nieślubne dziecko, nie żyję po bożemu, bo wujek jest zatwardziałym katolikiem. Tak jak jego córki, nie sprostałam wymaganiom. Ciekawe, kto by sprostał.

Ale teraz wujek trochę znormalniał. Da się z nim gadać, jest, można powiedzieć, świetnym kompanem na złe czasy. Bawią się z ojcem w wojsko. Jest szeregowcem, a ojciec kapralem. Wujek kosi trawę, a ojciec go opieprza, że niedokładnie, przekomarzają się, zżymają, ale nie na poważnie. Wujek toleruje wszystkie zachowania ojca, jest cierpliwy jak anioł, przecież ojciec bywa agresywny, wyklina wujka od najgorszych, obraża, poniża. A wujek ma stoicki uśmiech, no chyba że ojciec już bardzo zajdzie mu za skórę, wtedy potrafi się odwinąć.

Ojciec mnie męczy, żebym go zawiozła do fryzjera na drugi dzień po wyjściu ze szpitala, ze szwami na pół głowy. Wytłumaczyłam mu, że to nie ma sensu, nie kiedy rana jest jeszcze świeża. Od operacji w ogóle nie jest smutny, o mamie rozmawia tak, jakby miała za chwilę wrócić do domu, jakby wyszła tylko po zakupy. Chodzi za mną i radzi, jakimi ulicami mam jechać, żeby nie stać w korkach, a jakimi nie. Mylą mu się nazwy, przypomina sobie, znowu zapomina, i tak w kółko. Na co dzień bym z nim nie wytrzymała.

Włodek robi smażone na patelni ziemniaki z cebulką, tak jak robiła im moja babcia, i ojciec jest zachwycony, pałaszuje je ze zsiadłym mlekiem. Ma tylko jeden problem – bardzo chce się napić piwa bezalkoholowego, ale tego zabroniłam mu kategorycznie; z lekami, które bierze, to jest bardzo niebezpieczne, grozi śmiercią. Wujek jest w tej sprawie moim sprzymierzeńcem, od kiedy rzucił picie, sam jest zagorzałym abstynentem. Jemu pomógł Jezus, więc wujek ciągnie ojca do kościoła w nadziei, że tu też Jezus pomoże, ale nie z ojcem te numery. Nigdy nie był specjalnie religijny, a teraz jakby diabeł w niego wstąpił; nie chce słyszeć o księdzu, na widok kościoła odwraca głowę, wykrzywia się, pluje. Ciekawe, że ten odrzut od wiary nasilił się po operacji. Może jest w mózgu jakiś obszar odpowiedzialny za to, że wierzymy albo nie, może to nie jest kwestia przekonań, ale chemii mózgu?

Zmieniam ojcu codziennie opatrunki, co nie jest proste, bo tego nie znosi i się wyrywa, trzeba go przytrzymywać, czasami udaje mu się zerwać bandaż i chodzi, strasząc szwem na pół czaszki. Narzeka mi na wujka.

– Nierówno kosi. I kłóci się ze mną – mówi, kiedy psikam mu ranę płynem odkażającym. Nauczyłam się już patrzeć na ranę, nie widząc jej, pewnie tak robią pielęgniarki.

– Oj, Tadziu, proszę cię – mówi wujek.

Obiera ziemniaki na gazetę rozłożoną na kolanach, jak się to robiło za komuny. Patrzy na mnie, a jego spojrzenie mówi, że teraz trzeba ojcu wszystko wybaczać.

– I tak tu z durniem gadaj – mówi ojciec.

Sprzeczają się, jak to bracia, w ten specyficzny sposób wyrażają uczucia. Ja taki język rozumiem, znam od dziecka ten język emocji bez emocji. Ja też jestem taka mało emocjonalna, zimna, nieczułostkowa i jeżeli zaakceptuję czyjąś czułość, to właśnie taką lekko ironiczną, cyniczną, nigdy okazaną wprost.

– Całe szczęście, że wujek przyjechał, dziękuję – mówię, zaklejając opatrunek na głowie wyrywającego się ojca. – Zostaw, tato, zostaw, nie ruszaj! – podnoszę głos, bo zmarnowałam dziś przez niego trzy plastry; zerwał je i pogniótł, a muszą być aseptyczne.

Dwaj bracia: Włodek – sześćdziesiąt siedem, i ojciec – sześćdziesiąt dziewięć lat. Długo, praktycznie całe życie, walczyli ze sobą, przez lata nie mieli kontaktu, Włodek uważał ojca za życiowego pierdołę, on Włodka za cwaniaka i oszusta. Ojciec wykształcony architekt, ale bez żyłki biznesmena, a wujek po zawodówce, ale biznesmen pełną gębą. Ciekawe, że tak różni na starość się upodobnili. Włodek z lubością udaje ojca przez telefon. Koszą razem trawę, to znaczy wujek kosi, a ojciec niby mu pomaga, a naprawdę przeszkadza. Obserwuję ich z tarasu na górze. Ojciec uważa się za specjalistę od koszenia maszyną marki Irys, którą pamiętam z dzieciństwa – zawsze się psuła. Wygląda jak zabawka, nie przypomina dzisiejszych samokoszących cudów, które jak pies wracają do bazy-ładowarki.

– No co ty robisz, baranie?

– Czekaj, Tadziu, czekaj. – Wujek próbuje kosić, mimo że ojciec mu przeszkadza.

Kosiarka staje, wyłącza się po raz setny. Ten irys kosztował pewnie z pięćdziesiąt złotych, więc nic dziwnego, ale ojciec lamentuje:

– No, zepsuł maszynę, debil.

Wujek klęka przy kosiarce i ją rozbiera. W końcu udaje mu się uruchomić. Kosi dalej, a ojciec zarządza, mówi, gdzie teraz kosić.

– Stój, nie tutaj! Tu koś! O, i z powrotem równiutko – dyryguje. Kiedy wujek nie skręca tam, gdzie ojciec mu każe, od razu złość. – Matoł. Wszystko pierdoli.

Czasami ojciec trąca wujka, po chamsku go zaczepia, ten mu oddaje. Dwaj bracia, stare pryki, a biją się jak mali chłopcy. Rozczula mnie; widzę, że dobrze im razem.

Zostawiam ich samych i jadę do szpitala odebrać wynik histopatologii. Dzwoniłam, wiem, że już jest, ale przez telefon nie chcą informować. Od tego wyniku zależy wszystko. Czy będzie źle, czy będzie jako tako, czy ojciec będzie żył trochę dłużej, czy umrze za kilka miesięcy. Im wyższy stopień, tym większa złośliwość. Piotr po operacji powiedział, że oglądał wycinek pod mikroskopem podczas badania śródoperacyjnego i, niestety, wydaje mu się, że to glejak, bo guz był rozlany. Nie można było usunąć go w całości. Glejaki są właśnie takie – zalewają mózg.

Dużo czytałam o tym, skąd się biorą guzy mózgu. Nie ma jednej odpowiedzi, oczywiście. Prawdopodobnie do ich powstawania przyczyniają się pestycydy, herbicydy, czyli otaczająca nas chemia i pole elektromagnetyczne, tworzone przez różne urządzenia, jak komputery i komórki. Może ojciec jako architekt był bardziej narażony na szkodliwe działanie pola elektromagnetycznego, przecież miesiącami pracował na różnych budowach. A może u niego do powstania guza przyczyniło się nadużywanie alkoholu? To są tylko dywagacje, nie ma żadnych twardych dowodów, że coś stanowi bezpośrednią przyczynę guza; każdy przypadek jest inny.

Rak atakuje, kogo chce, kiedy chce, bez sensu, bez celu, bez powodu. Jest jak miecz przeznaczenia – dopadnie nas, jeśli jest nam pisany. Na szczęście guzy mózgu nie są uwarunkowane genetycznie, jak na przykład guzy piersi czy inne. Czyli my z Kasią teoretycznie nie powinnyśmy zachorować akurat na nowotwór mózgu, ale możemy na wszystkie inne.

Zastanawia mnie, dlaczego w ostatnich latach tak bardzo, co najmniej kilkakrotnie, zwiększyła się zachorowalność na guzy mózgu. Coś jednak musi być w tym współczesnym świecie, że to się tak rozprzestrzenia. Życie jako śmiertelna choroba przenoszona drogą płciową – jak tytuł nawet niezłego filmu Zanussiego.

Z mamą nie najlepiej. Co kilka dni dostaje krew, bo stwierdzili małopłytkowość... W czasie zapalenia płuc źle znosiła respirator. Dali jej też środki nasenne, żeby przespała zagrożenie. Teraz już z płucami lepiej, choć wydzielina wciąż jest, ale, niestety, zwiększyła się ilość krwi w moczu. Muszę wreszcie oddać krew, ciągle nie miałam na to czasu. Przed wyjazdem oddał Grzesiek i Filip, Kaśki nie dopuścili; podobno zakwalifikowanie się nie jest wcale takie łatwe. Instynktownie boję się krwi, budzi we mnie lęk, jest żyjącą materią, tak łatwo się przez nią czymś zarazić; jest symbolem życia, ale i śmierci, nośnikiem wszystkich naszych tajemnic.

Mama ma otwarte oczy, ale nie patrzy na mnie, patrzy obok, jakby mnie nie widziała; wygląda na bardzo nieszczęśliwą i nieobecną. Chcę opowiedzieć jej coś, co może ją obudzić, zaciekawić, poruszyć. Postanowiłam powspominać moje dzieciństwo, nasze wspólne sekrety, których nigdy nikomu nie zdradziłam. Może zareaguje; jeśli mnie słyszy, to powinna.

– Pamiętasz, jak pojechałyśmy razem na Węgry? – pytam i patrzę, czy jest jakaś reakcja, ale nic się nie dzieje. – Byłam wtedy w ósmej klasie i musiałam mieć same piątki, żebyś mnie zabrała. I wiem, że tam zdradziłaś tatę. Przyrzekłam sobie, że mu wszystko powiem, jak wrócimy, ale potem się wystraszyłam, że ci coś zrobi. Ty chuliganko, ty...

Patrzę na monitor i wydaje mi się, że tętno trochę wzrosło. Więc może jednak słyszy?

– Mamo, słyszysz mnie? Pamiętasz, jak jechaliśmy autokarem pełnym twoich znajomych i już od Warszawy była impreza? Wódka, kiełbasa, jajka na twardo. Chciałaś koniecznie, żebym zaprzyjaźniła się ze starszymi od siebie dziewczynami, żebyś nie musiała się mną zajmować, żebyś miała wolne. Tylko, mamo, ja miałam wtedy czternaście lat, a one szesnaście, a w tym wieku to przepaść. Wyśmiewały się ze mnie, gówniary, albo mnie traktowały jak powietrze – nie wiem, co gorsze. Kazałaś mi z nimi spać w jednym pokoju. Kiedy wyszły z łazienki nagie, myślałam, że umrę;

pamiętam, że siedziałam pod kołdrą i się zastanawiałam, jak w ogóle można spać nago? Nie mogłam zasnąć, a one chichotały do późnej nocy i opowiadały sobie zboczone historie, specjalnie na głos, żebym słyszała. Chciałam do ciebie, ale wstydziłam się wyjść – mówię.

Nagle mama zaczyna się dusić, jakby chciała odkaszlnąć, ale nie mogła; krzywi się, skacze jej ciśnienie. Przestraszona wołam lekarza. Lekarka podaje jej coś dożylnie i mama zasypia. Uff. Mama być może już ma głód narkotykowy, tak ją tu ostro szprycują. Boję się, że to początek końca. Długi początek bardzó długiego końca. Żeby tylko nic ją nie bolało. To moje marzenie na dziś.

Dzisiaj zdarzyło się coś, czego się wstydzę sama przed sobą. Rozsypałam się. To się stało, kiedy odbierałam wynik histopatologii taty. Zrobiłam z siebie idiotkę, zachowałam się zupełnie jak nie ja, hamulce puściły. Reaguję tak w nietypowych sytuacjach; nagle wychodzi ze mnie jakiś dybuk i zaczyna histeryzować. Najczęściej dzieje się to wtedy, kiedy czuję się bezradna, kiedy nie widzę wyjścia.

Do niczym niewyróżniającego się sekretariatu neurochirurgii weszłam jeszcze dobrze nastawiona.

– Chciałabym odebrać wynik histopatologii mojego ojca. Tadeusz Makowski – mówię do sekretarki, typowej blondynki z dowcipów.

Widzę, że nie słucha, nawet na mnie nie patrzy, ma mnie głęboko w dupie. Już jej nie lubię, wymalowana maskotka oddziału, pewnie szuka szczęścia wśród lekarzy, może wysoko mierzy, może nawet posuwa ją ordynator. Po ilości biżuterii, po tym, jaki ma dekolt, jak opięła dupę spodniami w panterkę, widać, kto zacz. Do jej zadań należy układanie z chirurgami grafiku operacji, umawianie wizyt kontrolnych, wydawanie wyników, kart wypisu. Ona dobrze wie, ile od niej zależy, i to wykorzystuje.

– Makowski? – mówi, wciąż nie zaszczyciwszy mnie spojrzeniem.

– Tak.

Szuka w segregatorze z wynikami przez dłuższą chwilę, w końcu podaje mi szarą kopertę.

– Jest. Proszę.

Patrzę na wynik i na chwilę uchodzi ze mnie życie. Glejak czwartego stopnia, najbardziej złośliwa odmiana guza, najbardziej zabójczy skurwiel. Jak ogłuszona przez chwilę nie czuję nic, ale szybko dociera do mnie, że muszę teraz podjąć jakieś decyzje, że powinnam dostać skierowanie na radioterapię. Powoli wracam do rzeczywistości; więc jednak to będzie najgorszy scenariusz, nie ma taryfy ulgowej.

W tym przypadku medycyna może zaproponować tylko radioterapię, której skuteczność jest minimalna, a skutki uboczne straszliwe, leki przeciwpadaczkowe i nic więcej. Za chwilę tata przestanie chodzić, przestanie mówić, za pół roku odejdzie; to wszystko wyczytuję z lakonicznego wyniku histopatologii, gdzie po łacinie napisane są dwa słowa: *glioblastoma multiforme*, glejak wielopostaciowy. Zdaję sobie sprawę, że to wyrok śmierci. Ale najbardziej wściekła jestem nie na ten wyrok, tylko na fakt, jak hiobową wieść przekazuje mi ta oto niunia, która zielonymi tipsami znowu wali w klawiaturę. Przecież tu powinien być ktoś, kto ze mną porozmawia, kto mi przedstawi możliwe scenariusze działań – człowiek, a nie dmuchana lala.

– I będę jeszcze potrzebowała skierowania na radioterapię – wyduszam z siebie, załamana.

Lala patrzy na mnie obojętnie jak na muchę.

– Ale nie potrzebuje pani żadnego skierowania – mówi zblazowana.

Jej pewność siebie wywołuje u mnie atak złości.

– Pani gówno wie, co ja potrzebuję, a czego nie potrzebuję! – drę się na nią, jakby to była jej wina, że ojciec zaraz umrze, jakby od tego skierowania zależało życie albo śmierć. – Ja muszę mieć to cholerne skierowanie!

– Wyluzuj, kobieto… – mówi lala, co mnie jeszcze bardziej rozwściecza.

– Proszę do mnie nie mówić protekcjonalnie, „kobieto", proszę pani, bo nie ma pani zasranego pojęcia, nie ma pani żadnego pojęcia o mnie! – krzyczę. Zaraz coś jej zrobię, czuję, że krew zalewa mi oczy, że przestaję jasno widzieć. W tym momencie do sekretariatu wchodzi Piotr.

– Pani Marto, dzień dobry, co się dzieje?

– Bo ja potrzebuję skierowanie, mówię, ale nikt mnie nie słucha! – Skarżę mu się jak mała dziewczynka, co zrobić, że działa na mnie, wcale tego nie chcę, ale nic nie mogę na to poradzić.

– Spokojnie. Niech mi pani pokaże wynik – mówi.

Podaję mu kopertę. Czyta i już wszystko wie. Chwilę milczy, szuka pewnie jakichś słów, które łagodnie ujęłyby to, co jest tam napisane, szuka jakiegoś wiarygodnego pocieszenia, ale nie znajduje. A ja przestaję powstrzymywać łzy. Sekretarka wychodzi z pokoju, obrażona.

– Przepraszam – mówię, kiedy mnie mija.

Nie odpowiada, tylko trzaska drzwiami.

– No, niestety, glejak – potwierdza Piotr. – Najbardziej złośliwa odmiana.

Już to wiem. I przypuszczałam, że tak będzie, ale człowiek zawsze, nawet w najbardziej beznadziejnej sytuacji, szuka nadziei, choćby to miał być jeden promil, to się go uczepi, bo tak jest skonstruowany. Siedzimy chwilę w milczeniu. Piotr otwiera pudełko czekoladek Lindta, pewnie prezent. Kolorowe, pękate kulki z czekoladowym nadzieniem, takie jak lubię; potrafię zjeść całe opakowanie na raz. Częstuje mnie, a kiedy nie reaguję, po prostu wkłada mi kulkę do ust.

– Zrobiłam z siebie idiotkę – mówię.

– Niech pani nie będzie zbyt dzielna w tej sytuacji... – Piotr delikatnie mnie obejmuje, wychodząc chyba trochę poza profesjonalną troskę, ja wtulam twarz w jego fartuch.

– Dziękuję. – Płaczę, brudzę go czekoladą i tuszem do rzęs.

– To jesteśmy na ty? – Uśmiecha się, chce jakoś zmienić temat.

– Marta.

– Piotr.

– Powiedz szczerze, ile mu jeszcze zostało?

– Nigdy do końca nie wiadomo. Ale niedużo. Trzeba się cieszyć każdą chwilą – mówi po chwili.

Nie patrzymy na siebie, tylko siedzimy bez słowa. Jest między nami napięcie erotyczne, seks wisi w powietrzu. Najchętniej bym się w niego wtuliła, poczuła jego zapach, smak, chciałabym, żeby mnie objął, zagarnął. Szukam w jego oczach tego samego, mam nadzieję, że nie jestem mu obojętna, ale przecież do niczego nie dojdzie. Nie ten czas ani miejsce, jesteśmy po dwóch stronach barykady, którą postawił glejak wielopostaciowy.

– Zadzwoń, jakby co. Albo jakby nic – mówi.

Wychodzę na korytarz, wracam do świata, łzy płyną mi po twarzy, szlocham głośno; to nie koniec mojej emocjonalnej ekspiacji. Za długo się trzymałam, za długo byłam dzielna, za długo nie pozwalałam emocjom dojść do głosu i wreszcie się wyrwały, i teraz ich nie powstrzymam. Podeszła do mnie młoda dziewczyna, dała chusteczkę, powiedziała, że jej mama ma glejaka czwórkę i właśnie przechodzi czwartą operację, żebym nie wierzyła lekarzom, bo żyje już dwa lata, że są nowe terapie, jest gamma knife, i tak dalej. Nie jest w stanie mnie pocieszyć, emocje mnie zalały, tamy puściły. Płaczę, bo jestem bezradna wobec nieszczęść, które zsyła mi los, bo już nie jestem w stanie panować nad sytuacją, bo tak bardzo mi źle. Jeśli takie są wyroki boskie, jeśli mam stracić oboje rodziców, proszę Cię, Boże, daj im szybką śmierć. I niech wreszcie przestanę myśleć o tym lekarzu; nie mogę się teraz zakochać, to nie ten moment, do cholery.

Żeby się wyciszyć, postanowiłam pójść na masaż. Zrobię coś dobrego dla siebie, dam sobie czas, żeby się z powrotem posklejać do kupy, żeby znowu być sobą, twardą zawodniczką. Idę na masaż ajurwedyjski; masażysta najpierw wylewa na mnie dzbanek ciepłego oleju. Jego dotyk mnie podnieca, Boże, jak ja dawno nie spałam z facetem; lata świetlne. Karcę się w myślach za te fantazje, ale one tym bardziej mnie oblegają jak stado wygłodniałych psów. Ja i on, i jego dłonie na moich piersiach. Dłonie masażysty są kobiece, delikatne, ale silne. Wyobrażam sobie, że to dłonie Piotra. Masażysta spokojnym głosem powtarza jak mantrę:

– Odchodzą wszystkie napięcia, niczego nie trzymamy, bo niczego nie możemy zatrzymać. Wszystko tylko przez nas przepływa jak rzeka….

Koi mnie to, uspokaja. To prawda, niczego nie możemy zatrzymać, na nic nie mamy wpływu, musimy się poddać, nie ma sensu walczyć. Ale ja, ja nie jestem mnichem zen, nie potrafię być tak pokorna wobec losu, zawsze coś chcę ugrać, a teraz upadłam na kolana, teraz czuję, że jestem złamana naprawdę.

Masażysta jest dobry, zna się na tym, co robi, zaczynam znów czuć swoje ciało, zaczynam myśleć pozytywnie, przez chwilę czuję spokój i szczęście. Jest tak, jakbym osiągnęła podczas tego masażu jakiś stan bliski nirwanie, jakbym oderwała się od siebie na chwilę, jakbym zobaczyła siebie z góry. Tak, tak dobrze, dotykaj mnie tu. Nie przestawaj, jeszcze, chcę jeszcze. Mam nadzieję, że ten masażysta nie czyta w moich myślach, że nie wie, że jestem podniecona. To żałosne – samotna aktorka po czterdziestce chodzi na masaż, który zastępuje jej seks; żenujące. Pewnie w takiej sytuacji jak ja jest wiele kobiet. Salony masażu erotycznego dla mężczyzn są wszędzie, a co z kobietami, co z ich erotyką? Czy jesteśmy gorsze, dlaczego mamy się wstydzić swoich potrzeb? Taki salon masażu dla kobiet, które potrzebują dotyku drugiego człowieka, wcale nie seksu, tylko czułości, to jest pomysł na biznes. Ulga dla nieszczęśliwych, niedotykanych, niedopieszczonych kobiet, masaż ciała i duszy, takie cielesno-duchowe spa.

Idę oddać krew, ale okazuje się, że też się nie kwalifikuję. Zanim się odda krew, trzeba wypełnić ankietę na pięć stron o stanie zdrowia z detalami niemal do trzeciego pokolenia wstecz. Skąd ja mam pamiętać, czy jako dziecko przechodziłam ospę, odrę i różyczkę; nie mam kogo zapytać, bo akurat oboje rodzice są bez kontaktu, tak się składa, że im tę krew chcę oddać. Próbuję zmiękczyć pielęgniarkę w stacji krwiodawstwa; mówię, że mama, że tata, że muszę, a ona, że są procedury i koniec. Wychodząc, mijam dwóch wyrostków, którzy mnie rozpoznają i pokazują paluchami.

– Patrz, to ta, z tego serialu. Ty, kurwa, jak ona się nazywa? – zastanawia się głośno jeden z nich.

– Zrób jej fotę, stary, na Pudla się wyśle – podpowiada drugi.

Cykają mi fotki, jakbym była jakimś rzadkim okazem w zoo. Stoją metr ode mnie; co oni sobie myślą, że jestem głucha i ślepa?

– Dzień dobry panom – mówię. – Chcecie zdjęcie, to proszę.

Wywalam język i pokazuję im fucka, a oni trzaskają kolejne fotki. Myślą, że zwariowałam. Wsiadam do samochodu

162

i odjeżdżam. Pierdolę ich, pierdolę Pudelka, pierdolę cały ten żałosny show-biznes z Mongolii. Jesteśmy nikim, nikogo nie obchodzimy, jesteśmy dupą świata, nikogo nie interesują nasze gwiazdy, jesteśmy żałośni z tą manią wielkości, z tym tworzeniem elit. Jakie elity, jaki wielki świat? Jesteśmy wszyscy w jednym barłogu, któremu na imię Polska; jej się z twarzy nie zetrze, jest wyryta w naszych topornych rysach, widać ją w naszych szerokich szczękach i na niskich czołach.

Dzisiejszy wieczór był cudowny, muszę to częściej powtarzać. Spędziłam go z ojcem, zapaliliśmy sobie trawę, gadaliśmy o wszystkim i o niczym. A co tam. Towar od Filipa jest zajebiście mocny, ujaraliśmy się z tatą jak bąki. Taki koniec mi się podoba. Chyba ojcu też. Po trawie jest rozkoszny: żartuje, śmieje się, opowiada dyrdymały, dzwoni wciąż do kogoś. Ja też się histerycznie śmieję, mnie zawsze po trawie bierze śmiechawka.

Cykają świerszcze, a my siedzimy na ławeczce za domem i jaramy. Jest cisza, spokój, jest dobrze.

Dzwoni do mnie Zuzia.

– Co robisz, mamo? Masz taki dziwny głos.

– Jaramy z dziadkiem trawę – mówię.

– Nie, no nie żartuj. – Nie wierzy.

– Ale naprawdę!

– Jesteś pewna, że to dobry pomysł, mamo? Daj mi dziadka. – Jest przerażona.

Ojciec bierze słuchawkę.

– Halo, Zuzia? Mam ten najgorszy, czwóreczkę – mówi.

Rozśmiesza nas to potwornie, dosłownie pokładamy się ze śmiechu. Okazuje się, że dobra trawa jest dobra na wszystko.

– Dziadek, uważaj na siebie. Mama zgłupiała – stara się pocieszyć dziadka Zuzia.

163

– Nie martw się. Dobrze będzie, no to pa. Całuski – mówi ojciec.

– Dawaj. – Widzę, że ojciec spalił całego jointa sam.

– Nie umiem kółek puszczać – narzeka.

– Ja też nie umiem.

Celebrujemy ten moment podkręconego szczęścia. Ojciec puszcza bąka, podnosząc półdupek, i śmieje się z siebie.

– Niech polata po chałupie – mówię, dusząc się ze śmiechu.

Ciekawe, co na to wujek. Teraz go nie ma, poszedł do kościoła, ale na bank pozna, co tu się wyrabiało.

Kasia

Bez sensu pojechałam do tego Egiptu, powinnam była puścić ich samych i zostać w domu. W ogóle nie odpoczęłam, cały czas się zamartwiałam, przeżywałam, domyślałam się, co tam w domu, i po tygodniu nie wytrzymałam, i wróciłam. Akurat zwolniło się jedno miejsce w samolocie, więc wynegocjowałam z rezydentem, że nie będę dopłacać, bo najpierw jeszcze chcieli, żebym płaciła za dodatkowy bilet, jeśli chcę wcześniej wracać. Człowieka, jak już się zgodzi na wyjazd z biurem podróży, wydoją do końca. Najpierw wszystko dla klienta, piękne słówka, a później tylko czysty, zimny wyzysk.

Udało mi się trochę ponurkować z rurką; niesamowite wrażenia, Grzesiek mnie uczył, nie da się tego z niczym porównać. Nie braliśmy instruktora, bo to straszne pieniądze kosztuje, sami sobie popłynęliśmy do rafy. Widoki pod wodą takie, że dech zapiera, ławice kolorowych rybek, które migoczą w słońcu jak szkiełka, i te ich kolory: są rybki niebieskie, czerwone, białe prążkowane. Coś niesamowitego.

Czasami podpływały wielkie ryby, barakudy; ich to się bałam. Były też śmieszne białe, długie rybki zupełnie jak ołówki. Grzesiek i Filip jak idioci cały czas pod wodą siedzieli, a ja chciałam się opalić, po to w końcu przyjechałam. Słońce piekło bez opamiętania. Już więcej nie pojadę latem do Egiptu; na zewnątrz po piętnastu minutach topisz się od żaru, a w klimatyzowanych pokojach też nie możesz wytrzymać, bo zimno jak w lodowni. Klimatyzacja jest ustawiana automatycznie, nie da się jej regulować, czyli albo się gotujesz, albo siedzisz w igloo; twój wybór. Nasz hotel o wdzięcznej nazwie Ali Baba był taki sobie, okazało się, że ma pięć gwiazdek, ale egipskich, a to nie to samo co nasze. Trzeba było wziąć sześciogwiazdkowy, to może byłaby regulacja klimy, no i jedzenie trochę lepsze. Tu ciągle tylko tłuste mięsa, makarony, ciasta; non stop miałam niestrawność.

Jak się w Egipcie idzie po plaży, bo o leżeniu nie ma mowy, jest za gorąco, pieprzone Arabusy wciskają na siłę: okulary, wisiorki, chusty, nie reagują na „No, thanks", nie można się od nich uwolnić. Jedyny plus, że to był wyjazd *all inclusive*, więc drinki za darmo. Od rana, jak większość gości, siedziałam z piña coladą w basenie. Rezydenci zachęcali, żeby pić alkohol, bo inaczej zaatakuje nas zemsta faraona, więc wszyscy non stop byliśmy lekko nawaleni. Nawet Filipowi coś tam dawaliśmy z alkoholem, żeby go zemsta nie dopadła.

Ale moje myśli były cały czas przy rodzicach. Truchlałam ze strachu, że coś się stało, a mnie tam nie ma, choć powinnam być. Przyjechał wujek, jak dzwonię, to się ze mnie śmieją, żarty sobie robią, niczego nie mogę się dowiedzieć, wolałabym już wrócić. Po co ja tu przyjechałam, po co mi to było, trzeba było olać tę zaliczkę.

A jednak. Przedostatniego dnia dopadła mnie zemsta faraona. Nie pomogła kuracja alkoholem i ostatnie dwa dni spędziłam na kiblu, wijąc się z bólu. W końcu wzięłam jakieś ichnie lekarstwo i powoli mi przeszło. Ale wcześniej przenicowało mnie zupełnie; mam dość wakacji, Egiptu, słońca. A tak się cieszyłam, kiedy wylatywałam. Moja noga już tu więcej nie postanie.

W domu, dzięki Bogu, spokojnie; przyjechałam taksówką prosto z lotniska, chciałam im zrobić niespodziankę, a oni nawet się nie zdziwili, jakbym wróciła ze sklepu. Ojciec siedzi na huśtawce zadowolony, chyba nawet przytył, brzuch mu wywaliło, wujek mu pewnie jakieś smażone rzeczy robił, jak znam życie, Marta siedzi z nimi i się śmieją. Pomyślałam, że niepotrzebnie wróciłam. Może powinnam była jednak zostać?

Wieczorem ojciec z Martą siedzą w ogrodzie. Patrzę na nich i trochę im zazdroszczę, bo mają swój świat, do którego mnie nie wpuszczają, mają przede mną jakieś tajemnice. Podchodzę sprawdzić, czy ojcu nie jest zimno i od razu wyczuwam ten sam zapach, co u Filipa. Palą trawę. I śmieją się jak nienormalni. Co tu się działo pod moją nieobecność?

– Co wy robicie? – pytam.

– Jaramy – odpowiada ojciec.

– Jezu, co wy palicie? Marta, zgłupiałaś?

– Zajaraj, masz. – Marta podaje mi skręta i pokłada się ze śmiechu.

Pukam się w głowę. Kompletnie jej odwaliło, chorego człowieka narkotyzuje, bardzo pięknie. To przecież jest karalne. Ojciec siedzi w siatkowym podkoszulku, jeszcze dodatkowo go przeziębi, idiotka.

– Tata, nie jest ci zimno? – pytam.

– Nie jest ci zimno? – powtarza.

Od operacji powtarza w kółko różne rzeczy. A Marta śmieje się histerycznie i mu wtóruje.

– Nie jest ci zimno? – przedrzeźnia mnie.

– Nie jest ci zimno? Nie jest ci zimno? – powtarza zadowolony ojciec.

Widzę, że nic tu po mnie, rozbisurmanili się kompletnie. Rano sobie z Martą pogadam; jak chce palić trawę, to niech pali u siebie w domu, a nie u mnie.

– Tata, idź spać! – rzucam, odchodząc.

Nieprawdopodobne. Ta Marta to ma pomysły; dawać człowiekowi z glejakiem marihuanę – przecież coś mu się może stać i co wtedy. W tym jej artystycznym światku wszyscy palą, ćpają, wciągają; wiadomo, ruja i poróbstwo. Jak chce, to niech sobie sama pali, ale ojca niech zostawi w spokoju.

Mortie

Golgoty ciąg dalszy. Mama leży pod respiratorem, wciąż jej dają środki nasenne, więc nic nie czuje. Pojawiła się jakaś bakteria w płucach i podali mamie antybiotyki, już kolejne.

Mam problem, do którego nie chcę się przyznać – zwariowałam na punkcie tego neurochirurga Piotra. Dzwonię do niego i chodzę częściej, niż muszę, ciągle o nim myślę. Łapię się na tym, że zachowuję się jak zakochana nastolatka, na przykład miałam dziś erotyczny sen z nim w roli głównej. A przecież to jest kompletnie obca osoba, nic nie wiem o jego życiu; pewnie jest żonaty, ma dzieci, może jeszcze jakąś kochankę albo posuwa pielęgniarkę. Co mi się stało? Nie wiem, ale sfiksowałam na jego punkcie i trwa to już jakiś czas. Pewnie widzi, że się głupio uśmiecham, coraz dłużej patrzę mu w oczy albo spuszczam wzrok zawstydzona, ale mam wrażenie, że on też na mnie reaguje, że też nie jestem mu obojętna. A może nie. Dawno mi się nie zdarzyła taka szczeniacka fascynacja; może mój mózg w ten sposób się broni przed prawdziwymi dramatami, ucieka przed smutną prawdą w wyimaginowany romans. A może to jest miłość? Aż boję się to pisać.

Nie znam się na miłości, nie mam doświadczenia, fakt, moje życie erotyczne bywało bujne, ale nigdy nie były to jakieś tabuny mężczyzn. Jakbym tak miała policzyć wszystkich facetów, z którymi spałam, starczyłoby palców jednej, no, może dwóch rąk i ewentualnie jeszcze jednej nogi. No dobra, dwóch nóg. Ale w porównaniu z dzisiejszymi dziewczynami to i tak jestem mniszką.

Moje związki były nietypowe, jak ten z ojcem Zuzi, moim profesorem w szkole – był żonaty, miał dorosłe dzieci, nie chciałam mu mieszać w życiu. Nie wyrywał się, więc nie naciskałam i sama wychowałam Zuzię; rodzice pomogli. Może źle zrobiłam, może to się odbiło na jej dzieciństwie, może za późno jej powiedziałam, kto jest jej ojcem; to w sumie podstawowa wiedza o sobie. Ale Zuzia zareagowała nadspodziewanie dobrze, teraz mają superkontakt, traktują się jak starzy przyjaciele, porównują znaki szczególne, śmieją się, kiedy są razem. On jest inteligentnym gościem i nie wchodzi z butami w jej życie, a ona ma swój honor i nie poprosi go, żeby spędził z nami święta. Ale wiedzą, że jakby co, to mają siebie, a to już dużo. Może nie powinnam była odbierać dziecku ojca, ale wtedy odebrałabym go dwójce jego dzieci. On zresztą nie nalegał, nie dzwonił, nie prosił o to, żeby widywać się z córką.

Moje życie z mężczyznami nie należy do udanych, zawsze się zastanawiałam, czy nie jestem jakaś uszkodzona w tym względzie. Jak jest *feeling*, to wchodzę w to czasami ślepo. Raz miałam romans z biseksualistą; dowiedziałam się, że jest bi, dopiero kiedy się ze sobą przespaliśmy. Mam dziwny gust, bo wybieram mężczyzn, których nie mogę mieć; taka głupia przekora mną kieruje. Pewnie dlatego nigdy na dłuższą metę mi się nie udało, od początku wszystkie moje związki były skazane na porażkę. Starsi, młodsi, biali, kolorowi – ważne było, że zajęci i jakoś popierdoleni. Od normalnych, takich, co to chcieli ze mną założyć rodzinę, mieć dom i chodzić w kapciach, uciekałam, gdzie pieprz rośnie. Tak jakbym chciała, żeby mi nie wyszło, i rzeczywiście nie wychodziło. Teraz, kiedy już tyle lat mieszkam sama, nie potrafiłabym chyba nagiąć się do jeszcze jednej osoby w domu. Chociaż może dla Piotra zrobiłabym wyjątek. Czuję, że ciągnie mnie do niego jakaś siła, że nie mam wpływu na to, co się stanie, ale czuję, że coś się stanie.

Wiele rzeczy mi się zmienia, przewartościowuje. Coś, co zawsze mnie nudziło, mierziło, taki mieszczański nudny dobrostan, teraz zaczyna mnie pociągać. Ja, rebeliantka, marzę o domu z ogródkiem, o kapciach, o ciepełku u boku Piotra, który będzie patrzył na mnie tymi swoimi niebieskimi jeziorami i który wszystko zrozumie, któremu nic nie będę musiała wyjaśniać, który będzie przychodził do domu po operacjach na mózgu, ja podam mu obiad, zapytam, co w pracy, a on powie, że właśnie uratował człowieka albo że się nie udało i mu smutno, a wtedy ja go przytulę. Takie życie mi się marzy, ale w kontekście stanu mamy, który się ciągle pogarsza, to marzenie jest co najmniej nietaktem.

A jednak myślę o nim w dzień i w nocy. O jego pracy, z którą nic innego nie może się równać. On ratuje ludzi, zagląda im w mózgi, jest panem ich życia i śmierci. Jaka inna praca jest tak ekscytująca jak jego? Mój zawód to zabawa, rozrywka, czasami bywa sztuką, a u niego zawsze jest na poważnie, każda operacja wymaga skupienia na sto procent, każdy błąd może źle się skończyć. W czym ja, komediantka, mogę się z nim równać? On ma misję, leczy ludzi, przywraca im zdrowie, jest w związku z tym dla mnie jakimś nadczłowiekiem. Gdybyśmy byli razem, może przestałabym grać, sadziłabym tylko róże, robiła kolacje dla jego kolegów lekarzy, a oni wieczorem przy dobrym winie opowiadaliby mi mrożące krew w żyłach operacyjne historie.

I tak sobie roję, idiotka. A w międzyczasie rozgrywa się moje prawdziwe życie. Ojciec – taki kochany, pogodny, grubiutki – był dziś ze mną w Centrum Onkologii na Roentgena, rejestrowaliśmy go; lekarze, kolejki, badania, spoceni ludzie... Sterydy, które bierze, powodują, że tyje na potęgę, przez co zaczyna być podobny do pluszowego misia. Musi je brać, bo zmniejszają obrzęk wokół guza, ale lista skutków ubocznych jest przerażająca. Oprócz sterydów ojciec dostaje leki przeciwpadaczkowe, których skutki uboczne są równie złe. Ale nie ma wyboru, nie ma innej terapii, nie ma nic. W Centrum Onkologii idziemy na wizytę do lekarki, która zaplanuje ojcu radioterapię. Ale żeby się do niej dostać, musimy przejść z ledwo powłóczącym nogami ojcem, którego funkcje motoryczne znacznie siadły ostatnimi czasy, przez szpitalny tor przeszkód. Walczę, rzucam się na ludzi, cynicznie wykorzystuję swoją popularność, teraz nic się dla mnie nie liczy, tylko tata. Co mogę, załatwiam sama, ale do większości spraw potrzebny jest ojciec jako chory, na przykład do pobrania krwi. Aż strach pomyśleć, co się dzieje, kiedy chory nie ma rodziny; jak wtedy ma sobie poradzić? Centrum Onkologii jak w soczewce skupia najgorsze cechy naszej służby zdrowia. Brak empatii, biurokracja, brzydota, pośpiech, tłok, smród, brak papieru w toaletach, brak miejsca na parkingach, brak zdrowego rozsądku i serca, brak zindywidualizowanego podejścia do pacjenta. Zobaczyłam napis „Kącik pacjenta" i pomyślałam, że tam sobie tata poczeka z Kaśką, a nie w tłoku na korytarzu; lekarz wyraźnie mówił, żeby unikać kontaktu z ludźmi, bo ojciec jest teraz bardzo podatny na wszelkie wirusy i zarazki. Kącik pacjenta okazał się czerwoną komnatą. Jakiś debil wymyślił, żeby miejsce, w którym pacjent chory na raka czeka na wizytę u specjalisty pomalować na krwistą czerwień. W środku są ustawione czerwone fotele, na podłodze czerwony dywan, wszystko pluje krwią. Ktoś nie miał choćby elementarnej wiedzy o kolorach; czerwień nie uspokaja, ale wprowadza niepokój, jest kolorem walki, pola bitwy, taki pokój powinien być w dowolnym kolorze, ale nie w czerwieni. To jakaś wielka głupota za państwowe pieniądze. W ogóle Centrum Onkologii i z zewnątrz, i wewnątrz mogłoby startować w konkursie na najbardziej odstraszający budynek w mieście.

Kaśka wlecze się za mną, ciągnąc ojca. Nie jest wsparciem ani dla mnie, ani dla niego; przeżywa, płacze i stale się wszystkiemu dziwi. Ile można się dziwić? Teraz trzeba działać, a ona się gubi, nie wie, jak się tu odnaleźć. Jest jak dziecko bezradna i bezwolna, idzie za mną jak muł i tylko całuje tego ojca. Zabolała mnie bardzo jej propozycja, żeby ojca ubezwłasnowolnić. I na nią najlepiej zapisać majątek. Aż mną zatrzęsło; jak ona śmie! Ojciec jest wciąż rozsądny i dziesięć razy inteligentniejszy od niej, a ta idiotka chce nim rządzić? Chce przejąć dom? Niedoczekanie. Jest żenująca w tym zagrabianiu do siebie, nie wiem, czy ona to w ogóle świadomie powiedziała. Ciotka do niej podobno zadzwoniła i poradziła, żeby przepisać konto ojca na Kaśkę, bo tak będzie bezpieczniej. Akurat bezpieczniej, przecież oni to wydadzą w trymiga, zawsze brali od ojca, nie mieli wstydu, to i teraz nagle nie przestaną.

Kasia

Pożarłam się znowu z Martą. Ona uważa, że ja chcę ojca okraść ze wszystkiego, no nienormalna jakaś jest, przecież ja chcę dobrze! Byłyśmy w przychodni w Centrum Onkologii, zapisywałyśmy ojca na radioterapię, chodziłyśmy z nim po szpitalu w tę i z powrotem, myślałam, że zwariuję. Zrobili mu maskę, odlew jakby, i potem w tej masce ojciec będzie miał punktowo naświetlany guz. Chodzi o to, żeby było jak najmniej skutków ubocznych, żeby reszta głowy była przykryta, bo taka radioterapia jest bardzo szkodliwa, szczególnie jeśli chodzi o mózg. Chodziłyśmy z Martą od Annasza do Kajfasza i kiedy usiadłyśmy na chwilę, próbowałam z nią porozmawiać jak z człowiekiem. Ale z nią się nie da, od razu się najeża, od razu wrzeszczy. Ojciec w tym wszystkim jest najfajniejszy, taki rozkoszny: stale czegoś szuka, cieszy się, niczym się nie przejmuje.

– Słuchaj Marta – zebrałam się wreszcie na odwagę – ciotka do mnie wczoraj dzwoniła i ja nie wiem, ja też tak uważam...

– Co uważasz? Możesz coś jaśniej? – Marta już szykuje się do ataku.

– Okulary mi daj. – Ojciec podchodzi do nas z jakąś ulotką o zapobieganiu rakowi piersi, którą pilnie musi przeczytać.

Dostaje okulary, siada sobie spokojnie i łącząc literki jak siedmiolatek, czyta o samobadaniu piersi; na pewno mu się przyda.

– Ciotka mówi, że tata jest teraz w takim stanie, że może wszystkie pieniądze rozdać obcym. Rozumiesz? Odda komuś samochód, odda komuś dom. No i pomyślałam, że powinnyśmy może tatę ubezwłasnowolnić... I ja bym była wtedy odpowiedzialna – mówię.

Wiem, że to źle brzmi, ale to jest przecież prawda, już była sytuacja z samochodem; ojciec podobno wujkowi obiecał samochód i wujek się u mnie dopominał o kluczyki. Marta już jest spięta.

– Ale nie denerwuj się, to jest tylko pomysł... – uspokajam.

– Jaki pomysł?! – napada na mnie, zaczyna wrzeszczeć. – To są jego pieniądze, jego dom; jego, a nie twoje, rozumiesz?

– Wiem – mówię. Niech przestanie wrzeszczeć, przecież wstyd na cały szpital, jak ona się rozedrze. Nie jestem żadną pazerną idiotką, chcę tylko mieć kontrolę nad tym, co może zrobić chory na głowę tata. – Chciałam porozmawiać...

Ona oczywiście wie swoje. Odchodzi obrażona, wraca.

– Widzę, co chciałaś – syczy, pochylając się nade mną.

– Porozmawiać chciałam, nie rozumiesz?

– Aha. Porozmawiać.

Chodzi wściekła jak osa, ja siadam przy ojcu i nic nie mówię, bo cokolwiek powiem i tak będzie na mnie.

– Żenada – rzuca pogardliwie.

Ludzie się na nas gapią, oczywiście ją rozpoznają, i ona jako ta znana i taka, kurwa, święta ma według nich rację. A tego, że przecież ja chcę dobrze, tego nikt nie widzi! Jak ja mam powiedzieć, żeby przestała atakować, żeby postarała się mnie zrozumieć jak człowieka. Boję się z nią normalnie porozmawiać, jest niezrównoważona, agresywna. Zrobiła ze mnie potwora, marnotrawną córkę, która czyha na majątek ojca, a ja po prostu chciałam go ochronić przed nim samym. Niech jej będzie, mogę być potworem. Mam w dupie, co o mnie myśli. Tylko tak mi wstyd przed tymi ludźmi, że mam ochotę zapaść się pod ziemię. Wszyscy się na nas patrzą jak w kinie. Ojciec akurat niczego nie zauważył, cały wesolutki, jak harcerz na apelu salutuje lekarce, rozbiera się grzecznie, rozmawia z nią bardzo rezolutnie, lekarka jest pod wrażeniem, że tata jest w takim dobrym stanie, bo według tomografii mógłby nie chodzić i nie mówić, guz zajął już bowiem rejony odpowiedzialne za te funkcje.

Ale ludzki mózg ma taką niesamowitą właściwość, że inne jego części mogą przejmować funkcje tych, które nie działają. A tata jako architekt, czyli osoba o ponadprzeciętnie rozwiniętej wyobraźni przestrzennej, ma mózg wyćwiczony inaczej niż zwykły człowiek, więc wyniki sobie, a mózg sobie. Ojciec powinien nie mówić, nie chodzić, a mówi, kłóci się z nami, chodzi, a nawet biega, jeśli chce uciec.

Po wizycie u lekarki poszłyśmy z ojcem do szpitalnego bufetu, żeby coś zjadł. Największy problem, jaki z nim mamy, to że ciągle chce mu się wódki; nigdy nie był abstynentem, ale teraz, kiedy naprawdę nie może pić, bo przy lekach, które bierze, to absolutnie zabronione, jeszcze bardziej ciągnie go do alkoholu. Opróżniliśmy jego barek, ale czasami udaje mu się coś jeszcze znaleźć, nie da się go tak non stop pilnować. Ostatnio wziął portfel i wymknął się do sklepu, kupił sobie whisky, nawet bez pieniędzy by dostał, zna wszystkie ekspedientki od lat, dałyby mu na krechę. Złapałam go w ostatniej chwili pod sklepem, jak odkręcał butelkę. Teraz już zamykamy dom, chowamy klucze, chowamy też ojca portfel i normalnie go śledzimy na zmianę, bo zrobił się niebezpieczny dla samego siebie. W szpitalnym bufecie chce oczywiście lufę i tatara, swój aktualny zestaw marzeń.

– Nie ma tu lufy, ale może tatarek będzie – mówię.

Biorę tacę i sunę nią po blacie, patrzę na ohydne szpitalne jedzenie, na szczęście jest tatarek; trochę sinawy, ale jest.

– Coś do picia, tata? – Marta, odzywa się tylko do ojca, do mnie nie.

– Piwo – mówi ojciec.

– Piwa też nie ma.

– To może bezalkoholowe. – Ojciec jest jak dziecko.

– Nie marudź – mówi Marta i idzie zapłacić.

Ojciec odwraca się do siedzącego przy sąsiednim stoliku pacjenta, na oko dwudziestolatka, z podpiętą kroplówką na stojaku. Chłopak nie ma nie tylko włosów, ale też brwi i rzęs, jest blady jak ściana i wychudzony. Płyn z kroplówki powoli skapuje mu do żyły.

– Pan jest z Wasilkowa?

– Nie – odpowiada pacjent bez zdziwienia.

– A co pan je?

– Fasolkę.

– Po bretońsku?

– Po bretońsku.

Przynosimy ojcu jego danie: tatarek, chlebek, masełko.

– Piwa bezalkoholowego też nie ma, musisz się pocieszyć kompotem – mówię.

– Ble. – Ojciec reaguje na kompot jak dziecko na kożuch na mleku.

Smaruję mu chleb, mieszam tatara z cebulką.

– My z Kasią musimy pójść porozmawiać z panią doktor. Chcesz iść z nami do mamy? – pyta go Marta.

Ojciec patrzy zmieszany, wiem, że nie chce iść, nie chce pokazać się mamie z opatrunkiem na głowie. Nie chce, żeby widziała, że jest chory. Mówi, że pójdzie do niej, jak rana się zagoi, w czapce bejsbolówce. Nie był u mamy już trzy tygodnie, nie widział, jak bardzo się pogorszyło. Chyba też nie chce jej oglądać w złym stanie, chce ją zapamiętać piękną.

– Dobrze, to w takim razie zjesz i posiedzisz tutaj, i poczekasz. Ale nigdzie nie uciekniesz – mówi Marta.

– A gdzie ja bym miał uciekać? – pyta ojciec retorycznie.

Zostawiamy go w bufecie i idziemy na OIOM. Nie odzywamy się do siebie, wciąż jeszcze kłótnia z poczekalni rezonuje w naszych głowach; widzę, jak Marta na mnie patrzy, z jaką nienawiścią. Pies ją jebał. Przechodzimy łącznikiem do części szpitala, gdzie leży mama, jedziemy windą w milczeniu.

Widząc miny personelu, czuję, że nie jest dobrze. Wkładamy zielone fartuchy z flizeliny, ale nie wpuszczają nas do izolatki, bo mama znowu ma zapalenie płuc, jej stan radykalnie się pogorszył. Tak źle jeszcze nie było. Minęły już ponad dwa miesiące, odkąd leży na OIOM-ie, różne rzeczy się działy, ale nie było tak źle jak teraz.

Mama wygląda okropnie. Jest spuchnięta, doszły nowe problemy zdrowotne, cały organizm siada. Lekarka powiedziała, że mama krwawi z pęcherza i dróg rodnych. Znowu nie otwiera oczu, nie wiadomo, czy coś z tego rozumie, a jeśli tak, to ile. Ogolili jej głowę, mówią, że boją się zakażenia, bo szew źle się goi. Łysa, z okropną krwawą blizną wygląda strasznie, jak jakaś upiorna lalka. Lekarka powiedziała, żebyśmy się przygotowali na najgorsze. Tylko jak mamy się przygotowywać? Co, mamy kupić trumnę? Załatwiać pogrzeb? Jak można się przygotować na śmierć najbliższej osoby? Czy to w ogóle jest możliwe? Tak pierdolą ci lekarze bez sensu, jakby sami nie byli ludźmi. Stoimy z Martą za szybą i z przerażeniem obserwujemy mamę. Ze ściśniętym sercem patrzymy na podtrzymujące ją przy życiu urządzenia, bez których pewnie już dawno by jej nie było. Ona tam sama, za szybą, i my też same, choć razem.

Mortie

Patrzę na mamę – leży łysa, ogolili ją bez naszej zgody, jest nieprzytomna, już nie żyje, ale jeszcze nie umarła. Boję się, że cierpi i nie może tego powiedzieć, panicznie się boję. Błagałam lekarzy, żeby dawali jej jak największe dawki znieczulenia, żeby za wszelką cenę jej nie bolało, żeby jakoś przetrwała tę agonię. Lekarze i pielęgniarki nie zwracają na nas uwagi, spuszczają wzrok, mają dość ciągłego przekazywania nam złych wiadomości, bo dobrych nie ma.

Ja chcę tylko, żeby mama nie cierpiała, na to się zafiksowałam. Lekarka mówi, że nie mogą cały czas zwiększać dawek opioidów, bo to spowoduje zaburzenia oddychania, więc nie wiemy, czy mamę nie boli, a ja chciałabym być pewna, że nie. Czy to tak dużo? Mama leży tylko z plastrem przeciwbólowym. Nie chcą zwiększyć znieczulenia, bo to ją zabije, mówią. Jestem przerażona, wymęczona, chciałabym, żeby to się już skończyło, chciałabym pomóc mamie odejść. Ale w polskim szpitalu nawet wspomnieć o eutanazji nie można…

Nie powiem ojcu. Nagle zaczęłam się zastanawiać, co ja zrobię, jak już stanie się najgorsze? Może go upalę i jak będzie na haju, to mu powiem. Zresztą może on rzeczywiście ma wyłączone wyższe uczucia, jak powiedział Piotr, i dzięki temu łatwiej zniesie odejście mamy; nie wiem.

Tata jest jak dziecko, bardzo sprytne dziecko. Uciekł, skubany, ze szpitalnego bufetu do sklepu monopolowego naprzeciwko szpitala; jak on to zrobił, nie wiadomo, normalnie poszedł kupić sobie whisky. Szukałyśmy go z Kaśką przerażone. Był już zasikany, z tych emocji się chyba zlał, wyzywał nas od cip wołowych, krów i tak dalej, jak zwykle zresztą, opluł nas, jedną i drugą – sprawiedliwie.

– Tata, co ty robisz?

– Odpierdolcie się ode mnie.

– Zasikałeś się.

– Krowy jesteście, cipy wołowe.

Kiedy walczył z nami, wyklinał i pluł, pod monopolowym zebrał się spory tłumek. Ludzie pokazywali mnie palcami; o, gwiazda, a gania za zasikanym ojcem. Ale ja to pierdolę. Jest, jak jest, teraz za nim ganiam, bo tak trzeba, niech się gapią matoły. Myślę, że on się chce zabić, że czuje, że z mamą jest źle i chce odejść razem z nią. Nie mówi tego, ale ja wiem, że bez niej nie będzie chciał żyć, nie będzie umiał. Ona pewnie bez niego dałaby sobie radę, ale on bez niej – nie. Mimo pozorów siły to jest w gruncie rzeczy słaby, niesamodzielny facet, który potrzebuje jednoosobowej publiczności, zderzaka, kaskadera, tłumacza w osobie mamy.

To nie frazes, on NAPRAWDĘ nie potrafi bez niej żyć. Odwożę ich do domu, zasikanego ojca i moją siostrę, która chciałaby go ubezwłasnowolnić. Kaśka z obrzydzeniem bierze folię, na której siedział tata, taka jest subtelna, delikatna, tak się brzydzi.

Wracam do szpitala sama. Po drodze zdumiona patrzę na ludzi zaabsorbowanych swoimi sprawami i nie mogę uwierzyć, że nic nie wiedzą o naszej tragedii. Przecież układ sił został zaburzony, przecież nic nie jest już takie samo, przecież moja mama umiera! A tu lato w pełni, pary się całują, przytulają, tłumy ludzi piją piwo w kawiarnianych ogródkach nieświadomi tego, że umrą. Uważajcie, wy też jesteście w niebezpieczeństwie, wszyscy umrzecie, mam ochotę im wykrzyczeć. Śmiertelna choroba czai się i zasadza też na was, uważajcie, bo będzie za późno i obudzicie się z ręką w nocniku. Więc łapcie jeszcze te chwile szczęścia, nachapcie się na zapas.

Wchodzę na OIOM, automatycznie nakładam flizelinę i ochraniacze na buty. Mam poczucie, że dziś jest jakoś inaczej. Inny zapach. Coś się zmieniło, na pewno. Wchodzę do mamy, po drodze pielęgniarka patrzy na mnie smutno i nic nie mówi, a zawsze zagadywała. Bo i co tu jest do powiedzenia? Lekarka bierze mnie na rozmowę, mówi, że dalsze podtrzymywanie mamy przy życiu to byłaby tak zwana uporczywa terapia, żebym zrozumiała, że muszą ją teraz zostawić, żeby sama odeszła. Pień mózgu jeszcze żyje, ale wszystkie funkcje organizmu wygasają, życie z mamy uchodzi. Niech pani to zrozumie. Nie wiem, czy rozumiem.

Zostaję z mamą sam na sam. Czuję tę dziwną słodkawą woń. Czy to jest zapach śmierci, czy mi się tylko wydaje? Mówię do niej, słowa wylewają się ze mnie, po raz pierwszy przychodzi mi to z taką łatwością. Pragnę tyle jej powiedzieć; wiem, że to ostatnia szansa. Więc mówię:

– Mamo, umierasz, wiesz? Już ci nic nie działa, nawet nie siusiasz. Przestajesz oddychać. Nie cierpisz. A ja nie mogę płakać.

Patrzę na monitor pokazujący puls i ciśnienie, jest bardzo niskie, mama nie reaguje na moje słowa. To dodaje mi odwagi i mówię dalej:

– Właściwie nie wiadomo, czy jesteś tu, czy już tam. Jak tam jest? Przypomniałam sobie ostatnio, jak mi powiedziałaś, że już ci się nie chce żyć, że ci się znudziło.

Chcę wyjść, ale nagle sobie uświadamiam, że mama na pewno czeka, żebym jej powiedziała, co z tatą. Przecież to oczywiste, że jeśli mnie słyszy, to jego stan, to co się z nim dzieje, interesuje ją najbardziej. To z nim była najsilniej związana, nie z nami. Dotychczas nikt nie powiedział jej, że ojciec jest chory, ukrywaliśmy to przed nią, żeby nie dokładać jej zmartwień, ale teraz to już nie ma znaczenia. Mówię więc o tacie.

– I jeszcze chciałam ci powiedzieć o tacie. Tata jest bardzo chory. Nie mówiłam ci wcześniej, bo nie chciałam cię martwić. Tata ma guz mózgu. I chciałam ci powiedzieć, że będę się nim opiekować, będę o niego dbać, może nie tak dobrze jak ty, ale najlepiej jak umiem. Obiecuję ci. Chciałam, żebyś wiedziała. Mamo, będzie dobrze. Przejdź spokojnie na drugą stronę, ja cię będę asekurować, tam ci będzie lepiej, tam nic nie będzie bolało. Co teraz czujesz? Co myślisz? Czy jesteś jeszcze tu, czy już tam? Co jest po tamtej stronie?

Stoję nad łóżkiem jak zamurowana. Nie, nie płaczę. Łzy zatrzymują się na granicy siatkówki. Chciałabym płakać, żeby mi ulżyło, ale nie mogę. Jestem twarda jak kamień. Wychodzę na korytarz, nie mogę tu dłużej być, duszę się. Nie daję rady.

Na korytarzu spotykam Piotra. Kładę głowę na jego ramieniu. Wie, co się dzieje, zna stan mamy, przecież tutaj pracuje. Patrzy na mnie ze współczuciem, jak ktoś, komu jestem droga, jak ktoś, kto mnie rozumie. A może on tak patrzy na każdego? Może ma po prostu takie empatyczne spojrzenie?

Bierze mnie w ramiona, czy to mi się wydaje? Dopiero teraz łzy zaczynają płynąć. Przytula mnie i prowadzi. Czy to się dzieje naprawdę, czy to moja chora wyobraźnia?

Nie, on naprawdę zaprowadził mnie do swojego pokoju. Nic nie mówił, nie pocieszał, pozwolił mi się wypłakać. Położył mnie na leżance, na której bada pacjentów, a sam usiadł przy komputerze i coś pisał.

Leżę i patrzę na niego, łzy nie przestają mi płynąć. Tak jakby nagle tamy puściły i cała woda się ze mnie wylała. Po jakimś czasie Piotr siada obok mnie i delikatnie dotyka. A może po prostu bierze mnie od tyłu, nagle, brutalnie i zwierzęco się kochamy, i mam orgazm stulecia? Głaszcze mnie po twarzy, po szyi, jestem cała mokra, łzy zmoczyły bluzkę i zieloną flizelinę, i kozetkę, płyną jak szalone, topimy się w moich łzach. On mnie rozumie, on wie, że tak naprawdę jestem małą dziewczynką, która chce być głaskana jak kot, że wcale nie dorosłam, że udaję taką silną Martę. Jest między nami jakaś nić porozumienia, iskrzy, tylko kto pierwszy nazwie to, co jest?

Tak, teraz mi dobrze, czuję, jak wszystko wraca na swoje miejsce, jak ziemia zatacza koło, czuję, że znowu mam skórę, która jest wrażliwa na dotyk, że jestem ulepiona ze zmysłów, uczuć i nastrojów. I jestem strasznie podniecona. Biorę jego dłoń i przesuwam ją wolno w dół. Nie oponuje. Nic nie mówimy. Rozchylam nogi, podciąga mi spódnicę. Dotyka mnie, jestem cała mokra. Zaciskam usta, żeby nie krzyczeć. Pochyla się nade mną i całuje mnie najpierw delikatnie, potem mocniej, czuję jego język, jego ciepło. Po chwili, za szybko, wyginam się w łuk i tłumię jęk. On spokojnie wycofuje dłoń, uśmiecha się. Nic się przecież nie stało, wszystko jest okej. Wracamy do swoich ról, on jest lekarzem, ja córką pacjentki. Nie wstydzę się, patrzę na niego raczej zdziwiona.

– Ty to zrobiłeś z litości? – pytam.

– To takie rzeczy można robić z litości? – Zrobiłem, bo chciałem i ty chciałaś. Prawda?

– Ale mi głupio. Pewnie masz żonę, dzieci…

– Kto ci to powiedział?

– Nikt, ale ja tak zawsze trafiam. Zresztą nieważne.

– Dlaczego nieważne?

– Dlaczego odpowiadasz pytaniem na pytanie? Nie oszukuj mnie, proszę, już mi się tak nie chce, jestem zmęczona.

– Proszę bardzo, odpowiem na każde twoje pytanie. Nie mam żony, mam partnerkę, ale nam się nie układa, więc się od niej wyprowadziłem. Jestem egoistą i pracoholikiem, wszystkie związki rozpadały się przez moją pracę. Taka odpowiedź wystarczy?

– Nie, ja tylko chciałam wiedzieć, czy ty też… Czy…

– Czy coś do ciebie czuję?

– No właśnie.

Długa pauza.

– Chyba tak.

– Co tak?

– Nie mówmy teraz o tym. Chyba coś do ciebie czuję…

– Przepraszam, że cię tak przepytuję, nie chcę niczego na siłę. Sama nie wiem, co mówię, co robię, przy tobie zachowuję się jak głupia nastolatka. Jak moja córka.

– To ty masz córkę?

– Już dorosłą.

– Nie wierzę.

– Mam. Jest piękna i mądra, zupełnie inna niż ja. Zobacz. – Pokazuję mu zdjęcia Zuzi w telefonie.

– Piękna, ale inaczej niż ty. Ty jesteś piękniejsza.

– Nie kłam – przerywam mu. Zawsze jestem zażenowana, kiedy ktoś mi mówi komplementy.

– Ale to prawda, ty jesteś piękna pięknem dojrzałym, ona jeszcze nie.

– Poeta się znalazł.

Wstaję z leżanki, poprawiam włosy, smarkam w chusteczkę, którą podsuwa.

– Spotkamy się jeszcze? Wiem, że nie powinnam cię o to pytać – mówię i żałuję, że to powiedziałam, mama zawsze powtarzała, że to facet powinien zabiegać o kobietę, a nie odwrotnie, ale ja jestem w tych sprawach głupia jak but.

– Marta, ale…

– No właśnie, ale.

– Nie wiesz, co chcę powiedzieć – przerywa mi. – To nie jest dla ciebie najlepszy czas, masz teraz na głowie rodziców, a ja jestem w to zaplątany jako ich lekarz. Obiecuję, zrobię wszystko, żeby ci pomóc, żeby im pomóc, ale nie możemy łączyć tych dwóch rzeczy… Nie chcę cię zawieść. Powiedzmy, że na razie chciałbym móc się o ciebie troszczyć z pewnej odległości.

Nic nie odpowiadam. Nie wiem co powiedzieć, ale czuję, że bardzo dużo się tutaj zdarzyło, coś się stało, zawarliśmy jakieś porozumienie, otworzyły się jakieś drzwi.

– Zadzwonię, jakby co – mówię.

– Albo jakby nic – odpowiada. Uśmiecha się lekko.

Całuję go teraz jak koleżanka w policzek, jego zarost łaskocze, Piotr ani mnie nie przytrzymuje, ani nie odpycha. Wychodzę. Wychodzę z gabinetu lekarza, jakbym była po prostu na konsultacji. Rozglądam się, nikt nic nie zauważył.

Idę korytarzem i nagle panika – jak ja wyglądam, może jestem rozmazana, wymięta. Wchodzę do łazienki, żeby się poprawić, przecież muszę iść do mamy, muszę stanąć na wysokości zadania. Rzeczywistość wraca do mnie jak zły pies. Wraca i warczy, i wyje, już czuję jej oddech na plecach. Poprawiam bieliznę, sukienkę, fryzurę, makijaż. Uśmiecham się do świata; jakoś to będzie, w najczarniejszą noc może zaświecić jakaś gwiazda, a nuż jest jeszcze dla mnie szansa na szczęście?

W łazience spotykam lekarkę z OIOM-u, doktor Kwiecień. Uśmiecham się przyjaźnie, znamy się przecież. Patrzy na mnie zmieszana. Nawet myślę, że może zapytam, co z mamą, ale tak w kiblu to jakoś dziwnie.

– Dzień dobry.

– Dzień dobry. – Już chce wyjść, ale się cofa, dotyka dłonią mojego ramienia. – Pani mama właśnie odeszła. Przykro mi – mówi i wychodzi, jak gdyby nic wielkiego się nie stało.

Ja zostaję. Nie mam siły na żaden ruch, czekam, aż odzyskam władzę w nogach, żeby pójść dalej, ale to trwa.

Dopiero po dłuższej chwili jestem w stanie ruszyć się z miejsca. Obmywam twarz zimną wodą. Patrzę na siebie, uczę się oddychać: wdech, wydech, wdech, wydech, o, tak się to robi. Idę korytarzem na OIOM, mijam pielęgniarki, które na mój widok rozstępują się jak przed królową. Wchodzę do mamy. Stoi przy niej pielęgniarka dyżurna, najwyraźniej na mnie czeka. Maszyny głośno piszczą, wskazując, że oddech się zatrzymał, że ustały funkcje życiowe. Mama jest papierowożółta. Dotykam jej dłoni, jest zimna i dziwnie mokra. Pielęgniarka patrzy na mnie speszona.

– Dać pani coś na uspokojenie?

– Nie, dziękuję.

– To ja wyłączę respirator. Mogę?

– Proszę.

– Takie są procedury – usprawiedliwia się.

Podchodzi do respiratora i go wyłącza. Wyłącza też wszystkie pompy, monitory, wszystkie maszyny. Patrzę na jej spokojne czynności, żeby jak najdłużej nie patrzeć na mamę. W końcu pielęgniarka wychodzi, zostawiając nas same. Chciałabym uciec, ale wiem, że nie mogę.

Nie mogę znieść zapachu śmierci, oblepia mnie jak śluz. Nie mogę wytrzymać bycia sam na sam z ciałem, dotykam mamę tylko raz, nie mogę się zmusić, żeby ją pocałować. Chcę jak najszybciej wyjść, wszystko zaczyna mnie swędzieć, jakbym miała alergię na śmierć.

Wychodzę z izolatki i staję za szybą. Patrzę na mamę z bezpiecznej odległości, zza szyby nie czuć tego zapachu, tu już śmierć mnie nie dosięgnie, uspokajam się. Zrobiło mi się strasznie zimno. Spokojnie, teraz trzeba myśleć racjonalnie, wszystkim powiedzieć; tylko spokojnie, bez emocji. Trzeba odnaleźć się w tej sytuacji, opanować, załatwić formalności pogrzebowe. Tak sobie mówię, a w środku wypełnia mnie panika.

Stojąc za szybą, zrozumiałam, że mama odeszłaby już dawno, ale czekała na wiadomość o ojcu, chciała wiedzieć, co z nim. Dopiero kiedy jej powiedziałam, zdecydowała się odejść. Tak myślę. Czyli wszystko słyszała, wszystko rozumiała. Chwilę, kiedy byłam z nią sama, kiedy uchodziło z niej życie, zapamiętam na zawsze. Ciało się wtedy tak szybko zmienia. Nie, nie będę brała żadnych środków uspokajających. Muszę to przeżyć świadomie, śmierć to w końcu część życia, nie chcę się na nią znieczulać.

Wyjechałam ze szpitala i panika mnie pokonała. Tak mi się ręce trzęsły, że nie mogłam znaleźć kwitu; powiedziałam parkingowemu, że mi mama umarła i mnie wypuścił bez płacenia. Próbuję jakoś się trzymać w ryzach, jakoś prowadzić; jedno skrzyżowanie, drugie. Zielone, na zielonym trzeba jechać. Teraz czerwone, na czerwonym się staje. Tylko o tym teraz myśleć, wymknąć się jakoś panice. Tylko o drodze. Muszę jechać powoli, nigdzie już się nie spieszę, nic mi już nie ucieknie. A w piersiach serce mi trzepoce jak przestraszony wróbel uwięziony za karę. Chciałabym gdzieś uciec, ale nie mogę. Jak ja im to powiem? Dzwoni mój telefon. To producent serialu; no, nie mógł wybrać gorszego momentu.

– Witam, pani Marto, chciałem porozmawiać o pani roli w naszym...

– Panie Macieju, nie teraz – podnoszę głos, jestem niemiła. – Właśnie umarła moja mama i mam w dupie pana serial. Rozumie pan? Czy jest pan w stanie to zrozumieć? – wydzieram się.

– Przepraszam, nie wiedziałem. Jakbym w czymś... – Chce jakoś się zachować, ale ja mu nie pozwalam nawet na to.

– Naprawdę, może mnie pan wypieprzyć z serialu, mam to gdzieś. A jeśli pan dzwonił, żeby mi powiedzieć, że powinnam bardziej się do widzów wdzięczyć, to niech pan sobie daruje, nie będę. Wyrzućcie mnie, tylko mi tym przysługę zrobicie, dajcie mi żyć. Żegnam pana. – Rozłączam się i dopiero teraz do mnie dociera, co zrobiłam. Właśnie załatwiłam sobie wyrzucenie z pracy, która dawała mi chleb przez ostatnie siedem lat.

Mijam plac Zbawiciela, nie wiem po co tędy jadę, patrzę na stojących z fajkami, drinkami, piwami kolorowych ludzików w lustrzankach Ray Bana i z fryzurami à la Piast Kołodziej, patrzących na przejeżdżające samochody jakby w nadziei, że spotkają kogoś, kto zmieni ich życie. Nienawidzę ludzi, którzy żyją normalnie, śmieją się, rozmawiają o niczym, jedzą tajskie żarcie w ogródkach, przebiegają na przejściu dla pieszych. Mam ochotę przyspieszyć i ich pozabijać. Niech poczują, jak to jest, niech się, kurwa, nie łudzą, że to będzie wiecznie trwało, ta ich sielanka, to ich małe, nic niewarte życie. Co by zrobili, gdyby zabrać im te gadżety, karty kredytowe, ciuszki Lacoste, torby Louisa Vuittona, buty New Balance? Gdyby im zabrać to ich tu i teraz? Czy wtedy też nie wierzyliby w nic? Czy gdyby odrzeć ich z piórek i hałasu świata, dalej akceptowaliby wiekuistą samotność? No, jak to jest?

Już wyjechałam z Warszawy, jestem na drodze do Konstancina, stoję w korku. To miasto i jego przedmieścia są zatkane jak zmiażdżycowane tętnice. Zaraz powinnam być na miejscu. Dobrze, że się trochę uspokoiłam. Nagle zdaję sobie sprawę, że do nikogo jeszcze nie zadzwoniłam. Zaczynam od Zuzi, powinnam jej pierwszej powiedzieć. Wyjątkowo od razu odbiera.

– Kochanie… – milknę; nie wiem, jak to sformułować.

– Babcia? – pyta.

– Tak – mówię sucho. – Przyjedź do dziadka, ja już tam jadę.

Z drugiej strony słuchawki szloch.

– Zuzia, to na razie, widzimy się.

– Mamo, uważaj na siebie! – mówi jeszcze, zanim rozłączę.

Nie chcę się rozczulać, nie dam rady udźwignąć jeszcze jej bólu, może powinnam, w końcu jestem matką. Wybieram numer Kaśki. Też odbiera od razu.

– Marta? – pyta płaczliwie. Czuje, że jest źle.

– Tak, Kasiu, stało się, spokojnie, powiedz ojcu. Ja do was jadę. I błagam cię na wszystko, weź jakiś proszek i nie histeryzuj, spokojnie mu powiedz. Słyszysz mnie? Kasia?

– Dobrze, ale… – Rozkleja się, wyje.

– Zamknij się, debilko! – krzyczę. – Uspokój się i powiedz to ojcu spokojnie. To bardzo ważne, żebyś mu powiedziała. Ja stoję w korku i nie wiem, kiedy będę. Zajmij się nim, bądź z nim po prostu teraz. Mnie też jest ciężko, Kaśka, ja nie mogę robić wszystkiego, proszę cię! Jesteś dorosła!

Kaśka się rozłącza. Wdech. Wydech. Wdech. Wydech. Samochody stojące przede mną rozmywają się w kolorową magmę, nie rozróżniam ich. Żeby tylko nie spowodować wypadku, żeby dojechać w całości. W głowie wirówka myśli: co dalej, co z trumną, pogrzebem, czy normalny, czy kremacja? Nigdy z mamą o tym nie rozmawiałam, nie mam pojęcia, jak chciała być pochowana, było na to o wiele za wcześnie.

Ostatnie dziesięć minut krążę po ulicach wokół domu rodziców, układam sobie w głowie, co i jak powiem ojcu, bo wiem, że Kasia mu nie powiedziała, na pewno nie miała odwagi. Jak to zrobić, żeby go bolało jak najmniej. Jego ból jest ważniejszy niż wszystkie nasze bóle razem wzięte. Wreszcie parkuję.

Wchodzę do domu rodziców, który jest pogrążony w mroku poza gabinetem ojca, gdzie tli się słabe światło. Dom jest otwarty. Pachnie starością, stęchlizną, wilgocią, jest w nim brudno. Wolno wchodzę po schodach. W gabinecie Kasia gra z ojcem w warcaby. Siedzą przy barku na wysokich stołkach, to ulubione miejsce ojca, ołtarz, na którym są zdjęcia mamy. Staję w drzwiach.

– Hop. I tu ci zjadłam jednego – mówi sztucznie wesoła Kasia, zabierając ojcu pionek.

Ojciec trzęsącą się ręką robi ruch na szachownicy.

– Ale mnie zrobiłeś teraz! – krzyczy Kasia. – Popatrz, masz raz, dwa, trzy, cztery, pięć, sześć, a ja mam tylko cztery pionki i ty po prostu wygrałeś. No widzisz? Widzisz?

Odwraca się od ojca, idzie do mnie, płacząc bezgłośnie. Chyba coś wzięła na uspokojenie.

– Nie powiedziałam mu. – Szlocha i wybiega.

Wiedziałam, że nie powie. Wolno podchodzę do ojca, nie zdjęłam płaszcza, nagle zdaję sobie sprawę, że on jest czarny i że to pasuje. Ojciec patrzy na mnie tak, że zastanawiam się, czy już wie. Przytulam się do niego i słyszę spokojne bicie serca, więc chyba jednak nie wie. Siadam obok i przez dłuższą chwilę trwamy w milczeniu. Muszę to powiedzieć, nikt nie zrobi tego za mnie.

– Odeszła, wiesz? – mówię.

– To niemożliwe. Przecież to niemożliwe.

Ojciec siedzi bez ruchu, kręci głową i szuka w moich oczach jakiegoś znaku, że to głupi żart. Przytulam się do niego z całej siły i wtedy puszcza moja wewnętrzna tama. Zaczynam mu płakać w koszulę, on mnie głaszcze i powtarza jak mantrę:

– To niemożliwe, przecież to niemożliwe. To jest niemożliwe. Było już tak dobrze.

Przyjeżdża Zuzia, podchodzi, obejmuje nas. I tak tkwimy we troje, trzy główki, trzy pokolenia, ojciec, córka i wnuczka, związani nierozerwalnym węzłem wspólnych genów i wspólnego nieszczęścia.

– Byłam tu już wcześniej, ale bałam się wejść – mówi Zuzia. – Krążyłam wokół domu ze czterdzieści minut.

Zjeżdża się rodzina, ciotka przywozi ciastka, jakby mogły osłodzić ten gorzki czas. Pączki, ptysie, eklerki. Rozkładam je na patery, wyjmuję talerzyki. Dom zapełnia się ludźmi, którzy już od progu są jacyś inni, poważniejsi niż zwykle. Okazuje się, że śmierć uszlachetnia żywych, przynajmniej na chwilę. Kasia pełni honory domu, przebrała się w czarną sukienkę i ze smutną miną chodzi między ludźmi, i co chwila się do kogoś przytula. Ojciec nie chce z nikim rozmawiać, siedzi sam na bujanym fotelu i mówi do siebie: To niemożliwe, to niemożliwe, jakby płyta się zacięła. Po domu krążą ludzie z talerzykami, filiżankami, przytulają nas, chcą chyba wesprzeć, ale na mnie to nie działa, ja ich tu nie chcę. Staram się jakoś zachowywać, dolewam herbaty, kawy. Nie ma tylko Grześka i Filipa, jutro wracają z Egiptu.

– Takie nieszczęście! – lamentuje półgłucha ciotka. – Pamiętajcie, ona chciała być skremowana, mówiła mi wiele razy.

– To ciocia z nią na takie tematy rozmawiała? – pytam zdziwiona.

– Ona się bała robaków – mówi ciotka zupełnie poważnie.

– Jakich robaków? Co ciocia wygaduje? Przecież pochowany człowiek leży w zamurowanej trumnie.

Staram się ukryć moją niechęć. Nigdy jej nie lubiłam: jej braku delikatności, wścibstwa i chamstwa.

– Coś miała do tych robaków. Poza tym Kasia mówiła, że jest ogolona, to trzeba by było perukę kupować, a po co. – Ciocia podchodzi do sprawy praktycznie.

– Ciociu, niech ciocia da spokój – kończę rozmowę.

Odchodzę, a ona lezie za mną, ależ jest upierdliwa jak mucha robacznica, łazi za mną i non stop o tych robakach. Muszę pobyć sama, bo zwariuję albo ją zabiję.

Kasia siedzi w wianuszku kuzynek, koleżanek, które ją pocieszają, i płacze na całego. Opowiada im jakąś smutną historię. Z niej to by była świetna płaczka, nadawałaby się. Ojciec powoli włącza się w rozmowy, widzę, że się śmieje. Ten guz mózgu spowodował pewnie, że nie czuje wszystkiego tak, jakby czuł, gdyby był zdrowy; paradoksalnie dzięki niemu jest w stanie to unieść. Może tak właśnie miało być, bo inaczej by się załamał. Ona była całym jego światem.

Kasia

Mama odeszła. To się stało tak nagle. Nie jestem na to przygotowana. Jak to dobrze, że wcześniej wróciłam z tego Egiptu, dzięki Bogu. Ojciec jest taki dzielny, taki kochany, żartuje, żeby zrobić podwójną trumnę, że będą sobie razem leżeć. Tyle się mama biedna wycierpiała, tak długo była w tej

189

śpiączce, ponad miesiąc, i to wszystko na nic, przecież to takie niesprawiedliwe, żeby ona to wszystko musiała przechodzić. Tylu żyje starych ludzi, a mama miała dopiero sześćdziesiąt osiem lat, była całkiem młoda. Nie dociera jeszcze do mnie, że jej nie ma. Myślę o niej, jakby gdzieś na chwilę wyszła, jakby się schowała i zaraz miała zejść po schodach w jednej ze swoich olśniewających kreacji, i powiedzieć: Ale was nabrałam. To by było w jej stylu.

Zadzwoniłam do rodziny, ciotki, kuzynów; przyjechali. Nie mam siły, ale przecież wypada ich przyjąć. Dobrze, że nie wolno przywozić ciała do domu, bałabym się tego. Teraz mama jest w szpitalnej kostnicy i zakład pogrzebowy bezpośrednio stamtąd odbierze ciało. Ja boję się wystawiania ciała jak ognia, nie chcę. I będzie kremacja, skoro ciotka mówi, że mama chciała być spalona.

Nie zdążyłam się z nią pożegnać. Nie powiedziałam jej, jak bardzo ją kocham ani że nie potrafię bez niej żyć, nie pocałowałam jej nawet. Mama była tam, w szpitalu, strasznie samotna, może ta śmierć to dla niej ulga, bo już dłużej nie musi sama leżeć w tej piekielnej białej izolatce.

Krążę po domu w czarnej sukience z aksamitu, którą kupiłam na sylwestra, nie mam nic innego w czerni. Marta i Zuzia przyjechały, jak stały, coś tam pomagają. Ojciec zupełnie jak nie on, całkiem obojętny na wszystko, nie obchodzi go pogrzeb, stypa, nic. Najpierw siedział bez ruchu, a teraz chodzi i opowiada głupie dowcipy, jakby nic się nie stało. Ludzie nie mogą uwierzyć, że tak dobrze znosi śmierć żony, nie zdają sobie sprawy, że to skutek guza mózgu.

Nie mogę słuchać głupich żartów ojca, ale lepiej, że żartuje, niż gdyby miał się załamać. Ten guz go znieczulił na smutek, wytłumił emocje. Wzięłam tabletki na uspokojenie. Nie mam siły zająć się pogrzebem, ojcem, domem. Co chwila łapie mnie taki dygot, paniczny strach. Tak już było dobrze, wierzyłam, że mama wyzdrowieje, trzymałam się tej nadziei do samego końca. Ale nic nie pomogło: ani modlitwy do wszystkich świętych, do Tadeusza Judy, ani do Matki Niepokalanie Poczętej, ani kółko różańcowe. Nie pomogła szamanka, uzdrowiciel, nikt. Mama odeszła, bo Bóg tak chciał, chociaż zabrał nam ją za wcześnie... Widocznie tam w niebie takich teraz potrzebują, jak mówiła babcia, mama mamy, przed śmiercią. Tylko że ona żyła ponad dziewięćdziesiąt lat, a mama była jeszcze taka młoda. Co ja bez niej zrobię? Nie umiem bez niej żyć. Nie mam siły pisać.

Noctie

Nie pamiętam ten nocy po śmierci mamy, upiłam się, żeby nie czuć, nie pamiętać, i zasnęłam w ubraniu na kanapie; chyba urwał mi się film. Ale wcześniej, wracając od rodziców, wstąpiłyśmy z Zuzią do kościoła; nagle obie zapragnęłyśmy się pomodlić. Kościół był pusty, chcieli go zamykać, kościelny czekał, aż wyjdziemy. Może jednak jest Bóg, przecież coś tam musi być, to nie może być koniec wszystkiego. Ten kościół i cisza były potrzebne, ukoiły mnie.

Rano od razu zaczęłam załatwiać to, co niezbędne, bo Kaśka oczywiście tylko rozpacza. Zakład pogrzebowy, kremacja, urna, stypa. Ludzie z zakładu pogrzebowego odbiorą ciało i zawiozą do krematorium pod Wyszkowem. Nie chciałam być podczas spopielania mamy, to chyba jest straszny widok, nie potrzebuję dodatkowych wrażeń. Czy jest ktoś, kto by chciał patrzeć, jak jego bliski płonie? Wątpię.

Po południu zabrałam ojca do fryzjera, trzeba mu zrobić jaki taki porządek na głowie przed pogrzebem. Pan

Leszek to fryzjer taty od zawsze, to znaczy od czterdziestu lat, kiedy tata sprowadził się do Warszawy z mamą i z małą mną. I mimo że trzeba do niego przejechać pół Warszawy, ojciec go nigdy nie zdradzi i nie pójdzie nigdzie indziej. Zakład pana Leszka mieści się przy Trębackiej, wciśnięty jakby na siłę między odnowione kamienice; znalezienie tam miejsca do zaparkowania graniczy z cudem. Staję bardzo daleko i idziemy, a ojciec już słabo chodzi, więc zajmuje nam to sporo czasu. Słońce pali jak szalone, roztapiając asfalt. Ojciec po drodze mdleje, osuwa się nagle na chodnik na środku Krakowskiego Przedmieścia, od razu zbiera się wokół nas tłumek turystów, którzy w różnych językach pytają, co mu jest i czy potrzebuję pomocy.

– *Can I help you?*

– *Vous voulez que je vous aide?*

– *Pomocz'?*

Chcę odpowiedzieć, ale z tego stresu zapominam, jak jest po angielsku atak padaczki. Ktoś dzwoni pod 112. Ojciec, jak nagle padł, tak i wstaje, otrzepuje się i ze zdziwieniem patrzy na zbiegowisko. Od razu mi się przypomina, jak jest padaczka po angielsku, *epilepsy*, tak samo jak po polsku, epilepsja. Jakoś się dotelepaliśmy do fryzjera, ale ledwo, ledwo.

Wnętrze zakładu pana Leszka jest jakby żywcem wyjęte z lat osiemdziesiątych ubiegłego wieku, jest reliktem przeszłości, zupełnie nie pasuje do eleganckich butików i szklanych domów wokół. Myślę, że w konkursie na najbrzydszy salon fryzjerski w Warszawie miałby duże szanse. Na ścianach z dykty wiszą zdjęcia fryzur z lat pięćdziesiątych i sześćdziesiątych, niektóre już tak wypłowiałe, że nie wiadomo, czy przedstawiają mężczyznę, czy kobietę, jednak pan Leszek uparcie nie wiesza nowych, jakby wartością było to, że te są takie stare. Tacy też do pana Leszka przychodzą klienci, średnia wieku siedemdziesiąt plus. Sami panowie, widać, że się znają, że lubią tu przychodzić nie tylko na strzyżenie, golenie, ale żeby sobie pogadać.

Pan Leszek wszystkich klientów zna od dziesięcioleci, wierność i lojalność to podstawa jego sukcesu, bo jak inaczej zrozumieć, że dziupla istnieje w tym miejscu mimo szalejącego wokół kapitalizmu. O naszej rodzinie pan Leszek wie wszystko, ojciec mu zdaje relacje z miesiąca na miesiąc, a kiedy jeszcze pracował w Warszawie, relacjonował nawet częściej. Już od wejścia klienci opowiadają, co u kogo. Po wysłuchaniu ojca pan Leszek kręci głową z niedowierzaniem.

– Kto by to pomyślał, taka młoda kobieta. Taka piękna; przecież pamiętam, jak tu po pana przychodziła, zawsze coś sobie nowego kupiła gdzieś obok, to prawdziwa elegantka była.

– Oj, tak, tak. Pamiętamy wszyscy – potwierdza jeden z klientów.

– W Modzie Polskiej kupowała – mówi ojciec.

Siedzi na fotelu jak król na tronie, w spłowiałej szarej pelerynie zawiązanej wokół szyi. Jest w centrum zainteresowania, co mu wyraźnie odpowiada. Pan Leszek brzytwą trzymaną w grubych, ale zwinnych palcach podgala mu włosy na karku, a potem ostrożnie wycina wszystkie włoski wokół szwu. Ojciec nie jest smutny, mówi o tym, co się stało, jakby opowiadał nie o sobie, ale o kimś innym – żartobliwie i ze swadą.

– No i bach, wzięła się i zabrała, panie Leszku. I co ja mam robić?

– Ale się porobiło, panie Tadeuszu… Kto by to wymyślił… – Pan Leszek kręci głową z niedowierzaniem, precyzyjnie podgalając baczki.

– I jeszcze ja, o to. – Ojciec pokazuje na szew po operacji.

– Operację pan miał? Guz? – Fryzjer podgala dół.

– Glejak, panie Leszku; najgorszy. Nie usunęli całego, bo się nie dało.

– Ożeż cholera. Krócej pana ciachnąłem, panie Tadziu. – Pan Leszek zmienia temat.

– Będę teraz wyglądał jak menel. Bejsbol. Mogę napadać. – Ojciec robi minę menela.

Pan Leszek się śmieje, ale smutno, żal mu ojca.

– Pan to zawsze z żoną, zawsze tak państwo razem. Aż zazdrościłem, że z taką piękną kobietą pan jest. Teraz takich nie ma – mówi pan, który nie wiadomo po co siedzi u fryzjera, bo jest łysy.

– Dobre małżeństwo, ot co. Moja umarła dziesięć lat temu i nikogo nie mogę znaleźć. A szukam – komentuje drugi, farbowany lis.

– My wszystko razem, proszę pana, na dyskotekę i pod kosę – dorzuca ojciec.

Podaję fryzjerowi czysty opatrunek, żeby przykleił, ale nie wtrącam się do rozmowy starszych panów. Pan Leszek rozpakowuje opatrunek.

– Może ręce by pan umył? – pytam; tu nikt nie dba o higienę.

– Przecież mam czyste, co też pani. – Pokazuje.

Wzdycham ciężko; za późno na naukę. Pan Leszek przykłada opatrunek do wygolonej głowy ojca.

– No i teraz zakleimy. I pięknie – mówi.

Ojciec zadowolony przegląda się w lustrze. Zauważa, że włosy wokół rany się odbarwiły.

– Panie Leszku, niech mi pan tu podfarbuje trochę, bo od tej wody utlenionej się białe zrobiły – prosi.

– Tato, naprawdę, idziemy – niecierpliwię się, bo tracę czas.

– A ty się zamknij. To co, panie Leszku, niech pan coś wymyśli. – Ojciec czeka na farbowanie.

Wzdycham ciężko, jesteśmy tu już godzinę.

– Tato, mamy jeszcze tyle rzeczy do zrobienia przed pogrzebem, a ty się będziesz teraz farbował? Mamy jechać opisać szarfy, wybrać wieńce. No, tato, nie utrudniaj.

Ale jak on się zaprze, to nie ma siły.

– Jeszcze catering trzeba załatwić na stypę, no i do księdza jedziemy, kiedy my to wszystko zdążymy? Tato, jedźmy już, po co ci to farbowanie?

Fryzjer Leszek psika mu włosy jakimś śmierdzącym płynem, który podnosi i tak wysokie stężenie chemii w pomieszczeniu.

– Tu psikniemy odsiwiaczem, powinno być dobrze. O, malina! – mówi.

Ojciec jest zadowolony. Wreszcie wstaje i płaci dziesięć złotych; nie wiedziałam, że takie mogą być ceny w Warszawie.

Myślę o mojej siostrze. Kasia, nigdy Katarzyna, zawsze zdrobniale. Moje przeciwieństwo. Mój rewers. Ja idę do psychologa, ona jedzie do Częstochowy. Ja racjonalna, ona emocjonalna. Poznajemy się dopiero w obliczu choroby i umierania rodziców. Zaczyna się rywalizacja o to, która cierpi bardziej, która biedniejsza, która powinna dostać dom. Ona i jej mąż zawsze byli podczepieni pod rodziców, więc teraz naturalnie uważają, że wszystko im się należy. Huby.

Nie boję się śmierci. Pamiętam ten tunel i światło. Kiedyś sama przeżyłam śmierć kliniczną, pamiętam, że było to bardzo pozytywne doświadczenie. Po porodzie straciłam bardzo dużo krwi. To się nazywa powikłaniami pooperacyjnymi, ale chodziło o to, że mój organizm nie wytwarzał hormonów potrzebnych do tego, żeby wrócić do stanu sprzed porodu; macica się nie obkurczała, krew nie krzepła. Leżałam na

OIOM-ie zwiotczona kurarą, czyli środkiem paraliżującym stosowanym kiedyś przez Indian. Odchodziłam i wracałam, i widziałam wszystko, słyszałam wszystko, tylko nie byłam w stanie skomunikować się ze światem ani ruchem palca, ani żadnym dźwiękiem. Pamiętam czułe rozmowy położnej z lekarzem tuż przy moim łóżku, pamiętam, jak patrzyli na mnie z góry i rozmawiali, jakby mnie nie było, a ja byłam. I wszystko słyszałam. Może mama też tak miała?

Przeżyłam kryzys, wszystko skończyło się dobrze, ale zachowałam pamięć tych traumatycznych chwil. Myślałam zawsze, że skoro przeżyłam, to znaczy, że miałam przeżyć, tak widocznie miało być. Życie po porodzie traktowałam jak drugie życie, życie na kredyt, drugie wcielenie. Uważałam, że jestem inna niż przed, ale może tylko mi się tak wydawało.

Pamiętam śmierć kliniczną. Pamiętam kolorowy, miękki, pluszowy tunel, a w nim banalne scenki z mojego życia: bawię się z kotem, tata bierze mnie na barana, a mama śmieje się perliście. Bardzo mnie ciągnęło do tego tunelu, ale nie weszłam, bo wiedziałam, że rodzicom będzie smutno, kiedy odejdę; nie mogłam im tego zrobić. Dobrze pamiętam, że ten tunel był obietnicą czegoś wspaniałego. Może to jest właśnie dowód na życie po życiu? Może mamie tam wreszcie jest dobrze; tam, w innym życiu, gdzieś po drugiej stronie tego tunelu?

I te kolory, które wtedy widziałam, już nigdy później nic mnie tak nie oczarowało. Nie umiem powiedzieć, jakie to były kolory – to był jeden pulsujący żywy kolor, w którym były zawarte wszystkie. Ciekawe, mamo, czy ty też widzisz te kolory? Różne kolory łączące się i rozszczepiające jak w pryzmacie. To, co widziałam u wylotu tunelu, było jak *teaser* jakiegoś pasjonującego filmu.

Trzeba zrozumieć, że śmierć nie jest naszym wrogiem; ona jest częścią nas. Rodzimy się i umieramy. Gromadzimy dobra, a potem one tracą sens. Dlatego trzeba łapać chwile, bo tylko one zostają. Życie jest chwilką. Liczy się tylko chwilka, którą pamiętamy. Reszta nie ma znaczenia.

Nie nagadałam się z tobą, mamo. Nie powiedziałam ci wszystkiego. Mam wrażenie, że przez całe moje dzieciństwo żyłaś obok mnie jak taka piękna dobra wróżka, która kusiła zapachem i urokiem, a ja byłam tylko małą brzydką dziewczynką. Przy tobie, królowej balu, wydawałam się sobie brzydkim kaczątkiem. Bałam się do ciebie zbliżać, żeby nie naruszyć woalu piękna, który rozpościerałaś wokół.

Nic nie pomaga. Łzy nie chcą płynąć. Zamarłam w bólu duszy. Zlodowaciałam. Nie mogę znaleźć sobie miejsca. Muszę gdzieś uciec; uciec od rodziny, przygotowań do pogrzebu, muszę się ratować, jakoś pozbierać.

Jak dobrze. Jestem w pustelni pokamedulskiej; sama. Pojechałam do Rytwian, do miejsca, które się nazywa Pustelnia Złotego Lasu; znalazłam je w internecie pod hasłem „duchowe spa". Dwie godziny drogi i wreszcie oddycham. Tutaj wreszcie odzyskuję dostęp do własnych uczuć, do siebie samej. Bo wcześniej tylko działałam jak robot. Musiałam wszystko pozałatwiać, całą masakrę z pazernym księdzem, grabarzem, panem z zakładu pogrzebowego. Okazuje się, że te trzy nieodzowne przy pogrzebie katolickim osoby są skłócone, jeden drugiego uważa za złodzieja. Ksiądz nie lubi się z zakładem pogrzebowym, ale ma *deal* z grabarzem; to trzeba wiedzieć, przygotowując pogrzeb. Ile to zachodu, zanim człowiek dojdzie z nimi do porozumienia i wszystko załatwi – oceni, ile dać księdzu, bo mówi „co łaska", a potem narzeka, że parafia biedna, miejsce na cmentarzu kosztuje i kościelny, i tak dalej, i co łaska urasta do rozmiarów średniej krajowej...

Ksiądz tradycjonalista nie chciał się zgodzić na uroczystość przy urnie. Zaproponował, że odprawi mszę nad trumną, a potem krematorium, i następnego dnia albo za dwa dni pochowamy na cmentarzu urnę z prochami. Czyli pogrzeb mamy rozciągnąć na dwa albo i trzy dni. A co z rodziną, która przyjedzie? Mamy im opłacić hotel? Kto w ogóle ma tyle czasu, przecież to absurd. W końcu podwoiłam „co łaska" i ksiądz łaskawie się zgodził. Stał się nawet sympatyczny.

Mama zostanie skremowana i podczas mszy będzie stała urna. Okazało się, że jednak można. Przystroimy urnę słonecznikami, które tak lubiła. I wieńce zrobimy ze słonecznikami, kwiatami podobnymi do słońc. Symbolicznie.

Przyjechałam do Pustelni Złotego Lasu na dwie noce, a czuję się, jakbym tu była na wakacjach. Ta cisza uzdrawia. Nic się nie dzieje, jest spokój, stare drzewa okalające klasztor i zabudowania, w których urządzone są pokoje hotelowe, dają kojący cień, w którym stoją ławeczki. Siedzę sobie, rozmyślam i powoli wracam do siebie.

Słoneczny poranek. Obudziłam się spokojna, że nigdzie mi się nie spieszy, że nic nie muszę. Nie boli mnie głowa, bo nie piłam wieczorem wina; same plusy. W takim miejscu nagle zaczyna się jaśniej widzieć i rozumieć.

Staram się myśleć o śmierci mamy jako o wybawieniu. Śpiewają ptaki. Nic nie robię. Chodzę po lesie, jem jagody prosto z krzaka i wsłuchuję się w leśne odgłosy. Wdycham zapach darni, mchu, powietrza. Moje serce taje. U Marty Ruty zamówiłam przez telefon stroik na głowę, który założę na pogrzeb. Chcę wyglądać pięknie, tak, żeby mama, gdyby żyła, była ze mnie zadowolona. Napisałam sobie mowę, którą wygłoszę w kościele, pogadałam z nienachalnym zakonnikiem – zadzwonił do mojego pokoju – to jednak ośrodek przy kościele – i zapytał, czy mam ochotę na spacer. Nawet miałam.

Spacerowaliśmy wśród krzewów róż, porzeczek i agrestu, uprawianych przez jego współbraci kamedułów, a on po prostu słuchał. Niewiele mówił, nie oceniał. Powiedziałam, że nie wiem, czy wierzę w Boga, że nie żyję po katolicku, że nie lubię księży. Że nie mam męża, miewam romanse, że mam córkę z nieprawego łoża. Tylko, biedny, wzdychał, no bo co mógł powiedzieć.

– Oj, dziecko, taka prosta ta droga do nieba, a ty idziesz opłotkami – stwierdził w końcu.

– Nie wierzę, że bliżej Boga jest ten, kto chodzi co niedziela do kościoła, a jest złym człowiekiem, niż ten, kto nie chodzi do kościoła, ale jest dobry. Nie wierzę, że Bóg jest małostkowy – odpowiadam.

– Z naszej perspektywy robaczków nie wszystko dobrze widać – kończy dyskusję zakonnik; pewnie za dużo grzechów jak na jeden raz, bo aż poczerwieniał.

Poszliśmy na pyszne pączki, które właśnie usmażyły pracujące tu zakonnice.

Jestem w pustelni sama, ale nie samotna. Wiele razy rozmawiałam z Piotrem przez telefon, Skype'a, Vibera. Poznajemy się, macamy na odległość. Opowiadamy o sobie bez pośpiechu, bez ciśnienia, często się śmiejemy. On jest inny, nie naciska, wszystko rozumie, daje przestrzeń, ale też troszczy się o mnie. Zorientowałam się, że dotychczas nikt się tak naprawdę o mnie nie troszczył, to ja musiałam być ta silna, opanowana, zaradna, to ja się miałam troszczyć o innych, być pielęgniarką, szefową, mężem i żoną, oparciem, psychologiem, kierowcą. A przy nim z powrotem jestem małą dziewczynką, beczę przez telefon. Znalazł moje czułe miejsce schowane głęboko, niewidoczne. Jak go słyszę, to mi się chce płakać i to nie dlatego, że mi smutno, tylko smutno mi z powodu tego czasu, kiedy go nie było. Strasznie to egzaltowane, ale on mnie jakoś rozkłada na czynniki pierwsze, jakby dotykał mojej duszy. Głupio, że tak piszę; już nie będę.

Jutro jedzie na konferencję do Nowego Jorku, wraca za tydzień, będziemy przez ten czas rozmawiać przez Skype'a. Nie dręczą mnie wątpliwości, czy na pewno jest sam, czy naprawdę nikt na niego nie czeka; choć to przecież dziwne, że taki przystojny i mądry facet jest sam. Mama zaczęłaby podejrzewać, że pewnie pije albo ćpa, bo takich ideałów nie ma, a już na pewno nie po czterdziestce. Piotr wcale nie jest ideałem. A nawet gdyby były jakieś inne baby, to co? Przecież nie żyjemy w próżni. Dlatego nie chcę planować, meblować naszej wspólnej przyszłości, skupiam się na tym, co jest teraz. Niczego nie mogę być pewna, nie można się nikogo uczepić, bo odejdzie, tego już się nauczyłam, tę lekcję mam odrobioną. Trzeba spokojnie czekać i żyć chwilą.

Kasia

Za trzy dni pogrzeb mamy. Jesteśmy z ojcem sami w domu, przychodzą jacyś ludzie: znajomi, rodzina, koleżanki mamy z dawnej pracy, ja robię herbatki, wykładam ciasto, a oni siedzą i wspominają. Dzięki Bogu, że Grzesiek i Filip jutro wracają z Egiptu, bo boję się sama spać. Ojciec całymi nocami łazi po domu, lunatykuje, a w dzień śpi; odwróciło mu się kompletnie. Marta mnie zostawiła i wyjechała. Ona może sobie na to pozwolić, stać ją, a ja mam siedzieć z ojcem. Nawet nie mam jak sobie popłakać, bo mnie obserwuje. Nie chcę, żeby mu było smutno. Na razie wspomina wesołe sytuacje z mamą, gdzie to nie byli, opowiada, jak jeździli na wczasy, jak zbierali grzyby, ile gdzie zebrali. Ludzie go słuchają przez grzeczność, ale ja wiem, że gada głupoty, wątek mu się rwie; wszyscy potakują, bo co mają robić. Czasem go obserwuję, bo myślę, że może jak jest sam, to wtedy pozwala sobie na smutek, na przeżycie jakieś, ale on jak jest sam, to się zawiesza, patrzy w jeden punkt nawet pół godziny, prawie nie mrugając. Może wtedy jest w jakiejś innej czasoprzestrzeni, gdzieś, gdzie dalej są razem.

Przymierzyłam mu czarny garnitur, ale okazało się, że się nie dopina, przytył chyba z piętnaście kilo, spodni dwadzieścia centymetrów w pasie brakuje. To od tych sterydów. Poszłam więc i kupiłam mu nowy. Ojciec się zaparł, że nie pójdzie pod krawatem, bo mama nie lubiła krawatów, ale go zmuszę. Chce iść w golfie; jak to by wyglądało, w końcu to pogrzeb żony.

Pomagają mi koleżanki, przynoszą jakieś ciasta, sałatki, ja nie mam głowy do zakupów, do gotowania, chodzę jak zombie. Dobrze, że choć one mnie wspierają, czuję się taka nieszczęśliwa, opuszczona, chyba wpadam w depresję. Dlaczego mama mi to zrobiła, nie powinna jeszcze umierać. A może to moja wina, nie powinnam była jej puszczać wtedy do szpitala; gdyby nie poszła, na pewno byłoby inaczej; może by jeszcze żyła. Wiem, że nic nie da obwinianie się, ale nie mogę się powstrzymać. Przecież czułam, że nie powinna iść, a jednak zadzwoniłam do Marty i kazałam jej przyjechać, i zabrała mamę do szpitala. A mama tak mnie prosiła, chodziła za mną i błagała, żebym jej pozwoliła zostać w domu...

Z Marty to jednak egoistka. W takim momencie pojechać sobie do spa, to trzeba naprawdę nie mieć uczuć. Zostawiła córkę, ojca z guzem mózgu, niepozałatwiane sprawy przed pogrzebem i pojechała okładać się jakimś błotem. No, kurwa! Nie rozumiem, jakim trzeba być człowiekiem, żeby zostawić najbliższych w takiej chwili. Nawet do niej nie dzwonię, od tego spięcia w szpitalu nie chce mi się z nią rozmawiać. Niech sobie ma tę swoją spiskową teorię dziejów, że ja chcę przejąć dom, niech sobie myśli, że jestem potworem. Ale to ja teraz siedzę z ojcem, ja piorę jego brudy, ja go myję, karmię, a on i tak zawsze ją będzie bardziej kochał. Czy ona umiałaby zrobić coś dla kogoś tak po prostu, nie myśląc o sobie, o tym, jaka jest wielka, że pomaga, albo jaka jest biedna, że musi pomagać? Zawsze na pierwszym planie jest ona i jej uczucia. A ja się nie liczę, bo ja nie potrafię tak pięknie mówić o sobie, ja cichutko robię to, co jest do zrobienia, i nie czekam na oklaski ani na użalanie się nade mną, jaka to ja biedna.

Ojciec jest męczący, krzyczy na mnie, wyklina, ja wiem, że wolałby, żeby Marta przy nim była. Ona też wie, że on jej potrzebuje, ale wybrała masaże. Brawo, siostrzyczko. Mam tylko nadzieję, że Pan Bóg to wszystko widzi, i kiedyś ci odpłaci pięknym za nadobne.

Zaraz jadę po Grześka i Filipa na lotnisko. Całe szczęście, że choć ja wcześniej wróciłam; miałam nosa. A oni sobie mogli trochę odpocząć ode mnie. Stęskniłam się, ja jednak nie umiem być sama. Chciałabym z ojcem pogadać, ale już się nie da, odjechał. Ewentualnie może mnie wyzwać od kurew, debilek i cip wołowych, ale posłuchać to nie.

Nie mogę jeść, mam odrzut od jedzenia. Podgrzewam ojcu jakieś kotlety, które mi dziewczyny przynoszą, ale mnie samej nie przechodzą przez gardło. A muszę coś jeść, bo dziś miałam mroczki przed oczami, myślałam, że zemdleję. Staram się jeść na siłę.

Ksiądz proboszcz mnie bardzo rozczarował. Co roku przychodzi do nas po kolędzie, zna całą rodzinę, wydawało się, że jest z nami zaprzyjaźniony, a jak przyszłyśmy do niego w sprawie pogrzebu, interesował się tylko kasą. Nie godził się na pogrzeb z urną, nie przyjmował do wiadomości, że mama tak chciała, dopiero jak się postawiłyśmy, no i zwiększyłyśmy datek, to się zgodził łaskawie.

Mortie

Dziś był twój pogrzeb. Piękny, wszyscy mówili, wzruszający. Tata był bardzo dzielny. Miałam na głowie kapelusz, a raczej opaskę na włosy z przymocowanym do niej toczkiem, piórami i woalką, dzieło sztuki kapeluszniczej. Siedziałyśmy z Kasią po bokach ojca, za nami dzieci i Grzesiek, który w ostatniej chwili wrócił z Egiptu, dalej wujkowie i ciotki. Przed samym pogrzebem starsi członkowie rodziny bardzo się uaktywnili, nagle zaczęli dzwonić, organizować, dyrygować, jak ma być, gdzie, co i jak; oni znają się przecież na pogrzebach, ale ich nie słuchałam.

Pomiędzy nami a ołtarzem na katafalku stała urna i twoje zdjęcie przystrojone maleńkimi słonecznikami. Sama to zdjęcie wybrałam, nie jesteś na nim już bardzo młoda, ale i nie jest to zdjęcie z ostatnich lat, wyglądasz, jakbyś była zadowolona, nieco kokieteryjna, masz delikatny uśmiech; po prostu cała ty. Przy katafalku na posadzce leżało kilkanaście wieńców, bukietów z szarfami i wiązanek. Wszystkie wieńce były ogromne, jakby wielkość oddawała ogrom żałoby; nie rozumiem, po co taki zbytek, przecież to zaraz zostanie wyrzucone.

Kościół był prawie pełen, ludzie coś do mnie mówili, ale niewiele pamiętam, tak byłam zestresowana pilnowaniem ojca. Po nim można się teraz wszystkiego spodziewać, może nagle mu odbić i zacznie w kościele krzyczeć, wyklinać, bardzo lubi ostatnio kląć, wymyśla coraz bardziej dosadne określenia na swoje córki, jesteśmy ulubionym celem jego ataków słownych. Na szczęście nic takiego się nie stało, ojciec był spokojny, chyba zadowolony, że jest tak uroczyście i że on jest w centrum zainteresowania.

Msza była tradycyjnie nudna i długa, podczas kazania ksiądz powiedział kilka słów o mamie na podstawie notki, którą mu dałam, ale było jasne, że jej nie pamięta, tylko klepie standardowe formułki. Zastanawiałam się, jak on może całe życie wygłaszać takie słabe kazania i jeszcze być z siebie zadowolony. Elżbieta była dobrą parafianką, należała do kółka różańcowego, zostawiła kochającego męża i córki, odeszła przedwcześnie. Mama w kółku różańcowym? Nie jestem w stanie sobie tego wyobrazić, to niemożliwe. Jedyna z rodziny nie poszłam do komunii i czułam sztylety spojrzeń – niecna, żyje w grzechu, nie po bożemu.

Ustaliłam z księdzem, że pod koniec mszy powiem coś od siebie, podobał mi się zawsze taki osobisty ton na pogrzebach w amerykańskich filmach: ktoś bliski zwraca się bezpośrednio do zmarłego, jakoś intymnie go żegna. Wcześniej napisałam sobie na kartce kilka słów, nie wiedziałam, czy dam radę, ale poczułam, że po tak kiepskiej mszy, po tym spełnionym obowiązku, dobry by był jakiś osobisty akcent. Kiedy wybrzmiało *Ave Maria*, wstałam i weszłam na ambonę. Zaschło mi w gardle z nerwów; to jednak co innego niż granie na scenie, tu nikogo nie gram, jestem sobą i jestem stremowana jak amatorka.

– Mamo, dziś są twoje imieniny – zaczęłam. – Życzę ci, żebyś miała piękną drogę do nieba. Zawsze był problem z prezentem dla ciebie, bo nic ci się nigdy nie podobało. Miałaś gust i wrodzoną klasę, byłaś królową na każdym balu. Pamiętam z dzieciństwa, że jak z tobą gdzieś szłam, czułam się brzydkim dzieckiem tej bardzo ładnej pani. I dlatego dzisiaj włożyłam coś takiego, taki stroik, bo myślę, że podobałoby ci się to. Zastanawiałam się zawsze, jak będziesz wyglądała na starość i okazało się, że nie zdążyłaś być starszą panią. Zostawiasz nas tu samych. Zostawiasz dom, który stworzyłaś, tatę, który przeżył z tobą pięćdziesiąt lat, jeśli liczyć od czasu, kiedy zaczęliście ze sobą chodzić, czyli kiedy miałaś szesnaście lat. Tyle czasu razem; w pogodę i niepogodę. Przygotowywałaś nas na swoje odejście. Ten miesiąc w szpitalu, kiedy chciałam ci jakoś pomóc, a nic nie można było zrobić, to była twoja golgota. Pod koniec chciałam już tylko, żebyś nie cierpiała. Mamo, dbaj o nas z góry, dbaj o tatę, o Kasię, o dom. Ja nie umiałam być taką mamą jak ty. Bardzo wielu rzeczy nie zdążyłam ci powiedzieć. A ty nie nauczyłaś mnie robić gołąbków i ryby faszerowanej. Do zobaczenia, mamo. Życie tutaj to jest chwilka – skończyłam łamiącym się głosem. Zeszłam z ambony i usiadłam obok ojca.

– Wcale nie byłaś brzydkim dzieckiem, ale poza tym, to dobrze powiedziałaś – pochwalił.

Zuzia przytuliła się do mnie.

– Pięknie powiedziałaś, mamo.

Pogrzeb kończy się głupim akcentem. Półgłuchy wuj postanowił wziąć ze mnie przykład i też coś powiedzieć od siebie. Wstał, nadął się, odchrząknął i krzyknął:

– To nieprawda, że ciebie już nie ma! A jeśli prawda, nie wierzę!

Nie wiedziałam, co się dzieje. Ludzie szeptali między sobą, kim on jest, co to takiego. Wujek wzbudził ogólną konsternację, ale też przekłuł balon patosu.

Wyszliśmy szpalerem. Z przodu panowie z urną, zdjęciem i słonecznikami. Za nimi my, rodzina, Kasia i ja po obu stronach ojca jak ochroniarze. Organista zaintonował *Anielski orszak*, który mnie niezmiennie wzrusza; jest w nim jakaś moc:

Przybądźcie z nieba na głos naszych modlitw,
mieszkańcy chwały wszyscy święci Boży;
Z obłoków jasnych zejdźcie aniołowie,
Z rzeszą zbawionych spieszcie na spotkanie.

Anielski orszak niech twą duszę przyjmie,
Uniesie z ziemi ku wyżynom nieba,
A pieśń zbawionych niech ją zaprowadzi,
Aż przed oblicze Boga Najwyższego.

Dreszcz mnie przenika, kiedy śpiewam te słowa; są jak esencja wszystkich religii, jak dotknięcie jakiejś siły. Śmierć jako przejście, przejście z ziemi do nieba.

Wrażenie obcowania z absolutem szybko mija, kiedy ludzie zalewają mnie nic nieznaczącymi kondolencjami. Ustawiła się do nas trojga kolejka żałobników i w palącym słońcu przed kościołem rzucają się na mnie jacyś obcy, potrząsają mną, obcałowują, powtarzają, że taka szkoda, że jeszcze młoda była, pytają, czy ich pamiętam, przecież my rodziną jesteśmy, przecież mamy przyjaciółkami. Nie pamiętam tych ludzi, w ogóle nie pamiętam, żeby mama miała jakieś przyjaciółki. Raczej była tylko ona i ojciec, nie mieli przyjaciół. Kasia, widzę, dobrze się w tym odnajduje, tapla się w zawodzeniach, całuje, płacze. Ojciec w sumie też; jest nieadekwatnie do sytuacji wesoły, mówi każdemu, że nie byłam brzydkim dzieckiem, jest w swoim świecie. A ja chciałabym zniknąć.

Reszta pogrzebu zlewa mi się w jedną czarną plamę ulepioną ze słów, które niby coś wyrażają, ale są tak standardowe, tak nadużywane, że ich znaczenie zupełnie wyblakło. Jestem wycałowana, wymiętolona, spocona, spalona słońcem, które praży tego dnia jak za karę.

Nie pamiętam cmentarza, ale pamiętam, że grabarz podszedł i szepnął mi do ucha, że trzeba dodatkowo zapłacić za krzyż, szefowo, a ja mu na to, że nie mam gotówki, mam tylko karty. Proszę Kasię, daje mu stówę. Grabarz jest ubrany w brudny stary dres, dla niego to zwykły dzień pracy, kopanie grobów, ktoś to przecież musi robić, nie będzie się do pracy ubierał w garnitur. W sumie zrozumiałe, a jednak uderza mnie ten brak szacunku dla nas wszystkich. Brud, kurz, pył unoszący się w rozgrzanym powietrzu, grabarz, którego nie obchodzą ci wszyscy odstawieni ludzie, te paniusie w szpilkach i kapeluszach – on kopie. Włożył urnę do grobu, postawił krzyż, a my sypaliśmy garstki ziemi, żegnając mamę. I wtedy zobaczyłam pająka, który szedł sobie spokojnie po krzyżu z dołu w górę. Zatrzymał się na chwilę, jakby mnie zauważył, popatrzył na mnie i poszedł dalej. Odczytałam to jako znak, nie wiem czego, ale na pewno czegoś metafizycznego. Od pająka oderwał mnie trębacz, który zagrał, fałszując. Ksiądz coś tam mówił, że Elżbietę żegnają ci i ci, i ci, że spokój jej duszy, nie pamiętam za bardzo, co jeszcze mówił, a potem wcisnął mi mikrofon, żebym zaprosiła ludzi na stypę. Zaprosiłam, w imieniu ojca, który tylko kiwał głową i machał ręką jak król, stojąc z nikłym uśmiechem, jakby witał gości na balu. Dalsza rodzina i znajomi patrzyli na niego z niepokojem, pewnie podejrzewali, że zwariował. Niczego nie wyjaśnialiśmy, nie mówiliśmy, że ojciec jest śmiertelnie chory, niech sobie myślą co chcą.

Kasia wczepiała się w każdego napotkanego członka rodziny i płakała. Ja nie uroniłam ani jednej łzy. Powiał wiatr, uniósł tuman kurzu i to był znak do odejścia od grobu. Koniec tej męki, myślę, idąc w cmentarnym pyle po nieubitej drodze. Obok mnie Zuzia milcząca, schowana. Przytulam ją, nie bardzo umiem to robić, ale próbuję, teraz będę ją częściej przytulać.

Na stypie, którą Kasia zorganizowała w ogrodzie domu weselnego, było wręcz zabawnie. Nie zostało ani śladu po tej sztucznej podniosłości, która tak mnie mierzi. Jak zobaczyłam ten dom weselny w stylu rokokoko pod wdzięczną nazwą Borodino, to się uśmiechnęłam. Dookoła łabędzie, złocenia, rzeźbione balustrady, mosteczki, a pod namiotami na środku trawnika stoliki, jedzenie i picie. Różnimy się z moją siostrą we wszystkim, ja bym tu w życiu nie przyszła. Może jednak jestem adoptowana, bo goście jak jeden mąż zachwycają się pałacowym rozmachem Borodina i gustem Kasi. Moja rodzina to nie jest arystokracja, raczej chłop z chłopa, czasem jakieś mieszczaństwo, więc dla nich takie rokokoko to wielki świat. To jest esencja tego, jak Polska B wyobraża sobie wielki świat. Kaśka zauważyła mój ironiczny uśmiech.

– Co? Nie podoba się? Sama mogłaś coś zarezerwować, ale wybrałaś spa – mówi kąśliwie.

– No co ty, wszystkim się podoba, mną się nie przejmuj, ja zawsze byłam czarną owcą w tej rodzinie – odpowiadam na luzie.

Ludzie zgłodnieli, ale jest szwedzki stół; nikt nie chce być pierwszy, zerkają po sobie. Nakładam ojcu, żeby zacząć. Wtedy ruszają tyralierą, wszyscy naraz, i ustawiają się w kolejce.

Atmosfera stypy jest niezręczna z definicji, bo ludzie nie znają się nawzajem. Staram się do każdego zagadać, żeby poczuli się zaopiekowani, zauważeni. A Kasia stoi cała we łzach z nieodzownym kieliszkiem w dłoni i rozmawia z księdzem Markiem, który asystował do mszy, bo proboszcz nie odpuścił i kazanie musiał wygłosić sam. Ksiądz Marek coś mówi, a ona płacze. Jak jej to łatwo przychodzi: pstryk i płacze. Pozazdrościć.

Grzesiek siedzi między ojcem a wujkiem i polewa, opowiada im o piramidach; byli tam z Filipem na wycieczce, są zachwyceni. Filip rysuje na serwetce piramidę. Ojciec coś dorysowuje.

– Ja bym chciał leżeć w piramidzie.

– Dziadek, to trzeba było się urodzić trzy tysiące lat temu. I to jako władca, bo zwykłym ludziom nie budowali. – Filip się śmieje.

– Potem twoje dzieci, Filipku, popatrzyłyby sobie na moją mumię i powiedziałyby: o, to jest nasz przodek, zobaczcie, jak wyglądał. Nie trzeba by było kopać, palić, lepiej by było. Byłoby wszystko wiadomo.

Ojciec próbuje napić się piwa, ale mu zabieram.

– Tato, obiecałeś, że się będziesz zachowywał.

– Cipa. To daj bezalkoholowe.

Podaję. Idę do pochylonej jak stara wierzba ciotki, która patrzy na bufet sałatkowy z miną, jakby jej śmierdziało pod nosem.

– Co u cioci słychać? – zagaduję.

– Słucham? – Ciotka nic nie słyszy, bo nie włożyła aparatu słuchowego.

Pochylam się i krzyczę jej do ucha:

– Co słychać?!

Teraz usłyszała. Macha ręką.

– A, wszystko mnie boli. Stara jestem. Zaraz umrę. – Zawsze tak mówi, a żyje i żyje, jeszcze mnie przeżyje.

– Nałożyć cioci sałatki? – Nakładam, ale zabiera mi talerz.

– Ale nie tej, ta mi siądzie na wątrobę, na litość boską! – krzyczy.

– Przepraszam, nie wiedziałam. To nałożę tej. Brokuły ciocia może?

– Co?!

– No to zielone ciocia może?!

Patrzy na brokuły jak na karaluchy, skrzywiona.

– A co to takiego?

– Brokuły! – krzyczę jej prosto do ucha.

– A, to dziękuję. Nie. To chcę. – Pokazuje na śliwki w boczku.

Nakładam. Boczek jest z pewnością idealny dla wątroby. Dolewam sobie wina. Podchodzi do mnie Zuzia, wygląda ładnie w czarnej sukience z dużym dekoltem z tyłu.

– Znowu umiera? – Pokazuje na ciotkę.

– Jasne. Zapowiada i zapowiada, doczekać się nie można. Babcia była o ćwierć wieku młodsza i odeszła bez zapowiedzi. A ta ciągle zapowiada i nie umiera. Żeby tylko być w centrum wydarzeń, żeby rozdawać karty. Ale co tam ona, jak ty się czujesz, córeczko?

Odchodzę z Zuzią na bok, idziemy przez fantazyjny mostek nad sztucznym stawem. Patrzę na wielkiego konia z brązu z przednimi kopytami w górze, jakby wzbijał się w powietrze. Co za gust. Polskie Las Vegas normalnie. Śmiejemy się z tego konia. Zuzia wyraźnie chce o czymś porozmawiać.

– Mamo, puścisz mnie? – pyta. – Chcę wziąć dziekankę na rok i wyjechać do Australii. Ja wiem, że bilet jest drogi, ale ja ci wszystko oddam, odpracuję, tylko błagam, mamo, zgódź się.

Czasami bywa dorosła, a czasami to jeszcze dziecko. Jak ona tam pojedzie, nikogo nie znając, jak znajdzie pracę, przecież to są mrzonki.

– Myślałam, że ci przeszło.

– Poznałam tam już mnóstwo ludzi przez internet, są super, mam gdzie mieszkać.

– A gdzie?

– No, na squacie, ale to nie tak, jak myślisz…

– No oczywiście… A zresztą… jedź… Jesteś dorosła, musisz się sama poobijać w życiu, czegoś spróbować, porobić własne błędy – mówię, zaskakując samą siebie nagłym liberalizmem.

– Serio? – Zuzia nie dowierza.

– Nie, żartuję – droczę się z nią.

Rzuca się na mnie, przytula; pachnie mocnymi perfumami, moja mała, duża córeczka.

– Dzięki, mamo.

Idziemy wokół stawu, patrząc na sztuczne łabędzie, które co trzydzieści sekund wypuszczają z dziobów strumienie wody. Wybuchamy śmiechem.

– A tak w ogóle, to nie musiałam pytać, jestem pełnoletnia – mówi Zuzia.

Trącam ją łokciem.

– Uważaj!

– Nie, mamo, żartowałam.

Idziemy objęte, matka z córką, jesteśmy sobie bliskie, choć nigdy tego nie mówimy; czułości w naszej rodzinie się nie nadużywa, rzadko się przytulamy, ale silna więź przecież jest. Przytulanie przywykłam uznawać za głupotę, oznakę słabości, tak jakoś mam zaszczepione, Zuzia przytulała się więc do dziadka, do babci, ja byłam od innych spraw.

– Kocham cię, mamo – rzuca cicho.

– Chodźmy, trzeba się zająć gośćmi.

Dzwoni jej telefon, odbiera i schodzi ze ścieżki. Patrzę, jaka jest piękna.

Większość rodziny mnie wkurza. Uważam ich lamenty za słabe aktorstwo, nie lubię tego przesadnego polskiego przeżywania. Tylko jeden kuzyn, Darek, zaskoczył mnie szczerością i normalnością. Taki prawdziwek, który nikogo nie udaje. Przyjechał ze Szczebrzeszyna, gdzie mieszka z żoną i dziećmi; wyprowadził się do żony, która tam odziedziczyła gospodarstwo. Zawsze go lubiłam, od dziecka, bawiliśmy się razem w wojnę, dawał mi strzelać. Miał młodszego brata z zespołem Downa, którego wszędzie ze sobą zabieraliśmy, nad wodę, na pole; ten Robcio był cudowny, uwielbiałam go. Pamiętam, jak się we mnie zakochał, jak napierał, żeby

wziąć ze mną ślub, nawet zrobił z folii aluminiowej obrącz-
ki. Miałam może trzynaście lat i bardzo się wstydziłam.
W pewnym momencie jego zaloty stały się trochę męczące, chciał chyba konsumpcji związku i wkroczyła ciocia Ola,
jego mama, brutalnie kończąc ten flirt. Odtąd Robcio patrzył tylko tęskno zza firanki, pamiętam jego smutną twarz;
naprawdę się we mnie zakochał. Teraz już nie żyje; i tak żył
długo, prawie czterdzieści lat. Po śmierci cioci to Darek się
nim opiekował do końca.

Darek to dobry człowiek; nigdy nie gonił za forsą, nie
miał wielkich ambicji, był zadowolony z tego, co ma, pogodny, niczego nikomu nie zazdrościł. Może właśnie Robcio nauczył go tego franciszkańskiego stosunku do świata,
tej radości i godzenia się z tym, co nas spotyka. Serdecznie
się z Darkiem przywitaliśmy, wciąż w nim widzę tego chłopca z dzieciństwa, ma ten sam dobrotliwy wyraz twarzy, ale
się postarzał, ja też się postarzałam, tak to jest. Dziś obok
promiennego uśmiechu dziecka na jego twarzy jest też cień
rozczarowań, smutków, trosk.

– Cześć, Darek, dobrze cię widzieć. Co u ciebie słychać?

– A, lepiej nie mówić, Marta. Moje kondolencje, naprawdę, taka tragedia was spotkała. A wiesz, że ja też leżałem
w śpiączce, już mnie nawet przekreślili? – Lekko zaciąga.
Od razu łapię ten zaśpiew, pamiętam go z dzieciństwa.

– Żartujesz, Darek? Przecież ty zdrowy jesteś. Co się stało?

– A z drabiny spadłem, wyobraź ty sobie, malowałem
mieszkanie, sam byłem i… – zaczyna ze swadą.

Słucham go z przyjemnością. Uwielbiam, kiedy wymawia
to przedniojęzykowe „ł" jak aktorzy w starym kinie.

– Dobrze, że choć ty jesteś normalny w tej nienormalnej
rodzinie.

– Ja normalny? Powiedz to mojej Madzi.

– A co u niej?

– Stara bieda, radzimy sobie jakoś; odkąd Robuś zmarł, smutno się zrobiło.

– Żałuję, że nie przyjechałam na pogrzeb. Kochany Robcio. Ile to już lat?

– Cztery będą jesienią.

– Ciekawe, ile powinna trwać żałoba. Jak myślisz?

– U każdego inaczej, to się samemu wie.

– Musimy się jakoś spotkać, przyjedźcie do mnie.

– To my cię zapraszamy. Krówki mamy, kurki własne i świnka jest. I kawał pola. Madzia się teraz w ekologię bawi, wszystko bez chemii. Przyjedź, odpoczniesz, na grzyby pójdziemy, już się sezon zaczął.

Żegnamy się serdecznie; może i tam do nich pojadę. Wracam do obowiązków, gości, z którymi trzeba pogadać, zapytać, co słychać, opowiedzieć o śpiączce mamy. Popijam wino, kątem oka przeglądam się w szklanych drzwiach. Poprawiam stroik. Uśmiecham się do swojego odbicia. Mamo, jak ci się podoba mój kapelusz? Warto było?

Kasia

Jadę na lekach, które lekarz przepisał Marcie, bez nich nie dałabym rady. W domu jest pusto, zimno, jak w grobie. Ojciec wariuje, ucieka mi ciągle, je za dwóch; to przez te sterydy. Kompletnie nie chce się myć, chodzi w zasranych gaciach. Godzinę temu uciekł z domu, Filip go znalazł na sąsiedniej ulicy. Trzeba go pilnować jak dziecka, a ja potrzebuję chociaż chwili dla siebie, bo chciałabym popłakać, a przy nim nie mogę. To strasznie męczące grać pogodną, ale nie chcę go dobijać, skoro jest wesoły, niech sobie będzie. Tylko co z moją żałobą; trzeba przez nią przejść, a ja nie mam jak. Marta, gwiazda pieprzona, jeździ sobie po jakichś spa czy innych hotelach i ma wszystko w dupie. A ja muszę tkwić w tym domu, gdzie każdy przedmiot, każdy kąt, każdy mebel przypomina mi mamę. Otworzyłam dziś jej szafę z ubraniami, patrzyłam na jej kreacje; mama ubierała się w lniane malowane suknie, tkane na zamówienie płaszcze, poncha, długie wielobarwne spódnice. Kto to teraz będzie nosił? Wszędzie czuję jej obecność. Mam wrażenie, że zaraz wyjdzie z łazienki i powie, że obiad na stole. Jak to tak, że człowiek jest i nagle go nie ma? To niepojęte. Dlaczego akurat nam się to przytrafiło, przecież mama była jeszcze młoda, a te sękate ciotki i jej zgrzybiałe koleżanki ciągle żyją i nieźle się mają. To niesprawiedliwe. Piję chyba za dużo, ale inaczej nie mogę ze sobą wytrzymać. Na trzeźwo nie jestem w stanie znieść tego wszystkiego, nie daję rady. Grzesiek pojedzie pracować do Anglii, kumpel mu załatwił robotę na budowie, zabierze tam Filipa na resztę wakacji, a ja zostanę sama z ojcem w tym domu widmie, w którym miała mieszkać wielopokoleniowa rodzina. Nie wiedziałam, do jakiego stopnia mama określała ten dom. Ona była jego istotą, sensem, bez niej jest pusty jak wydmuszka. A ja nie umiem jej zastąpić, tchnąć życia w ten dom, nawet nie będę próbować. Nie wiem, co z sobą począć, chodzę z kąta w kąt, nie rozpakowałam rzeczy, które oddał nam szpital. Zostawiłam w garażu, boję się je wnieść do domu. Źle mi się kojarzy ta skórzana torba, z którą mama pojechała do szpitala prawie dwa miesiące temu, i worek na śmieci z tym, co nie weszło do torby.

Wkurwia mnie Marta, ona zawsze musi wyjść przed szereg. W kościele wygłosiła wielką mowę, jak to ona mamę kochała, że nie umie robić gołąbków, że była brzydkim dzieckiem i inne takie; mówiła tylko o sobie. Ona i jej uczucia; gwiazda w życiu i w serialu, jakby jej cierpienie było jakieś lepsze, jakieś szlachetniejsze, ważniejsze niż nasze. Po stypie przyjechała tu i siedziała sama na ławce w ogrodzie.

Ojciec spał, Grzesiek rozkładał meble ogrodowe. Nie chciało mi się z nią gadać, nie chciałam wszczynać awantury, ale korciło mnie, żeby coś jej powiedzieć. Nalałam sobie drinka i podeszłam. Ona jeszcze w czarnym garniturze, ja w czarnej sukience z pogrzebu. Zdjęła szpilki i siedzi boso.

– Jutro rano po was przyjadę. Spakuj ojca – mówi, nawet na mnie nie patrząc.

Zawsze zwraca się do mnie jak do gorszej, wybrakowanej osoby, której należy wydawać proste polecenia.

– Co jest? – pyta, wreszcie zaszczycając mnie spojrzeniem.

– Gówno.

– Masz coś do mnie?

– Nie.

Już chcę odejść, ale nie wytrzymuję, zaczynam płakać i wyrzucam to z siebie:

– Tylko o sobie mówiłaś w kościele, jednym słowem o mnie nie wspomniałaś. Jednym.

Płaczę po raz setny dzisiejszego dnia. Makijaż mam cały rozmazany, płynie mi po policzku czarna struga. Marta się zaperza.

– Ale przecież mogłaś mówić. Ktoś ci zabronił? – pyta cynicznie.

– Myślałam, że powiesz od wszystkich.

Czy to jest takie dziwne? Jakbym wiedziała, że ona przygotowała mowę, to też bym coś napisała, a tak to wyglądało, jakby ona była ważniejsza, bliższa mamie. A to nieprawda. Oczywiście od razu się na mnie wkurza.

– Wiesz co, idź do swoich koleżanek, wypłacz im się, jaka jesteś biedna, jaka biedna, jak się musisz tatusiem sama zajmować! – wydziera się.

Bierze buty i ten swój kapelusik, polska lady Di, i chce wychodzić. Nie potrafi przyznać się do błędu, do samolubnych zachowań, dla niej to, co robi, zawsze jest okej, negatywnie ocenia tylko innych. Krew mnie zalewa. Nie umiem z nią rozmawiać. Nikt tak jak ona nie potrafi doprowadzić mnie do maksymalnego wkurwienia. Skaczemy sobie do gardeł, nie pierwszy i nie ostatni raz, wściekłość zasłania mi rzeczywistość; nienawidzę jej.

– Wiesz co, to zamieszkaj tu z nim, zamień się ze mną i zamieszkaj!

– Ja po prostu nie mogę patrzeć, jak ciągniecie od niego pieniądze, on nic nie może zrobić...

Jak ona śmie insynuować, że my żyjemy na koszt ojca? Człowiek haruje jak wół, a ona takie rzeczy mówi; to niesprawiedliwe. Jak można w taki dzień tak bezczelnie kłamać?

– A te nowe mebelki do ogrodu to co? – pyta ironicznie.

– Kupiliśmy! – odpowiadam zgodnie z prawdą.

– Przejmujecie cały dom!

– To nieprawda!

Gdyby pod ręką była siekiera, zarąbałabym ją normalnie.

– Nie będę się tobą więcej opiekować – mówi.

– Ty się mną opiekujesz?

– A nie?

Teraz to już przegięła. Ona się mną opiekuje? Kiedy? Ona, której praktycznie wychowaliśmy córkę, która jedyna robi karierę, bo może, bo ma wsparcie, ona mówi, że się mną opiekuje.

– Wypierdalaj stąd! – Nie wytrzymuję.

Czy ona myśli, że może sobie pozwolić na wszystko?

– Co ty do mnie mówisz? Co ty powiedziałaś do mnie? – pyta, nie dowierzając, że ją wyrzucam.

Podchodzi Grzesiek; usłyszał, że się kłócimy, widzi, że płaczę. Chce mi jakoś pomóc, bo wie, że nie jestem taka twarda jak moja siostra.

– Nie przeginaj, Marta, dobrze? Ona znowu przez ciebie płacze – mówi i popycha ją do wyjścia.

– Nie dotykaj mnie, bucu. – Marta nie jest mu dłużna.

– Myślisz, że zawsze będziesz wszystkimi rządzić, chamico jedna? – pyta Grzesiek.

Zaczynają się szamotać. Boję się, że się naprawdę pobiją. Marta nie odpuści tak łatwo, nie ona. Wydziera się na niego:

– Nie dotykaj mnie, prostaku jeden!

– Wynoś się. No już – mówi Grzesiek.

Popycha ją coraz mocniej.

– Ty mi możesz. – Marta siłuje się z nim.

– No, wynoś się! – wrzeszczy Grzesiek.

– Jesteś tu nikim – rzuca mu w twarz.

Wchodzę między nich, boję się, że on ją rzeczywiście pobije, a wtedy to już nie będzie co zbierać. Chwytam Grześka za ramię.

– Grzesiu!

– Co, Grzesiu?! Co Grzesiu?! – Grzesiek wybucha tak, że aż odskakuję. Odchodzi. – To się zdecydujcie – rzuca jeszcze.

Zostawia nas same. Nie wiem, co powiedzieć, Marta też. Patrzymy na siebie. Nie chcę się kłócić w taki dzień. Marta idzie w stronę domu. Biegnę za nią, chwytam za rękę.

– Marta, nie kłóćmy się teraz, proszę, to co, pojedziemy jutro? – pytam. Mam nadzieję, że jej przeszło, bo mnie już przeszło, już najchętniej bym ją przeprosiła, jakby ona mnie przeprosiła, ale to nie nastąpi, więc…

Marta patrzy na mnie wzrokiem hitlerowca. Nienawidzi mnie, czuję to. I planuje zemstę. Nie odzywa się. Bierze z domu torbę, wsiada do samochodu i odjeżdża z piskiem opon. Może trochę przegięliśmy. Niepotrzebnie Grzesiek się wtrącił, my możemy sobie powiedzieć wszystko, jak to siostry, ale nie on. Jest moim mężem, ale to nie upoważnia go do brania udziału w naszych kłótniach. To są sprawy między siostrami.

Noctie

Mamo, zaczyna się nowy rozdział. Jak żyć bez ciebie? Trzeba jakoś umeblować tę codzienność, zaleczyć rany i żyć. Trzeba nauczyć się funkcjonować bez wizyt w szpitalu; tak mi tego szpitala brakuje. Miałam go powyżej uszu, a teraz marzę, żeby znów tam jeździć. Tymczasem trzeba się skoncentrować na ojcu, żeby było mu jak najlepiej, żeby osłodzić mu ten czas, nie wiadomo jak długi. Muszę być z nim jak najwięcej; nadrobić stracone lata. Rozmawiać, podróżować, uszczęśliwić, jak tylko się da.

Po stypie pojechałam do rodziców. Moja siostra i jej mężulek doprowadzili do tego, że normalnie krew mnie zalała. Siedziałam na ławce i podeszła Kaśka z nieodłącznym drineczkiem w dłoni. I widzę od razu, że jest obrażona. Okazuje się, że ma do mnie pretensje, bo w kościele nie mówiłam o niej, tylko o sobie! No, nie mogę! A czy ja jej broniłam coś powiedzieć od siebie, każdy miał prawo mówić. Ale ona i o to się pokłóci, żenująca jest. Gdyby wiedziała, że ja coś powiem, to ona też by coś przygotowała. Akurat ona by coś powiedziała, już to widzę. Ona i jej odwaga cywilna, legendarna po prostu.

Zaczęła mi wypominać, że ją pominęłam w tej mowie, że wyglądało, że ja byłam ważniejsza dla mamy niż ona. Jak wyglądało – to jest dla niej najważniejsze, nie jak jest naprawdę, ale jak wygląda, co ludzie pomyślą. To jest jej idée fixe. Co inni pomyślą? Co powiedzą? A mnie to gówno obchodzi. Niech sobie myślą, co chcą. Jej dulszczyzna mnie jednak zawsze zaskakuje. Dodatkowo jeszcze wkurwiło mnie to, że w tym samym czasie, kiedy my się kłóciłyśmy, ten jej prymityw mąż rozstawiał nowe mebelki ogrodowe; też sobie wybrał moment, jakby po pogrzebie to wszystko stawało się ich własnością. Jeszcze dobrze kurz nie opadł na cmentarzu, a oni już przejmują dom; tu mebelki rozstawią, w środku zaraz przemeblują, powoli się rozprzestrzeniają jak dżuma.

Ojciec jest teraz niegroźny, nie kontroluje sytuacji, to oni się nie hamują, i hulaj dusza. Nie wytrzymałam i wywaliłam, co myślę, żeby nie uważali, że to jest ich dom, bo jestem jeszcze ja i też dziedziczę, mnie się ten dom tak samo należy jak im. Wtedy ten prymityw skoczył do mnie z łapami i mnie wyrzucił. Wyrzucił mnie z domu moich rodziców! Nie do, kurwa, uwierzenia! Ten prostak, taki biedniutki zawsze, nieporadny, miły głupek, a tu proszę. Kiedy mnie wypychał, postanowiłam, że ni chuja, po moim trupie tu zostanie, burak jeden.

Kaśka najpierw się rzucała, darła mordę, ale jak zobaczyła, że on mnie może pobić, to się przestraszyła. Ona się go też trochę boi, może ją tłucze, cholera ich tam wie, nie rozumiem, na czym się trzyma ten związek, może tkwią w takim klinczu między nienawiścią a wspomnieniem miłości, poczuciem obowiązku a niechęcią, między młotem a kowadłem. Broń mnie Panie od takiego związku, to już wolę być sama.

Pięknie się skończył ten dzień pogrzebu, nie ma co; mama się pewnie w grobie przewraca. Ciekawe, czy ojciec to wszystko słyszał. Pewnie słyszał, tylko nie chciał się wtrącać, darłyśmy się obie jak opętane. Co on, biedny, teraz może; jest w mniejszości. Oni przejmują władzę, lud wypiera pana; to jakaś historyczna chwila w tej zakłamanej do cna rodzinie. Zawsze tak w historii było, że ci uważani za słabych w krytycznym momencie wypierali tych potencjalnie silnych i przejmowali stery. Tutaj też liczą na moją nieuwagę i chcą zgarnąć całą pulę. Ale niedoczekanie. Ja też jestem zakapior, te same geny w końcu.

Muszę się jakoś uspokoić, bo nie zasnę. Rano trzeba wstać, spakować się, wyjeżdżamy do Białowieży. A może odwołać ten wyjazd? Nie, trzeba jechać ze względu na ojca, najwyżej nie będziemy się z Kaśką do siebie odzywać. Ten wyjazd wymyśliłam, jak byłam w pustelni w Rytwianach. Pomyślałam sobie, że taka zmiana miejsca będzie dla ojca tak samo dobra, jak dla mnie ta pustelnia. Chciałabym coś dla niego zrobić, żeby mu też było lepiej. Wymyśliłam Białowieżę, bo ojciec był tam kiedyś z mamą na wczasach i często je wspominał. Zarezerwowałam hotel o wdzięcznej nazwie Żubrówka, drogi jak piorun, ale raz się żyje. Trzy noce – tyle ze sobą powinniśmy wytrzymać. Dla ojca to będzie też podróż do przeszłości, kresy to rejon jego dzieciństwa, poza tym zawsze lubił las, lubił zbierać grzyby, to sobie teraz pochodzi po puszczy, dotleni się. No i zobaczymy żubry, te przedziwne zwierzęta.

Wykupując ten wyjazd, nie wzięłam pod uwagę, że możemy się tak z Kaśką pokłócić. Zastanawiam się: może to w pizdu odwołać? Ale trzeba być ponad to, trzeba myśleć o ojcu. On jest priorytetem. Być może niedługo straci władzę w nogach, przestanie widzieć, mówić; jak nie teraz, to już nigdy z nim nie pojedziemy. A tak będzie miał namiastkę rodzinnego wyjazdu jak za dawnych lat. Wolałabym, żeby Kaśka zrezygnowała, ale ona nie odpuści, wie, że to hotel ze spa.

Trzecia piętnaście. Wezmę chyba coś na sen, bo serce mi wali jak szalone. Za trzy godziny mam wstać, nastawiłam budzik na szóstą. Ale mi podnieśli ciśnienie, mało kto potrafi mnie tak wyprowadzić z równowagi jak oni. Zuzia nie wierzyła, że Grzesiek podniósł na mnie rękę, próbowała go bronić, że on taki zakompleksiony, że nie radzi sobie, że to stres. A jednak mnie szarpał. I bardzo dobrze, przynajmniej wiem, na czym stoję, wiem, czego mogę się spodziewać w przyszłości. Nienawidzą mnie, uważają, że mi się lepiej powodzi, bo mam pracę w serialu i ładne mieszkanie, więc pozbawią mnie spadku, ale zapominają, że moje mieszkanie nie jest moje, tylko banku, że teraz pracę mam, a za chwilę mogę jej nie mieć, bo taka to praca. Zresztą chyba już nie mam pracy, bo nikt z produkcji się do mnie od ostatniej rozmowy nie odezwał, zbyt obcesowo potraktowałam producenta. Chociaż chyba wieniec od nich widziałam w kościele. Najchętniej rzuciłabym to wszystko i poleciała do Piotra do Stanów, i zapomniałabym o tym rodzinnym piekle. On by mnie utulił, powiedział coś takiego, że te kłótnie byłyby kompletnie bez znaczenia. Już sama myśl o nim uspokaja. Boże, jak mi brakuje seksu, jak chciałabym się z nim kochać. Zasypiam, wyobrażając sobie, jak się kochamy i gdzie. Wreszcie zasypiam, i mam erotyczne sny. Jak nastolatka.

No i wyjechaliśmy. Później niż planowałam, z przygodami, ale się udało. Spakowanie ojca i namówienie go, żeby wsiadł do samochodu, nie było zadaniem łatwym ani przyjemnym. Kiedy przyjechałam po nich, ojciec siedział w piżamie i twierdził, że nigdzie nie jedzie, czeka na mamę. Kaśka już dała za wygraną, więc ja zaczęłam negocjacje. Za marulka się wymył, za mentosa ubrał i jakoś powoli poszło. A ile się przy tym nasłuchałam, jaki ze mnie debil, matoł, jaka cipa. Mój kochany tata i jego sposób wyrażania uczuć: ty krowo, ty cipo, ty debilu. Dla kogoś z zewnątrz to może być obraźliwe, szokujące, a dla mnie to jest jak najpiękniejsza muzyka.

Może to jest moja ostatnia podróż z ojcem. Podróż w czasie i w przestrzeni, bo ojciec ciągle wraca do różnych okresów życia, opowiada historie z przeszłości, których nie znałam. Guz mózgu zaburzył mu pamięć i tata wciąż gdzieś błądzi, coś sobie przypomina, czegoś szuka w pamięci swojej i innych. Guz zmienił jego charakter diametralnie, tak jakby odblokował to, co było wcześniej zablokowane.

Podobno wykorzystujemy dziesięć procent mózgu, więc wygląda na to, że ojciec zaczął korzystać z jakichś nieużywanych do tej pory jego części. To fascynujące patrzeć na osobę, którą znasz całe życie, a ona nagle mówi i robi coś, co wcześniej nie mieściłoby jej się w głowie. Tak jakby uchyliła się kurtyna podświadomości, jaźni, jakichś podprogowych obszarów i na światło dzienne wyszły zjawy, mary i straszydła, które normalnie istnieją tylko w snach.

Ciekawe, co by było, gdyby otworzyły się drzwi do mojej podświadomości, do mojego wnętrza? Co wyszłoby na jaw; aż strach, tyle tam mroku. Niezbadane są wyroki losu: dlaczego ktoś dostaje raka, a inny nie; nie ma sensownej odpowiedzi. Ale patrząc na to z innej, transcendentalnej perspektywy, jeśli choruje człowiek, który nigdy nie pozwolił sobie na okazywanie emocji i nagle pod wpływem guza staje się ciepły i emocjonalny, to jest w tym jakiś sens.

Przez większość mojego życia, właściwie przez całe życie, ojciec był dla mnie mężczyzną idealnym, takiego jak on szukałam i dopiero lata psychoterapii pozwoliły mi zdać sobie z tego sprawę i się uwolnić. Teraz jest słaby, zależny, chory, niesamodzielny, ale dla mnie wciąż najważniejszy. Przecież wiem, że już nie kojarzy, nie pamięta tego, co było wczoraj, bo krótkotrwała pamięć zupełnie przestała działać, a jednak patrzę na niego jak na Boga, który się trochę pogubił. Siła przyzwyczajenia. Wiem, że on nie jest panem mojego życia, ale wciąż się zastanawiam, co by powiedział, jak by zareagował, gdyby był dawnym sobą. Czy byłby ze mnie dumny.

Pomimo choroby ojcu pozostało oryginalne poczucie humoru i upierdliwość. Zawsze uważałam, że jest dowcipny, uwielbiałam jego żarty, ale znajomi, którzy mnie odwiedzali, mówili, że są nieśmieszne, że on śmieje się zawsze z kogoś, najczęściej ze mnie. A mnie to nie przeszkadzało.

Biedna była mama, która musiała przez prawie pięćdziesiąt lat znosić jego nudne wywody, wysłuchiwać mętnych mądrości, spiskowych teorii politycznych, musiała mu przytakiwać, bo nie znosił sprzeciwu; była jego głównym wyznawcą. Ojciec był jej panem i władcą, prześmiewczym i zdystansowanym w stosunku do świata, który mu nie podlegał, ale wymagającym wobec swoich poddanych, czyli rodziny. Ja też musiałam być najlepsza, bo tak chciał; musiałam biegać najszybciej, pamiętam, kiedyś się z nim ścigałam i upadłam, na żużlu zdarłam sobie kolana i powbijały mi się czarne kawałki węgla. Wiedziałam, że tata chce, żebym wygrała, ale miałam trzynaście lat, byłam jeszcze małą dziewczynką, i nie dałam rady, choć bardzo się starałam. Kasi tak nie tresował, ambicje ulokował we mnie, to na mnie spoczywał ciężar bycia najlepszą.

Jedziemy w podróż. Prowadzę. Patrzę teraz na ojca; jest pogodny, zadowolony; ahoj przygodo! Tak jakby wczoraj nie pożegnał żony, jakby nic takiego się nie zdarzyło, jakby to był kolejny piękny letni dzień. Patrzymy na krajobraz za oknem, tata jest szczęśliwy, jest dobrze. Coś sobie z wczoraj jednak przypomniał, coś musiał słyszeć z wczorajszej kłótni. Patrzy na mnie, na Kaśkę, która siedzi cicho z tyłu, trochę przestraszona, trochę obrażona, trochę zawstydzona tą całą sytuacją.

– Po co ja z wami jadę, ponure krowy? Smutne takie siedzą, cipy. Pożarłyście się wczoraj, aż wstyd.

Zerkamy z Kaśką na siebie w lusterku wstecznym.

– My? Nie.

Wyjechaliśmy z równin na pagórki, po prawej i lewej stronie drogi rozciągają się lasy, pofałdowane pola, łąki to tu, to tam upstrzone domostwami. Coraz mniej przy drogach irytujących reklam, zachęcających do kupna dachówki czy pomp olejowych albo jakichś hurtowni o wdzięcznych nazwach Drewmex, Budmex, Miałmex, Ludmex... Słowotwórcza wyobraźnia polskiej prowincji. Spoza reklam wyziera świat nieskażony jeszcze agresywnym kapitalizmem made in Poland. Ojciec przerywa moje rozmyślania, puszczając bąka.

– Zaraz się zesram.

Kasia otwiera okno.

– Ale smród! Ty weź się gdzieś zatrzymaj, bo tata naprawdę się zesra – mówi.

– Zaraz. Będzie jakaś stacja, to się zatrzymam.

– Tato, wytrzymasz jeszcze? – pyta ojca Kasia.

– Może wytrzymam, kurwa.

Śmiejemy się; głupia sprawa, tak się zesrać na początku podróży. Po ojcu teraz można się wszystkiego spodziewać, nie ma żadnych barier, żadnego tabu. Może rozebrać się do naga i nam uciec z hotelu, to jest zresztą bardzo prawdopodobne, ostatnio lubi demonstrować swoją nagość.

Po pięciu kilometrach wjeżdżam na stację benzynową, parkuję. Kasia prowadzi ojca szybko do toalety, ja zostaję, sprawdzam, kto do mnie dzwonił. Piotr – oddzwaniam. Już wylądował. Włącza się sekretarka, więc się nagrywam, że jestem w drodze do Białowieży. Chcę powiedzieć, że tęsknię, ale rezygnuję. Mówię słodkim głosem zakochanej kobiety, jestem rozkoszna jak babeczka z bitą śmietaną. Rozłączam się i widzę przez szybę, że ojciec kupuje alkohol. Sprzedawca wręcza mu butelkę, on płaci. Wbiegam do środka, wyrywam ojcu butelkę. Nie chce oddać, szarpiemy się. Sprzedawca patrzy przerażony.

– Proszę zrobić zwrot – mówię do zdezorientowanego sprzedawcy, gdy wreszcie udaje mi się wyrwać ojcu butelkę. – Nie możesz pić. Nie możesz.

– Co nie mogę? Mogę – mówi ojciec, zrozpaczony. Wymyślił sobie akcję z kupą, bo chciał alkohol.

Kaśka właśnie wyszła z toalety i podbiega do nas.

– Absolutnie nie możesz – powtarzam, oddając sprzedawcy butelkę.

Ojciec znowu ją łapie i dzierży jak sztandar, nie chce puścić.

– Tata, oddaj, tata – prosi go Kaśka i usiłuje odebrać zakup.

– Oddaj już, no po co to robisz? – Próbuję łagodnie.

– Przepraszam bardzo, ten pan chyba nie jest ubezwłasnowolniony – wtrąca się pracownik stacji.

– Ale jest chory! – mówię. – Śmiertelnie chory. I jak coś wypije, dostanie ataku padaczki. Tu, na miejscu. Chciałby pan?

Facet patrzy teraz na ojca z przerażeniem.

– To idiotki, proszę pana. – Ojciec próbuje przekonać sprzedawcę, żeby nam nie wierzył. – Nie ma o czym gadać.

– Tata, idziemy. Proszę. – Kaśka próbuje go wyprowadzić, ale się zaparł i koniec.

– A pan niech zrobi zwrot – mówię do sprzedawcy.

Kaśka wpada na pomysł – bierze z półki piwo bezalkoholowe i macha nim ojcu przed oczami.

– Jedno. Tata! Piwo. Bierzemy piwo. Zobacz!

Ojciec sunie za butelką jak zahipnotyzowany. Udaje się go w ten sposób wyprowadzić. Biorę z półki jeszcze kilka piw bezalkoholowych, płacę. No, nie ma co, fajny wyjazd się szykuje. Sprzedawca już nie dyskutuje, oddaje bez słowa kasę za whisky, chociaż ojcu udało się ją odkręcić – chyba się mnie przestraszył. Idę do samochodu i widzę, że ojciec stoi rozkraczony tyłem do mnie, przodem do trawnika. Podchodzę, patrzę, a on się normalnie odlewa! Niewiarygodne; jak jakiś cham i prostak sika przy samochodzie! Kaśka na to nie reaguje, siedzi w kucki i pisze esemesy. Trącam ją, żeby zobaczyła, co ojciec wyprawia.

– Kaśka, nie widzisz, co on robi?

– No i co, niech sobie sika – odpowiada, nie podnosząc wzroku znad telefonu w różowym etui.

Wszystko ma w dupie. Otwieram samochód, pakuję piwa na tylne siedzenie, wsiadam za kierownicę wściekła na ojca, na nią.

– Nie mam już do ciebie siły, tato! Pomóż mi sobie pomóc! – wrzeszczę.

Ojciec zapina rozporek i patrzy na mnie jak na idiotkę, po czym też wsiada do samochodu, ciężko stękając. Ruszam z kopyta.

– Kaśka, co ona się tak drze? – pyta.

Kaśka nie odpowiada. Ojciec patrzy na mnie zdziwiony, nie rozumie, dlaczego piekłę się o coś kompletnie nieistotnego.

– Bo już mi się skończyła wytrzymałość! Już nie mogę! Żałuję, że w ogóle tam jedziemy. Po co udawać, że jest okej, że jesteśmy fantastyczną rodziną?! Nie jesteśmy! – wybucham.

Ojciec odkręca piwo. Pije z lubością.

– Sama wymyśliłaś ten wyjazd – mówi Kaśka.

Najchętniej bym ją zatłukła. Po co mi to było? Po co mi ona? Dobry, kurwa, uczynek. Widzę w lusterku, że położyła się spać albo udaje, że śpi. Ojciec beka i patrzy na mnie.

– Zadowolona? – pyta.

– Tato, ja to dla ciebie robię. Żebyś dłużej żył – tłumaczę.

– Ale ja nie chcę dłużej żyć. Rozumiesz?

Jasne, że rozumiem, ale przecież tego nie powiem. Tata nie chce takiego życia, bez mamy, z chorobą, która pozbawia go jego samego i wkrótce go wykończy. A jednak nie przyznaję mu racji, oddalam wizję śmierci, próbuję go jakoś zachęcić do życia. Jedziemy przez śliczną okolicę.

– Zobacz, tato, jaki piękny jest świat, ile miejsc możemy jeszcze zobaczyć. Pojedziemy do Pragi – mówię.

– Na piwo? – Ożywia się.

– Na piwo.

Dopija kolejne piwo, beka, otwiera okno i bach, wyrzuca butelkę. Butelka, na szczęście, nie uderza w inny samochód, tylko spada w trawę gdzieś na poboczu.

– Ale z ciebie prymityw – mówię.

– Coś się stało? – pyta obudzona Kaśka.

– Butelkę za okno wyrzucił.

– No wiesz co, tata? Jak tak można? – strofuje go Kaśka i wraca do pozycji leżącej. – I zamknij okno, wieje mi tu – dodaje.

Ojciec czyta nazwy miejscowości.

– Żółtki. – Śmieje się.

Patrzy na mijane drogowskazy; najwyraźniej mu coś mówią, kiwa głową i mamrocze do siebie. Jeździł tędy wielokrotnie, dlatego tę trasę wybrałam, chciałam, żeby wspomnienia wróciły. Nagle zaczyna gestykulować, pokazuje na boczną drogę.

– O, tu jak skręcisz i tam w lewo, mój kolega z architektury miał wypadek. Piliśmy razem, on wyjechał i bach w drzewo, trup na miejscu – mówi i się śmieje.

Nas to jakoś nie śmieszy. Pokazuje, gdzie dokładnie kolega się rozbił.

– O, tu.

– Aha. No nieźle – rzucam.

– Jak ja bym wziął kierownicę, tobym tu pojechał tak po tych polach, że głowa by latała. Raz w te, raz w te, raz tu, raz tu. – Demonstruje, jak by latała, aż zaczyna mu się kręcić w głowie.

– Pokazałbym wam, jak się jeździ po rajdach.

Jedziemy dalej, nawigacja pokazuje, że została niecała

godzina do celu. Jest coraz piękniej, przed nami rozpościera się puszcza, rejon parku narodowego, dziewiczej przyrody. Jedziemy teraz tunelami utworzonymi przez korony drzew, których grube pnie stoją regularnie co kilkanaście metrów wzdłuż drogi. Gęste liście filtrują światło, które kładzie się na asfalcie nieregularnymi plamami, jak w zaczarowanym ogrodzie.

Okazuje się, że hotel Żubrówka jest wypasiony; taki Hilton zagubiony w białowieskiej puszczy. Pani w recepcji proponuje nam *upgrade* do dwupokojowego apartamentu za niewielką dopłatą. Gości tu jak na lekarstwo, chyba jednak są za wysokie ceny jak na ścianę wschodnią. Wewnątrz wystrój w stylu myśliwskim: na ścianach skóry, poroża, strzelby, wypchane zwierzęta.

Niestety, na środku lobby stoi wielka szklana witryna, reklama żubrówki, wypełniona kolorowymi butelkami z wódką. Od razu wiedziałam, że ojciec się przyssie. Przez cały czas, kiedy my stałyśmy przy recepcji, starał się otworzyć witrynę, jakoś się dostać do ślicznie podświetlonych buteleczek z trawką w środku.

Apartament robi wrażenie – przestronny, z tarasem i widokiem na ścianę lasu; świetne miejsce, żeby złapać pion, odpocząć od cywilizacji. Ale teraz szukam niebezpieczeństw, taras jawi mi się jako źródło potencjalnych zagrożeń dla ojca. A co, jeśli wypadnie, jeśli wyjdzie z pokoju i ruszy w puszczę, jak my go tu znajdziemy? On już szuka barku, ale w barku są tylko napoje chłodzące, zadbałam o to, żeby nie było alkoholi. Jest za to piwo bezalkoholowe i ojciec od razu się nim częstuje. Siada z piwem na łóżkach, testuje, na którym chce spać, sprawdza sprężyny. Kasia go rozbiera, ma w tym wprawę, robi to na co dzień, ja go rozpakowuję.

Pokazuję, gdzie kładę jego kosmetyki, kapcie, piżamę. Ojciec ogląda apartament okiem architekta i fuka, i prycha, że źle zrobione, że fuszerka.

– No nie, tu okna trzeba było zrobić w dachu, widniej by było, to północna strona, debile, no debile. A ta łazienka to dla krasnoludków?

– Tato, to jest kibelek, łazienka jest obok, bardzo dobrze, że jest oddzielnie – mówię.

– Ty się nie znasz, to się nie odzywaj – ucisza mnie.

– Dobra, tato, jesteś na wakacjach, niech będzie, jak chcesz.

– To ja idę na posiedzenie. Macie jakąś gazetę?

Kasia daje mu „Claudię". Ojciec zamyka się w toalecie.

– No to mamy z godzinę dla siebie.

Wychodzę na taras i wdycham świeży zapach lasu. Wieje wiatr i zaczyna kropić, a las momentalnie staje się mroczny jak w kinie grozy – zaraz wyjdą z niego strzygi i inne stwory. Przez ten deszcz nie pójdziemy już dziś na spacer, ale może pójdziemy na basen albo do groty solnej. Biorę głęboki wdech na zapas.

Kasia

Pojechaliśmy z Martą do Białowieży. Na początku jeszcze się trochę boczyłyśmy na siebie, ale przed ojcem grałyśmy, że nic się nie stało. Głupio mi, że tak się wczoraj zadziało, ale przecież nie będę jej przepraszać; ona też musiałaby mnie przeprosić. Część drogi przespałam, bo poprzedniej nocy nie zmrużyłam oka. Po drodze miałyśmy trochę przygód z ojcem; mało się nie sfajdał w portki. Na stacji benzynowej kupił sobie whisky, ale mu odebrałyśmy, zamulił się piwem bezalkoholowym, na które pan doktor pozwala od czasu do czasu. Butelkę po piwie wyrzucił na pobocze, jak menel jakiś. Nie jest już z nim jak kiedyś, to już nie ten sam tata. Dla niego może i lepiej, ale mnie tego dawnego ojca brakuje, tak jakbym straciła naraz i mamę, i tatę.

Opowiadał po drodze jakieś historie, nie wiem, czy on je sobie wymyśla, czy mu się przypominają, nie mają ładu ni składu. Słowem nie wspomniał o pogrzebie, o mamie. Wystarczy, że ja ciągle o tym myślę. Marta nie była złośliwa jak zwykle, starała się, żeby było spokojnie, tylko raz wybuchła, na stacji benzynowej.

Dojechaliśmy szybko, Białowieża jest nie tak daleko, teraz są lepsze drogi, w niecałe trzy godziny byliśmy na miejscu. Superwypasiony hotel, luksusy: mydełka, balsamy, szlafroki, *high life* normalnie. Ojciec był rozczarowany barkiem, że tylko piwo bezalkoholowe, myślał, że zapomnimy poprosić o zabranie alkoholu. Mnie przypadło najgorsze łóżko, ale dobra, Marta stawia, więc darowanemu koniowi i tak dalej. Od razu po przyjeździe przebraliśmy się wszyscy w puchate białe szlafroki i poszliśmy do groty solnej. Przywitał nas zapach aromatycznych olejków i delikatna muzyka, dyskretne ładne panie w jednakowych ubrankach pięknie się do nas uśmiechały. Mają tu całą gamę usług, zabiegi na twarz, na ciało, peelingi, kąpiele w kozim mleku, kapsułę spa. Coś bym sobie zafundowała, chyba wezmę po prostu masaż, marzy mi się od dawna, jestem cała spięta, ostatni masażysta mi powiedział, że kręgosłup mam jak stara kobieta. Chciałabym móc o siebie dbać tak jak Marta, ale mnie nie stać.

Nigdy wcześniej nie byłam w grocie solnej, podobno dobrze wpływa na system oddechowy, na skórę, na psychikę w ogóle. Może i ojcu trochę pomoże.

Przed wejściem do groty dali nam skarpetki i koce. Położyliśmy się na leżankach, zawinęliśmy w koce, dostaliśmy kubki z gorącą herbatą i sobie leżeliśmy. Ściany groty to kolorowo podświetlone głazy solne, pod stopami też chrzęści sól. Słychać śpiew ptaków. Już prawie zasypiałam, kiedy ojciec zaczął się wiercić.

– I co, długo mam się tu nudzić? – pyta.

– Tato, oddychaj głęboko, to dobre dla oskrzeli – proszę.

Ojciec już się podnosi, już by coś innego robił, jak trzyletnie dziecko.

– To do dupy niepodobne. Ja chcę do baru – mówi.

– Tato, nie możesz iść do baru, nie możesz pić. Masz padaczkę. Jak się napijesz, umrzesz.

– Ale ja chcę umrzeć.

– Tato.

Nie mogę tego słuchać, ciągle mówi, że chce umrzeć. Mówi to ot tak sobie, jakby mówił, że chce jagodziankę. Nie wiem, na ile zdaje sobie sprawę ze swojego stanu, na ile to jest kwestia guza, a na ile depresji, żałoby po stracie mamy. Ale on wcale nie jest smutny, więc to chyba nie żałoba, jest teraz jak dziecko z ADHD, tylko znacznie większe i cięższe, trudniejsze do okiełznania. Momentami wydaje się szczęśliwy. To niesamowite, ten guz działa jak plaster na jego psychikę; normalnie ojciec by się załamał, zamknął w sobie i wpadł w depresję. A tak w końcu jest szczęśliwy. Leżymy jeszcze chwilę w ciszy, śpiewają ptaki, ojciec zaczyna je przedrzeźniać:

– Trrr. Trrr. Trrr. Hij, hij, hij. Ue, ue.

Patrzę na Martę, a ona na mnie. Uśmiechamy się.

– Zobacz jak dobrze – mówię do ojca.

Patrzy na mnie zdegustowany i ciężko wzdycha. Muszę znaleźć grotę solną gdzieś koło nas, podobno są teraz wszędzie, będziemy chodzić razem. Nagle ojciec puszcza głośnego bąka. Niemożliwy jest. Wybuchamy z Martą śmiechem. Szczęście, że nie ma tu nikogo oprócz nas.

Wieczorem był tak zmęczony, że zasnął jak niemowlę, nie chciał się przed snem myć. To ostatnio jego pięta achillesowa – mycie. Nienawidzi wody, mydła, chodziłby najchętniej brudny jak kloszard.

Kiedy zasnął, zamknęłyśmy go w pokoju i poszłyśmy sobie na lampkę wina. Byłyśmy pewne, że jest tak zmęczony, że będzie spał jak kamień do rana. Zeszłyśmy, elegancko sobie usiadłyśmy, zamówiłyśmy po kieliszku dobrego wina. Było sympatycznie. Porozmawiałyśmy bez kłócenia się o stypie, kto był, kogo nie było na pogrzebie, z kim gadałyśmy. Poza domem jest jakoś lepiej, spokojniej między nami. Nagle patrzymy, a w lobby hotelu, które widać z baru, stoi nasz ojciec w samych majtkach, bosy i wpatruje się w witrynę z wódkami. Wygląda jak przybysz z kosmosu, oświetlony niebieskawym światłem jarzeniówek umieszczonych nad witryną. Akurat przyjechała wycieczka, ludzie zerkali na niego zdziwieni, ale nikt nie zareagował; przywilej gościa eleganckiego hotelu – nikt cię nie zaczepia. Zabrałyśmy go na górę, no, niestety, nie można go zostawiać samego nawet na chwilę.

W nocy uciekł nam jeszcze raz, kiedy spałyśmy. Pierwsza to zauważyłam i obudziłam Martę. Szukałyśmy po różnych piętrach, rozdzieliłyśmy się, nie wiadomo przecież, co mu mogło strzelić do głowy. Stał w tym samym miejscu co poprzednio, przy stoisku z żubrówką, próbował wybić szybę w witrynie, walił w nią parasolem, który gdzieś znalazł. Tym razem był w piżamie. Recepcjonistka dyskretnie spuściła głowę; pewnie myśli, że tata to jakiś zdegenerowany alkoholik.

– Tato, co ty? Dlaczego uciekłeś z pokoju? Jak byś trafił z powrotem? – napadamy na niego.

– Spieprzajcie, cipy.

– Tato, chodź spać, jest druga w nocy. – Próbuję go ciągnąć.

– Zostaw mnie, krowo. Chcę tego. – Pokazuje na wódkę w gablocie. Rozgląda się, jakby dopiero spostrzegł, gdzie się znajduje.

– Gdzie my w ogóle jesteśmy?

– W hotelu, tato, w Białowieży.

– Po co w Białowieży; wywiozły mnie nie wiadomo po co… – mówi do siebie, i posłusznie idzie z nami.

W windzie wyglądamy jak lunatycy, którzy się przypadkiem spotkali na trasie – wszyscy w piżamach. To nie był dobry pomysł ten hotel Żubrówka, Marta nie pomyślała, że nazwa zobowiązuje.

Rano jakoś wspólnymi siłami ojca umyłyśmy, choć oganiał się jak diabeł od święconej wody. Już zaczynało być od niego czuć. Wtłoczyłyśmy go pod prysznic sposobem: Marta go trzymała, a ja szorowałam. Jedna nie dałaby rady, jest silny jak tur, po takim prysznicu obie byłyśmy kompletnie mokre, pogryzione, bo szczypał i gryzł.

Dzień jest piękny, ciepły, ptaki śpiewają; wyszłam na taras i patrzę na ścianę lasu. Zapaliłam sobie; ostatnio od czasu do czasu skrycie popalam. Powietrze pachnie lasem, jest czyste jak kryształ. Ojciec wychodzi za mną. Pospiesznie gaszę papierosa.

– Podoba się? – pytam.

– Nie.

– Wdychaj, tata.

– Nic nie będę wdychał.

Jest przekorny, nigdy nie zrobi tego, o co się go prosi, zawsze na odwrót, teraz to się jeszcze pogłębiło. A ja tracę cierpliwość, czasami go po prostu nie lubię, kiedy jest taki chamski, niemiły, agresywny, mimo że wiem, że to choroba.

Nie wytrzymam z nim na co dzień, trzeba będzie coś wymyślić, ja się nie nadaję na opiekunkę.

Zeszłyśmy na śniadanie do restauracji w myśliwskim stylu: dębowe stoły, na ścianach futra, łby zwierząt, broń palna. Mając ojca na oku, nałożyłyśmy sobie pełne talerze: pasztet z dzika, kiełbaski z sarny, smalczyk z jabłkami – uwielbiam te staropolskie specjały, a tu są wyśmienite. Ojcu też nakładamy, sam sobie już nie weźmie. Chodzi tylko, ogląda myśliwskie trofea, mówi do nich; ludzie siedzący przy sąsiednich stolikach zerkają – wariat czy co? Przestało mnie to obchodzić, a niech sobie myślą, co chcą, nie będę każdemu tłumaczyć. Co chwila ktoś podchodzi do Marty z prośbą o autograf, a ona grzecznie się podpisuje. Ojciec wkłada całą pajdę chleba do ust, tak samo pasztet. Smakuje mu, zagryza ogóreczkiem, Marta daje mu leki, całą garść, z dziesięć tabletek: przeciwpadaczkowe, sterydy, osłonowe, na serce, na nastrój, witaminy, jakieś chińskie tabletki ziołowe. Podchodzi do nas ogorzały korpulentny kelner i pyta, czy chcemy jajecznicę.

– A może coś jeszcze do picia? – dopytuje.

– Ja poproszę setkę żubrówki – mówi ojciec szybko, zanim zdążymy mu przerwać.

– Oczywiście.

Kelner już odchodzi, ale Marta go zatrzymuje.

– Nie, nie. Przepraszam pana, tata nie może pić.

Kelner nie wie, kogo ma słuchać, widocznie tutaj zamówienie setki żubrówki na śniadanie nie jest niczym niezwykłym.

– Tata ma padaczkę – mówię. – Nie może pić alkoholu.

Ojciec puka się w głowę, że głupoty gadam. Kelner się waha, komu dać wiarę.

– No nie wiem, te panie mówią… – zaczyna.

– Niech pan ich nie słucha – przerywa mu ojciec.

Marta ma wzrok hitlerowca, więc kelner odchodzi. Ojciec za karę szczypie ją tak, że ta krzyczy z bólu.

– Krowy jesteście. Cipy wołowe – mówi.

Podchodzi po autograf tleniona blondyna w zbyt obcisłej sukience.

– Czy może mi się pani wpisać? – pyta cieniutkim głosem.

– Nie! – krzyczy Marta na całą restaurację. – Nie mogę, bo odpoczywam, nie jestem w pracy!

Babka się wystraszyła i odeszła jak niepyszna. Marta się zagotowała. Patrzy na kelnera, który przechodzi obok z jajecznicami i na wszelki wypadek mija ją szerokim łukiem.

– Proszę bardzo, niech pan mu poda wódkę; pij, tato, umrzyj tu sobie przy śniadaniu, mam to w dupie! – mówi Marta.

Wstaje i demonstracyjnie wychodzi. Zostajemy z ojcem sami pod ostrzałem spojrzeń i w milczeniu kończymy śniadanie. Ojciec jest zażenowany, że Marta zrobiła takie przedstawienie, patrzy po ludziach; udają, że nic się nie zdarzyło, ale zerkają na nas, kiedy myślą, że nie widzimy. Kelner po wyjściu Marty przynosi jednak ojcu żubrówkę, spogląda na mnie, czy się zgadzam, w końcu to restauracja. Ojciec patrzy zadowolony na setkę, już ją podnosi, ale w ostatniej chwili odbieram mu kieliszek i sama wypijam. No, bo co miałam zrobić? Wylać?

Nocie

Wkurwił mnie dzisiaj ojciec przy śniadaniu tak, że myślałam, że coś mu zrobię; wyzwolił we mnie agresję. Jest nie do wytrzymania, szczypie tak, że mam siniaki na całym ciele, jest okropnie złośliwy. W nocy prawie nie spałam, bo uciekł, trzeba go było szukać. Rano go wykąpałyśmy, co graniczy z cudem. Na śniadaniu w restauracji znowu mnie uszczypnął tak mocno, że mam krwiak. Nie, coś z tym trzeba zrobić, może jakiś ośrodek dla niego znaleźć, przecież my sobie nie poradzimy, on jest silniejszy, jak go upilnować. Doprowadził mnie do takiego stanu, że wyszłam ze śniadania, nie wytrzymałam. Poszłam do recepcji i powiedziałam, że chcemy wyjechać dzisiaj, że skracamy pobyt. Recepcjonistka marudziła, że to niemożliwe, ale wezwałam menedżera i się udało. Na gwiazdę. Wyjeżdżamy dzisiaj po południu, zapłacimy za półtorej doby. Pójdziemy jeszcze na spacer, pomyślałam, że coś w tej Białowieży zobaczymy – taki bonus. Pozwoliłam Kaśce iść na masaż, bo się umówiła; niech ma.

Wyszliśmy na spacer, puszcza jest tuż przy hotelu, nie trzeba daleko chodzić. Zaraz obok jest rezerwat żubrów. Te tereny nie są jeszcze opanowane przez turystów: cicho, pusto, piękna przyroda wokół. Ojciec już słabo chodzi, ale dzielnie zamierza szukać grzybów. Nie wolno się samemu zagłębiać w puszczę, ze względu na dzikie zwierzęta żyjące na wolności, więc idziemy szlakiem żubra.

Jest pięknie, cicho, tajemniczo; majestatyczna prastara puszcza zdaje się wręcz oddychać wraz z nami. Idziemy ubitym szlakiem, a raczej się wleczemy. Tata tylko jak ucieka, dostaje przyspieszenia, nagle umie szybko się poruszać, a tak to tup, tup, tup, prawie się nie posuwa do przodu. Idziemy w ciszy. Cisza w lesie jest pełna dźwięków: świergolą ptaki, pohukują sowy, z oddali rozlega się wycie jakiegoś dużego zwierzęcia. Może to żubr, ten żywy mamut z prasłowiańskich czasów, jest ich tu podobno ponad pięćset.

Znajdujemy z Kasią polanę pełną jagód. Jemy je prosto z krzaków, są słodkie jak miód. Ojciec nie jest zainteresowany jagodami, za to z kijaszkiem szuka grzybów – podważa darń, chodząc wśród drzew jak różdżkarz. A my jemy jagody jak kiedyś w dzieciństwie. Przez chwilę jest dobrze, ojciec zajmuje się sobą, nic od nas nie chce. Ale nie spuszczamy go z oczu, pilnujemy, czy się nie przewróci, czy nie zasłabnie. Coś mu nie idzie to zbieranie grzybów, nic nie znalazł. Narzeka, że nie ma.

– Jak tam tato, są grzyby?

– Chyba w dupie – odpowiada.

Śmiejemy się. Siadamy na mojej kurtce od Jemioła objedzone jak bąki i obserwujemy ojca, który krąży wśród drzew jak ślepiec z laską. Co jakiś czas coś do siebie mówi.

– Grzybiarz, chcesz trochę jagód?! – wołam.

– Jagody to sobie w dupę wsadź – odpowiada.

Patrzę na Kasię, której twarz się zachmurzyła. Moja siostra już wróciła do swoich problemów. Siedzimy dłuższą chwilę bez słów, każda w swoim świecie, każda jako główna bohaterka własnego dramatu.

– Wiesz, za co cię najbardziej nienawidzę? – pytam.

Patrzy na mnie zaskoczona, ale nie obrażona.

– Za co niby?

– Bo zawsze robisz z siebie nieszczęśnicę i na wszystkich wymuszasz współczucie.

– To nieprawda. – Kasia wzrusza ramionami.

Już czekam, że odbije piłeczkę, ale nie. Mówię więc dalej:

– Prawda, prawda. Powiedz, dlaczego ja cię zawsze wysłuchuję, radzę ci, a ty nawet mnie nie zapytasz, co u mnie, jak się czuję?

Jeszcze nigdy nie zadałam jej tego pytania: Dlaczego nikt nigdy w tej rodzinie nie spytał, co u mnie słychać, co się dzieje w mojej pracy, w moim życiu, czy jest mi dobrze, czy źle, czy jestem szczęśliwa?

– Jezu, zapytałam! Ile razy! Tylko że ty nigdy nie chcesz mówić – obrusza się Kasia.

Patrzymy na ojca bezskutecznie szukającego grzybów; mało ich jeszcze, ale niech sobie pochodzi po lesie.

– Bo nikogo nie obchodzi, co czuję. Ja zawsze miałam być ta silna – mówię.

– Bo jesteś silna – potwierdza Kasia. – Wszystko zawsze umiesz załatwić, jesteś taka zorganizowana...

Ona przyjęła za pewnik, że jestem silna, silniejsza od niej, a skoro silna, to znaczy, że nie mam problemów, jestem chodzącym sukcesem.

– Moje życie to porażka – rzucam.

Kaśka kręci głową jak piesek zabawka przy tylnej szybie samochodu.

– No, widzisz, bo moje to sukces. Kurwa, mistrzostwo świata, złoty medal. – Śmieje się z siebie.

Siedzimy przez dłuższą chwilę zamyślone. To prawda, żadna z nas nie ma fantastycznego życia, żadna nie jest szczęśliwa, żadna nie wygrała losu na loterii. Kiedy się przekonuję, że Kaśka ma dystans do siebie, od razu mi jakoś lepiej. Ona wcale nie jest głupia, tylko taką gra. Zdaje sobie sprawę z wielu rzeczy, ale wygodniej jest udawać, że nie wie, o co chodzi. Patrzę na nią, nieumalowana wygląda na swój wiek – czerwona farba na włosach wypłowiała; ja też mam siwe odrosty, już dawno nie jesteśmy dziewczynkami.

– Ty się zawsze tylko z żonatymi zadawałaś. Jezu, jakby się ojciec dowiedział... – mówi.

– Mam! – krzyczy ojciec, podnosząc grzyba. Ogląda go i zdenerwowany wyrzuca. – Fałszywek!

Spogląda w naszą stronę, widzi, że na niego patrzymy i pokazuje nam język. Wraca do zbierania. Jest skupiony na grzybach, chyba jeszcze nie skumał, że ich w ogóle nie ma, albo chce, żebyśmy pogadały.

– Tak naprawdę to chyba on jest facetem mojego życia – mówię.

– No. Żaden twój chłopak nie był dla niego wystarczająco dobry.

– No, nie był.

– Ty, chociaż Grześka też nigdy do końca nie zaakceptował – zastanawia się głośno moja siostra.

– To dziwne, bo to akurat chodzący ideał.

– Spierdalaj. – Szturcha mnie ze śmiechem.

Nie przyzna się, jaki naprawdę jest jej mąż, chociaż wie przecież, że żaden z niego superman. Śmiejemy się obie. Tata traktuje Grześka jak służbę, jak część umeblowania domu; nie rozmawia z nim, tylko wydaje polecenia jak giermkowi, nie bierze go poważnie. Za to Grzesiek ojca uważa za swojego mistrza. Kaśka ma świadomość, jaki jest jej mąż, ale przecież nie zostawi go; pewnie się jakoś tam na swój sposób kochają, tyle lat razem.

Patrzymy na pająka, który plecie niewidzialną sieć akurat na wysokości naszych głów; pracuje powolutku. Myślę o naszym dzieciństwie, jak byłyśmy małe, miałyśmy po naście lat. Nie pamiętam, czy wtedy byłyśmy szczęśliwe. Pamiętam tylko te chwile, kiedy czułam się osamotniona, niezrozumiana, skrzywdzona; nic pozytywnego, a przecież musiały być też chwile szczęścia.

– Pamiętasz, jak byłyśmy małe, ojciec miał taki czas, że kładł się po pracy na wersalce na drzemkę? – mówię. – Jezu, jak ja lubiłam się tak do niego podkraść i przytulić. Mama mnie wtedy wyganiała, że taka duża dziewczynka, że nie wypada.

Kaśka wzrusza ramionami.

– Nie pamiętam. Pamiętam tylko, że zawsze byłaś we wszystkim najlepsza, najmądrzejsza, a ja byłam ta głupia. I musiałam donaszać po tobie sukienki. Jezu, jak ja cię za to nienawidziłam.

– Jak donaszać, przecież ty byłaś dwa razy grubsza – prostuję.

Śmiejemy się szczerze z siebie i do siebie. Po raz pierwszy

od lat, nie wiem, czy nie od zawsze, rozmawiamy jak siostra z siostrą, jak bliscy sobie ludzie, jak przyjaciółki albo jak dalecy znajomi; bez żółci, bez żalu, bez płaczu. Musiało się tyle wydarzyć, musiała umrzeć mama, musiał zachorować ojciec, żebyśmy zaczęły normalnie rozmawiać. To mój prywatny cud, moje zadziwienie. Patrzę na nią i nagle czuję, że ją kocham, że jest mi najbliższa na świecie. To zbyt sentymentalne, ale odkryłam ją dla siebie od nowa, tę moją siostrę.

Kasia

Marta skróciła nasz pobyt. Nie powiedziała dlaczego, ale w sumie dobrze – za ciężkie pieniądze, jakie kosztuje ten hotel, my tylko pilnujemy ojca, denerwujemy się; lepiej niech już będzie u siebie, tam przynajmniej wiadomo co i jak. Byłam na masażu; niezły, ale za drogi. Dwieście złotych za półtorej godziny głaskania to jednak lekka przesada. Ja wolę mocny, konkretny masaż, żeby bolało, a nie takie miziu, miziu. Ale nic, odprężyłam się trochę, było miło, potem mi zrobili czekoladowy peeling, mam teraz skórę jak niemowlaczek. Przed wyjazdem poszłyśmy jeszcze z ojcem na spacer, żeby łyknął trochę świeżego powietrza.

Pogadałyśmy sobie z Martą inaczej niż zwykle: bez agresji, bez wzajemnego obwiniania się, jak siostra z siostrą. Siedziałyśmy, patrzyłyśmy na ojca, który bezskutecznie szukał grzybów, chodził z kijem i grzebał w ściółce. Bardzo wolno już chodzi, powoli chyba zaczyna tracić władzę w nogach; lekarze nam mówili, że wkrótce potrzebny będzie wózek.

Po tych dramatach, kłótniach, wojnach opadł wreszcie

kurz i opadła nasza złość na siebie. Porozmawiałyśmy, jakby tego wszystkiego nie było, jakbyśmy się lubiły. O życiu, o naszym dzieciństwie, o ojcu, o facetach. Jakoś tak pierwszy raz spojrzałam na nią nie z dołu, nie z zazdrością, i zobaczyłam, że ona też jest w sumie pogubiona i strasznie samotna. Zawsze widziałam tylko tę jej fasadę, którą obnosi przed światem, Martę jako gwiazdę, silną kobitę, która da sobie radę ze wszystkim, a teraz zobaczyłam, że tam pod spodem jest ktoś inny, ktoś bardzo podobny do mnie, że tam jest moja siostra.

Moje i jej życie nie potoczyło się zgodnie z naszymi marzeniami, nie tak to miało być, scenariusze były inne. Nasza rodzina się kurczy, jest nas coraz mniej przy świątecznym stole, ale pomyślałam, jak tak sobie siedziałyśmy, że jest jeszcze dla nas jakaś szansa, że nie wszystko stracone.

Powspominałyśmy dzieciństwo; to dziwne, że każda z nas pamięta coś innego, zupełnie różne rzeczy, jakbyśmy się nie wychowywały w jednym domu, razem. Ja byłam młodsza, ale pamiętam więcej, prawie wszystko, od kiedy skończyłam trzy latka; Marta nie. Dla mnie ona zawsze była większa, starsza, mądrzejsza; dorosła. Strasznie jej wszystkiego zazdrościłam nawet wtedy, kiedy miałam cztery lata, a ona pięć: każdego obrazka, który narysowała, każdej koleżanki, zabawki, uwagi rodziców. Chciałam być taka jak ona, ale nie umiałam, więc zabierałam jej, co mogłam, żeby chociaż trochę się do niej zbliżyć. Była moim niedoścignionym wzorem, ale nawet sama przed sobą się do tego nie przyznawałam.

Nienawidziłam jej za to, że wszystko miała pierwsza. Musiałam donaszać po niej ubrania, z których wyrosła, a ona dostawała nowe, śliczne, prosto ze sklepu. Byłam grubsza, zawsze byłam od niej grubsza, o ironio, więc babcia poszerzała mi jej spodnie i spódnice; wszywała kliny, popuszczała zaszewki.

Nawet sukienkę do komunii po niej miałam, oczywiście poszerzoną w pasie; pamiętam, była plisowana, wszyscy w klasie się ze mnie śmiali, bo pamiętali, że jest po Marcie, chłopcy szczególnie. Wstydziłam się okropnie i jeszcze bardziej jej nienawidziłam. Na zdjęciach z komunii ustawianych przez fotografa, sztucznych, jak diabli, siedzę z wymuszonym uśmiechem w wiklinowym fotelu jak pączek w maśle obłożony bitą śmietaną. Marta ma komunijne zdjęcie bez fotela, ale też wygląda śmiesznie, bo się szczerzy do aparatu i widać tylko te jej krzywe wtedy zęby.

Z zazdrości potrafiłam robić różne świństwa: skarżyłam na nią mamie, kablowałam, kiedy nie chciała mnie ze sobą wziąć, szantażowałam ją. Wiedziałam, co wkurza moją siostrę, i specjalnie to robiłam. Spałyśmy razem na rozkładanej wersalce i ja chowałam kiełbasę pod poduszkę, i jadłam przed snem, co Martę doprowadzało do szewskiej pasji; biegła do mamy na skargę, a ja w tym czasie zjadałam dowód rzeczowy i udawałam, że smacznie śpię i nie wiem, o co chodzi.

Zawsze z nią rywalizowałam, choć wiedziałam, że nie mam szans. Chciałam, żeby nie była ciągle taka dobra, mądra, żebym i ja została zauważona. Ale nie było szans, nigdy nie dawała mi wygrać.

Teraz, kiedy na nią patrzę, na to jej popieprzone życie, myślę, że nie najlepiej na tym wyszła. Tak pragnęła być doskonała, że została sama, miała tak wyśrubowane oczekiwania, że nigdy nic ich nie spełniło. Ona w sumie jest biedna, poraniona, samotna: ani kariera, ani życie jej się nie ułożyło. Zresztą moje również jest dalekie od ideału.

Tkwię uwięziona w tym małżeństwie, które od dawna jest wydmuszką. Wykonuję pracę, której nie lubię. Męczą mnie dzieci, wolałabym robić coś innego, coś bardziej spektakularnego, kolorowego, mieć kontakt z interesującymi ludźmi.

A tak za marne grosze użeram się z bachorami, które nie chcą się uczyć, nie są niczego ciekawe, tylko by grały na tych swoich *play station* albo tabletach. Co z tego, że staram się im coś fajnego przekazać, czymś je zainteresować, kiedy wracają do swoich domów, a tam rodzice albo włączają im telewizor, albo odpalają gierkę. Rośnie pokolenie aspołecznych mutantów, ludzi bez empatii, bez ambicji, bez celu, aż strach, co to będzie za kilkanaście lat, kiedy staną się dorośli; trzeba będzie uciekać.

Mam syna, który jest w gruncie rzeczy taki sam jak oni, z którym tak naprawdę nie mam kontaktu, który pali trawę. Jako dziecko był cudowny, trochę jak dziewczynka, bawił się samochodami, ale lubił też lalki, ubranka, był moją małą przytulanką. Kiedy zaczął się okres dojrzewania, odsunął się ode mnie na kilometr. Nagle zaczęłam mu przeszkadzać. Teraz zamyka się w pokoju, trzaska drzwiami, ocenia mnie, wzdycha zażenowany. Wiem, że to minie, ale kiedy? Liczę na to, że niedługo znów będzie można z nim porozmawiać, a nie tylko: Mamo, Jezu, mamo, zostaw mnie.

Mam nadzieję, że ta trawa nie pomiesza mu w i tak gorącej głowie. Boję się tylko, że taka trawa otworzy puszkę Pandory i Filip wpadnie w inne, mocniejsze narkotyki. Sama trawa to jeszcze nie koniec świata. Jak widzę na przystanku jego kolegów zalanych w trupa, to już niech będzie ta trawa. Skoro pomaga na guzy mózgu, to i jemu nie powinna zaszkodzić. Ale żeby wiedział, kiedy przestać, bo jak się za dużo pali, to podobno pamięć wysiada, a jak ktoś ma skłonności do depresji, to marihuana je pogłębia. I otwarcie mu palić nie pozwolę, to na pewno.

Dobrze, że mam tylko jedno dziecko, z dwojgiem chyba nie dałabym rady. Zawsze chciałam mieć więcej dzieci, ale się nie udało, parę razy poroniłam, a teraz jest już za późno.

W sumie dobrze, że jest, jak jest, bo tak naprawdę nie mam wsparcia, nie mogę liczyć na Grześka. Chciałam mieć faceta takiego jak ojciec, ale takich nigdzie nie było.

Z Grześkiem mamy przeciągający się latami kryzys, ostatnio prawie nie rozmawiamy, nie ma o czym, wszystkie tematy zostały wyczerpane, na wszystkie pytania, które mogłyby paść, znamy odpowiedzi, omawiamy tylko sprawy techniczne. Jak pojawia się problem, warczymy na siebie, niecierpliwimy się, mamy pretensje do losu, że jest, jak jest, że zostaliśmy udupieni tu i teraz. Przyzwyczaiłam się do niego, nie miałam innego faceta, ale czasami wyobrażam sobie, że odchodzę i zaczynam nowe życie, że jestem wolna i mogę się spotykać, z kim chcę, że mam, na przykład, romans z kimś z innego świata. Tak zasiedzieliśmy się w tym domu, a przecież zawsze chciałam podróżować, zobaczyć, jak żyją inni ludzie, chciałam powietrza; prawie o tym zapomniałam.

Tak sobie myślę, że żadna z nas: ani Marta, ani ja, nie dostała od życia tego, co by nas satysfakcjonowało, a teraz już za późno na zmianę, obie to wiemy, wypada się do tego przyznać. I kiedy tak siedziałyśmy w lesie na polanie, patrząc na szukającego grzybów tatę, poczułam spokój, poczułam się bezpieczna. Zdałam sobie sprawę, że to na nią zawsze mogłam liczyć, ona mnie nie zawiodła. Mimo wszystko jest mi bliska, jest najbliższym mi po ojcu człowiekiem na świecie. Ona, ta szorstka i zimna starsza siostra.

Mostie

Wracamy do domu. Pobudowali fragmenty drogi szybkiego ruchu, ale kiedy tylko się rozpędzam, dobra droga nagle zamienia się w starą, dziurawą dwupasmówkę i znowu wlokę się za tirem. Z Białowieży do Warszawy jest dwieście kilometrów, a jak dobrze pójdzie, przejedziemy je w trzy i pół godziny. Bo tiry, korki, rzęchy wlokące się między wioskami, krowy przepędzane przez drogę, jakiś pijany chłop jadący rowerem, który nie chce się dać wyprzedzić. Całe szczęście, że mam działającą klimę, inaczej byśmy się wszyscy ugotowali, bo żar się z nieba leje.

Cicho gra radio. Kaśka siedzi z tyłu, ojciec obok mnie. Mijamy pastwiska i stada nieruchomych czarno-białych krów. Wyglądają jak namalowane. Ojciec patrzy na krowy z dużym zainteresowaniem.

– O, wasze koleżanki.

– Dzięki – odpowiadamy zgodnie, śmiejąc się.

Kasia pochyla się do przodu.

– Jak ci się, tato, podobało w grocie solnej? – pyta.

Ojciec prycha z pogardą i znowu zamyka się w sobie. Wciąż jest przystojny; zawsze dobrze wyglądał, mama też była piękna. Na zdjęciu z balu architektów są jak Liz Taylor i Richard Burton w najlepszych latach. Mama miała wtedy doczepiony kok. Pamiętam jej szufladę z włosami na różne okazje, były tam pukle, koki różnej wielkości, lubiłam je przymierzać, to była taka sekretna szuflada, mama zawsze się stroiła, była elegancką damą nawet w zupełnie niesprzyjających okolicznościach, imponowało mi, że ma swój styl, ja też tak chciałam.

– Tato, a ty byłeś zazdrosny o mamę? – pytam.

– Oczywiście.

– A zrobiłeś jej kiedyś aferę?

– Raz powyrywałem wszystkie te, jak one się nazywają…

– Rękawy w szlafrokach? – podpowiada Kasia. – Pamiętam.

– No właśnie. Poszła do kina z Malcem, no, taką pierdołą… – mówi ojciec.

Pamiętam Malca, sąsiada z naprzeciwka, rzeczywiście zawsze był w stosunku do mamy niezwykle uprzejmy, na swój sposób ją podrywał. Był gościem z potężnym wąsem, dużą łysiną i dużym brzuchem; wypijał hektolitry piwa, siedząc już od rana na ławce przed blokiem. Miał grubą jak szafa żonę i dwoje bardzo brzydkich dzieci mniej więcej w naszym wieku: chłopca i dziewczynkę, z którymi musiałyśmy spać, kiedy rodzice wychodzili razem na jakieś bale czy sylwestry. Malec to ostatnia osoba, o którą ojciec mógłby być zazdrosny, a jednak był.

– A ona też była zazdrosna? – pytam.

Ojciec uśmiecha się tajemniczo.

– Pewnie, wszystkie baby do mnie lgną, nie wiem dlaczego.

– Może dlatego, że jesteś taki atrakcyjny? – Robię oko do Kaśki.

– Dobrego człowieka widzą – mówi.

Teraz kiedy choruje, mówi rzeczy, których, będąc zdrowy, za nic by nie powiedział. Zawsze małomówny, skryty, nie mówił o swoich uczuciach, o zazdrości, o kobietach, o sprawach męsko-damskich; to były tematy tabu, nie wolno było nawet zapytać, a teraz proszę.

– Ale ty mnie wkurwiłaś dziś do maksymalności – mówi nagle.

– Ja? Czym cię wkurwiłam? – pytam zdziwiona.

– Chamskim zachowaniem, głupotą.

Chodzi mu o sytuację przy śniadaniu, kiedy nie pozwoliłam mu wypić kieliszka żubrówki i demonstracyjnie wyszłam. Ojciec nienawidzi ostentacyjnych zachowań, takiego publicznego prania brudów. No dobra, może rzeczywiście rano przesadziłam, ale nie zamierzam się do tego przyznać.

– Tato, ty wstydzisz się tych obcych ludzi? – pytam.

– Za ciebie się wstydzę. Jeżeli ja idę z niepełnosprawnym

dorosłym dzieckiem, które tak się zachowuje, to mam się cieszyć? – pyta retorycznie.

– Tato, gdybyś wypił alkohol, tobyś miał atak padaczki, mógłbyś nawet zrobić pod siebie. Nie rozumiesz? – próbuję tłumaczyć.

– Pierdolisz. Jeszcze nic takiego nie miałem. Ty pobita chyba nie byłaś – mówi ojciec.

Patrzę w lusterku na Kaśkę, która przysłuchuje się naszej rozmowie.

– Ale sobie miło rozmawiacie. Nie ma co. Udany wyjazd – mówi ironicznie.

– A ty się zamknij, krowo – odpowiada ojciec.

Stał się wulgarny. Uszkodzenie mózgu w płacie czołowym daje takie objawy, zwiększa agresję słowną, powoduje splątanie, człowiek zaczyna przeklinać; wcześniej ojciec nie był taki, to znaczy nie w takim stopniu.

Zastanawiam się, czy on ma świadomość tego, co się z nim dzieje. Wydaje mi się, że nie. Rośnie w nim ten obcy i go zmienia, a ojciec nie ma żadnego wpływu na to, że nim zawładnął. Powoli staje się kimś, kogo nie znam: chamskim, wulgarnym, złośliwym typem z obsesją na punkcie alkoholu. Jakby przemawiał przez niego dybuk.

Chciałabym znaleźć klucz do jego choroby, jakąś instrukcję obsługi, ale nic takiego nie istnieje. Każdy przypadek jest inny, nie ma reguł, wszystko może się zdarzyć, lekarze są zgodni, że mózg jest zagadką; jeden pacjent dobrze funkcjonuje, a drugi z takim samym guzem jest już warzywem – tu nic nie jest oczywiste. Paradoksalnie właśnie ten obcy, który wywołuje agresję, spowodował, że mój pozamykany dotychczas ojciec ujawnia wrażliwość, którą wcześniej tak skrzętnie ukrywał przed światem.

Ojciec nigdy nie mówił mi miłych rzeczy, uważał, że od tego może się zepsuć charakter; rozmawiał ze mną, kiedy było źle, jak coś zawalałam, wtedy mnie poprawiał. Ale kiedy byłam dobra, a nawet najlepsza, nie mówił nic. A ja marzyłam, żeby mnie wreszcie za coś pochwalił. I do dziś o tym marzę.

– Tato, wiesz, że ty dopiero jak jesteś chory, to mi czasami coś miłego powiesz, bo jak byłam mała, to zawsze mnie tylko opierdalałeś – pozwalam sobie na szczerość.

– Bo z Kasią lekcji nie chciałaś odrabiać – odpowiada.

– Ale odrabiałam.

Z tego powodu byłam w pewnym sensie prześladowana już od dzieciństwa. Od pierwszej klasy szkoły podstawowej rodzice zmuszali mnie, żebym odrabiała lekcje z Kasią albo za Kasię, dopiero jak ona miała odrobione, mogłam wyjść na dwór. To, czy ja odrobiłam swoją pracę domową, nikogo nie interesowało, bo ja się dobrze uczyłam i nie było ze mną problemów. A Kaśka zawsze miała w szkole pod górkę, słabo się uczyła i rodzice się o nią martwili. To przymusowe odrabianie za nią lekcji, kiedy ona siedziała sobie przed telewizorem i coś żarła, to taka kara za bycie starszą i mądrzejszą. Nie chciało mi się jej tłumaczyć, więc szłam na łatwiznę, szybko odrabiałam pańszczyznę i wracałam do swoich spraw. Nienawidziłam jej za to, choć przecież nie ona wpadła na ten pomysł. To było kompletnie niewychowawcze ze strony rodziców i na dłuższą metę tragiczne dla Kasi, bo im dalej w las, tym większe miała zaległości, a jej problemy w szkole wcale nie znikały. To było rozwiązanie na krótką metę, ale rodzice nie myśleli długofalowo o naszej edukacji, po prostu chcieli mieć święty spokój. Ojciec wiedział, że Kasia nie będzie naukowcem, więc trzeba jej pomóc przebrnąć przez szkołę, a potem już sobie jakoś poradzi. A mnie nie zaszkodzi, kiedy trochę pomogę siostrze, bo i tak mam za dużo wolnego czasu, ciągle biegam z chłopakami po jakichś działkach i lasach.

A tak mieli mnie na oku. Mama wtedy jeszcze pracowała, wracała późno, pilnowała nas babcia, która skończyła dwa razy po cztery klasy szkoły podstawowej, ledwo czytała i nie można było od niej wymagać znajomości czegokolwiek. Babcia była mądra mądrością ludową, życiową, ale na pewno nie podręcznikową.

– No a nie odrabiałam, Kaśka?

– Srałaś – mówi ojciec, kończąc temat.

Tak bym chciała z nim porozmawiać o sobie, zwierzyć mu się, nigdy dotąd się to nie udało. Dopiero kiedy jest chory, pojawiła się taka szansa. Może teraz, z tym obcym w głowie, może teraz wreszcie mnie zrozumie? Czuję między nami silną więź, ale ta więź jest powrozem, który ciśnie, uwiera, nie pozwala żyć.

– Ja nie o Kasi chcę mówić, ale o sobie, tato.

– Ja tobie więcej czasu poświęcałem niż jej – odpowiada ojciec. – Jak pani twoja od biologii się nazywała?

– Od biologii? W liceum? Nie pamiętam. Od chemii może? Madras.

– No właśnie, Madras. Ile ja razy u niej byłem...

Leokadia Madras, moja wychowawczyni w liceum, zwana przez nas zdrobniale Lodzią, uczyła chemii, ale przede wszystkim sztuki kochania. Była kobietą piękną i zadbaną, podrywała wszystkich mężczyzn, którzy nie uciekali na drzewo, nawet moich kolegów z klasy, była najprawdopodobniej nimfomanką, chodziły plotki, że kolega z naszej klasy, który miał ksywę Maras, się z nią przespał, żeby mieć tróję i potem ona nie dawała mu spokoju. Na przerwach opowiadał o szczegółach anatomicznych naszej wychowawczyni ku zgorszeniu i obrzydzeniu większości klasy, bo nikt z nas nie miał jeszcze żadnych doświadczeń w sprawach erotycznych. Odtąd jej pomalowane na czerwono obfite usta, niestety, nieodłącznie kojarzyły mi się z jednym...

Zawsze prosiłam ojca, żeby to on przychodził na zebrania, bo było wiadomo, że Lodzia wszystkie kobiety, także nas i nasze matki, traktuje z dużą podejrzliwością i niechęcią. A ojciec na zebraniach swoim ciętym dowcipem i urokiem osobistym oczarowywał Lodzię, która dzięki temu przymykała oko na moje wagary.

Byłam w liceum straszną wagarowiczką, z grupą chłopaków uciekałam z nudnych zajęć do parku, gdzie trenowaliśmy pocałunki. Potem sama sobie pisałam usprawiedliwienia i podpisywałam się jako ojciec, a to było przestępstwo, mogłam za to wylecieć ze szkoły. Kiedy ojciec się dowiedział, wybronił mnie u Lodzi i nie powiedział o niczym mamie, która by mnie za to jakoś ukarała. To była nasza tajemnica. Byłam mu za to wdzięczna. Kiedy Madras pokazała mu stos moich usprawiedliwień i spytała, czy to on pisał, odpowiedział salomonowo, że może on, może nie on, co to ma za znaczenie; tak ją zbajerował, że dała spokój. Tylko co jakiś czas pytała, co u ojca.

– Zabrodzie. Tu jest ośrodek dla dzieci niepełnosprawnych. Jak one się uprą, to są takie silne, że… – mówi nagle ojciec.

– Tak jak ty. Ty też, jak nie chcesz się kąpać, to nie ma siły. Ale dzisiaj się ślicznie wykąpałeś – chwalę go. – Wszystko umyte?

Ojciec patrzy na mnie jak na idiotkę.

– Dupa nieumyta. Kremu nie było – mówi.

– Ty dupę kremem myjesz?

– Nie myję, smaruję, żeby się nie otarło, ty nic nie rozumiesz… – odpowiada niechętnie.

Do domu jeszcze kawałek. Pogoda jest przedburzowa, nad nami wiszą granatowe chmury, powietrze zrobiło się przejrzyste, co chwila rozlegają się grzmoty zwiastujące apokalipsę. Zawsze lubiłam burze. Gdyby walnął w nas piorun, nie mielibyśmy żadnych szans, więc dopóki nie walnie, trzeba żyć.

Linia horyzontu zaczyna wyglądać jak granica nieba z piekłem, burza zbliża się gwałtownie. Zaczyna padać, wielkie krople uderzają z hukiem o maskę samochodu, o przednią szybę, przez którą, mimo włączonych na maksa wycieraczek, prawie nic nie widać.

Ojca uśpiło walenie kropel deszczu o maskę. Ogarnia mnie jakaś dziwna czułość, wzruszenie. To być może ostatnia nasza wspólna podróż. Zaczynam płakać. Łzy znalazły ujście, płyną jak szalone, wstrząsa mną szloch, nie mogę się powstrzymać. Kasia patrzy na mnie zdziwiona.

– Marta, co jest? Dlaczego ty płaczesz?

Nie wiem dlaczego płaczę, nie rozumiem tego, przecież nic się nie stało, tak mnie nagle wzięło na płacz. Jestem rozregulowana jakaś. Kasia też zaczyna płakać.

– A ty czemu płaczesz? – pytam.

– Bo ty płaczesz.

Śmieję się, nagle zaczynam się śmiać jak szalona, Kasia ze mną. Patrzę przed siebie, na drogę, znad której unosi się mgła. Muszę się otworzyć na jakąś nową przestrzeń w sobie, na jakieś nowe miejsce, gdzie znajdę spokój. Teraz go jeszcze nie widzę. Ale na pewno jest. Gdzieś blisko.

EPILOG

Kasia

Myślę o Marcie, o tym, że bardzo ją kocham. Popłakały-
śmy sobie razem, jakoś oczyściłyśmy atmosferę. Pogadałyśmy szczerze jak nigdy, jak dwie dorosłe kobiety, które
przypadkowo są związane genami. Zobaczyłam ją teraz
w innym świetle, już nie jako stroszącą piórka gwiazdę, nie
jako rodzinnego dyktatora, ale jako samotną małą dziewczynkę, która za wszelką cenę chce zbawiać świat i nagle
do niej dociera, że to się nie uda. Nasze losy są tak różne, ale przecież ani ona, ani ja nie jesteśmy zadowolone
z takiego obrotu spraw. Każda chciałaby czegoś innego,
ale czy nie tym jest dorosłość, że umiemy się do tego przyznać? Obie chcemy czegoś, co ma ta druga, obie jesteśmy
sfrustrowane, nieszczęśliwe, samotne. To dziwne, że połą-
czyła nas właśnie śmierć mamy i choroba ojca, jeszcze rok
temu nie uwierzyłabym, że to możliwe. Stał się cud. Pewnie, że będziemy się kłócić, ale taki moment jak ten, nawet
raz na sto lat, pozwala wierzyć, że się dogadamy, że jakoś
to między nami będzie.

Noctie

Kasia wzięła urlop zdrowotny i siedzi z ojcem. Cała jest nieszczęśliwa, od wszystkich żąda współczucia i wsparcia. Myślę, czy zaproponować Piotrowi, żeby się do mnie przeprowadził, ale się boję. Za długo mieszkam sama, boję się, że nagle zacznie mnie irytować podniesiona deska w łazience, brudne skarpety wciśnięte w kanapę, głośno nastawiony telewizor, kiedy chcę poczytać. Boję się, ale mam ogromną ochotę, żeby spróbować jeszcze raz, żeby z kimś jeść śniadania, żeby zacząć układać swoją normalność z mężczyzną. Może nie jest jeszcze za późno, może się uda.

Piotr mnie rozśmiesza, ma specyficzne poczucie humoru, takie ironiczno-sarkastyczne. Jest roztrzepany, ciągle coś gdzieś zostawia, nie wie gdzie, szuka, histeryzuje, że zgubił. Ma mnóstwo kompleksów, które kocham najbardziej, jak jego łysina, której się wstydzi. Przecież łysina jest sexy, a on używa jakichś dziwnych preparatów na porost włosów, łyka tony witamin i nic nie rośnie, a co gorsza, włosy jeszcze bardziej wypadają.

Pojechaliśmy do gospodarstwa agroturystycznego w Umbrii. Cisza, cykanie świerszczy, po horyzont wzgórza kojące zmysły. Tego mi teraz trzeba. Ukojenia. Pachnie kolacja, którą zaraz zjemy, jest cieplutko, potem popływam sobie w basenie. Bajka. I nie będę myśleć o tym, że wyrzucili mnie z serialu. Zawiodłam się; zrobili to, kiedy byłam najsłabsza. I tyle. Jestem za dobra na idiotyczne telenowele, samo się okazało i super. Mam robić coś więcej. A co, to się okaże. Na razie piję białe wino i idę popływać w basenie.

O Jezu, jak dobrze. Jest fantastycznie, wino ma smak cytrusów. A ja? Co ze mną? Jakiś pomysł? Teatr? Inny serial? Film? A może dalej – poszukiwanie? Świerszcze wyją. Jest dobrze.